PIERRE MIQUEL

Histoire de la France

Tome 1

Des Gaulois à Napoléon

marabout

© Librairie Arthème Fayard, 1976.

La France et l'Histoire

Il y a des pays sans histoire. La France n'est pas de ceux-là. Depuis que l'homme est apparu sur le continent eurasiatique, il se passe quelque chose dans l'espace aujourd'hui connu sous le nom de « France ».

Un peuplement précoce : on ne peut voyager aujourd'hui en France sans tomber sur quelque site préhistorique. La Bretagne en fourmille, le Sud-Ouest en regorge. On trouve du « néolithique » dans toute la Provence, dans le Massif central, dans les Alpes, et même dans la banlieue parisienne. L'ardeur des chercheurs et des curieux multiplie ces trouvailles, et les champs de fouilles ouverts par des amateurs alimentent les musées locaux et régionaux. C'est un amateur qui a mis au jour le vase de Vix, sur qui se sont penchés, depuis, tant d'éminents savants.

Le pays tout entier est un musée. Les Marseillais veulent-ils construire un immeuble place de la Bourse ? Ils mettent au jour le vieux port phocéen. On creuse à Paris un parking devant Notre-Dame ? On tombe sur une villa mérovingienne. En remuant son champ de betteraves dans les plaines du Nord, un paysan met au jour une importante sépulture mérovingienne. Gageons que s'il prenait fantaisie à un riche Persan d'acheter l'ensemble du territoire français et de le faire fouiller mètre par mètre, il n'y a pas beaucoup de régions où il ne ferait des découvertes. Un passé d'une grande richesse et d'une grande variété, dont nous ne connaissons que des bribes, des fragments discontinus, dort dans notre sol.

Pour des raisons sans doute géographiques, le peuplement de la France a toujours été relativement homogène. Les régions qui composent la France d'aujourd'hui, ainsi que les pays francophones des frontières, ne se sont jamais ignorées les unes les autres. Depuis la conquête de Jules César, les fameuses « voies romaines » ont sillonné le territoire, favorisant les contacts. Même avant les routes terrestres, il y avait les fleuves, les calmes rivières de France, qui pénètrent et relient la plupart des régions. La Seine, la Loire et la Garonne s'enfoncent loin vers l'intérieur. Elles sont partout navigables pour de petites embarcations. Si le Rhône et le Rhin, très violents, sont plus des frontières que des routes, les affluents des grandes rivières irriguent chaque tissu régional : la Dordogne aux rives fertiles, le Cher et l'Allier, l'Indre et la Vienne, la Marne et l'Oise... Il y a, dans le Nord et dans l'Est, de beaux cours d'eau calmes et lents : la souriante Moselle, si appréciée des Romains qui plantèrent sur ses bords la vigne, la Meuse et la Sambre, et tous les cours d'eau de la plaine du Nord. La France est un pays humide, où la pluie et l'eau courante ne sont pas comme en Grèce un miracle, ou comme en Égypte une exception. Et ses rivières n'ont pas de cataractes.

D'une région à l'autre, les montagnes ne font pas obstacle : on peut contourner le Massif central et des témoignages nombreux attestent qu'il fut traversé dès la Préhistoire. On passe sans difficulté des pays de la Seine aux pays du Rhône et de la Saône, et de ceux-ci aux pays rhénans. On va du Sud-Ouest au Sud-Est et du Sud-Ouest au Bassin parisien par des « seuils » qui, traditionnellement, voient défiler les envahisseurs : seuil de Naurouze, entre Garonne et Méditerranée, seuil de Poitou entre l'Occitanie et les pays du Nord. Le plus difficile, sur le territoire national, était le franchissement du Rhône, le fleuve impétueux de Frédéric Mistral : d'où certaines « villes-ponts » très anciennes : Avignon et Lyon notamment.

Pas de frontières au Nord et à l'Est avant le Rhin. L'Histoire nous apprend que le Rhin lui-même, comme le Danube oriental, fut souvent franchi par des peuples venus de l'Est. Mais ce franchissement prenait vite l'allure d'une invasion. Quand les Romains voulurent fixer une frontière à leur Empire en Occident, c'est le Rhin qu'ils choisirent.

La frontière du Sud, celle des Pyrénées, est également solide : mais comme le Rhin, elle n'a pas arrêté les migrations ni les invasions dans les deux sens. Que dire des Alpes, dont les larges vallées transversales sont de véritables boulevards! La France, à aucun moment de son histoire, n'a pu vivre repliée sur elle-même. Elle a connu tous les grands mouvements de peuples du continent, et même ceux des peuples marins. Les côtes rudes de Bretagne n'ont pas davantage arrêté les envahisseurs venus d'Angleterre que les larges terroirs normands n'ont arrêté les Vikings. Les populations de la Méditerranée ont dû déserter les bords de mer et se réfugier dans des villages perchés pour échapper aux incursions des pillards. Ni ses côtes, ni ses montagnes, ni ses fleuves frontaliers n'ont jamais mis la France à l'abri.

Pays ouvert, la France est cependant, plus que n'importe quel autre pays européen, celui des microrégions très individualisées. On passe insensiblement d'une région à l'autre. Mais on se rend compte soudain, sur quelques kilomètres, que tout a changé : le paysage, les sites, les modes de culture et la forme des champs, parfois la langage local, les toits et les pierres des maisons, les meubles traditionnels et l'alimentation. Le bétail lui-même est un élément de variété. Le sol et l'exposition des pentes au soleil font la diversité des vins. Il n'est guère de terroir français qui n'ait eu, à une époque très reculée, ses vins et ses fromages. L'herbe change, et les vaches : rien de commun entre les normandes grasses et bicolores, les bretonnes nerveuses et tachetées, les belles rousses de l'Aquitaine, les petites noiraudes du Languedoc et les blanches charolaises. Si l'on ajoute que les volailles changent comme les vaches et la forme des églises comme les fromages, on se rend compte que ce qui est appelé en France « l'esprit de clocher » correspond à une réalité historique et sociologique. Les peuples divers qui composent aujourd'hui le *puzzle* appelé « France » ont toujours eu entre eux des contacts. Mais ils se sont acclimatés et développés dans l'individualisme des villages.

La densité et la variété du peuplement tiennent sans doute aux conditions naturelles favorables : aux « microrégions » correspondent très souvent des microclimats, qui ont favorisé des formes d'agriculture et d'élevage spécifiques.

Le climat océanique tempéré, avec ses gradations savantes d'Ouest en Est et du Nord au Sud, permet toutes les interprétations, toutes les utilisations du sol.

Une grande partie du territoire se compose de belles plaines de sédiments fertiles : les bassins de la Garonne et de la Seine offrent des terroirs riches, profonds et chauds dans le Midi, très limoneux dans le Nord, où la Beauce et la Brie ont une proverbiale opulence. La Flandre s'ouvre sur la grande plaine de l'Europe du Nord-Ouest qui va s'élargissant vers la Belgique et l'Allemagne, plus loin la

Pologne et la Russie. L'immense ruban des terres à blé de l'hémi-
sphère Nord vient mourir en France, au bord de la mer du Nord
et de la Manche, jusqu'aux plantureux herbages de Normandie.

Les plaines alluviales ne sont pas moins riches, souvent, que les
bassins sédimentaires : la plaine d'Alsace, les « limagnes » du Centre,
certaines plaines du Rhône moyen et inférieur, quelques vallées des
Alpes sont richement céréalières. Les moissons de Giono se font
dans la vallée de la Durance. Des zones réputées ingrates, comme
la Bretagne ou le Languedoc, s'ouvrent soudain sur des bassins
exceptionnellement fertiles, qui, grâce à la clémence inattendue
du climat, portent de bonnes récoltes et suscitent un peuplement
rapide. La France « hercynienne » de la Vendée et de la Bretagne,
des Ardennes et du Massif central, a des plages, des oasis de
bonnes terres.

Diversité des terroirs, des microclimats, des petites régions individualisées. Diversité, aussi, des races de la France.

Il n'y a pas de race française, comme il n'y a pas de climat français.
Les peuples ont rarement traversé notre territoire sans se fixer peu
ou prou, sans se mêler d'une manière ou d'une autre à la population
locale. Il y a les races montagnardes, qui ne sont pas toujours originaires de leurs montagnes, mais qui constituent, dans leurs villages
élevés, les témoins d'antiques invasions. Des peuples marins venus
d'Orient ont fait souche jusque dans les hauts plateaux du Centre.
La Bretagne et la Normandie sont occupées par des peuples venus
de l'Europe du Nord, à une époque plus ou moins lointaine. Les
gens venus de l'extrême Asie se sont fixés un peu partout.

La diversité du peuplement a pour effet une grande bigarrure
des types physiques qui composent la population française : les
armées du XIXᵉ siècle engageaient les grands géants blonds venus
du Nord, les cavaliers lourds et bruns du Midi. Il y avait des cuiras-
siers de deux mètres, et des chasseurs à pied d'un mètre cinquante,
des fantassins de toute taille et de tout poil, des « rouquins » du
Nord et des « noirauds » du Centre. Si la légende évoque les Gaulois
grands et blonds, les armures du Moyen Age nous montrent des
croisés petits et trapus. Il n'y a pas de Français-robot. Seulement
quelques types dominants : l'Alsacien mince et blond, l'Alpin petit
au crâne rond, l'Auvergnat au teint sombre mais dont les yeux
sont souvent bleus, le Basque au pied sûr de contrebandier, le
Normand rose et blond. Mais ces types sont contredits d'un terroir

à l'autre, d'une famille à l'autre et jusqu'au sein des familles.

A partir du XIXᵉ siècle, l'industrie et le peuplement des villes, où la population venue de toutes parts se mélangeait sans cesse, ont encore ajouté à la confusion en attirant la main-d'œuvre étrangère. De nombreux Italiens ou Espagnols ont fait souche dans le Midi, des Polonais dans le Nord, des Russes blancs dans la région parisienne. Tous ces peuples, immigrés souvent depuis plus de cinquante ans, sont parfaitement assimilés. Ouverte aux quatre vents, la France a toujours accueilli sur son sol la vague amortie des invasions, et la vague sans cesse renaissante des migrations. Elle importe beaucoup plus d'hommes, traditionnellement, qu'elle n'en exporte. Un Français sur dix est aujourd'hui africain, portugais, espagnol ou yougoslave. Ces travailleurs étrangers retourneront-ils tous dans leur pays ? La France est certainement l'un des pays d'Europe qui assimilent le plus — au sens américain du terme — les étrangers. Les mineurs polonais et les maçons piémontais ont été « faits français », comme jadis furent assimilés les grands nomades de la Préhistoire, les guerriers blonds venus de l'Est, et les marins basanés du Midi.

Ancêtres mythiques des Français, les « Gaulois » sont encore mal connus avant la conquête romaine. Ils font partie d'une histoire légendaire, que l'archéologie rend peu à peu plus précise et plus concrète. Même au temps des Romains, les Gaulois n'ont guère été décrits que du point de vue des conquérants.

Le sentiment de l'unité de la Gaule, ou des Gaules, fut en fait donné aux Gaulois par leur premier envahisseur connu dans l'Histoire. Force est donc de commencer une Histoire de France par un chapitre sur les Gaulois.

Comme l'a très bien fait remarquer leur historien Albert Grenier, « parmi tant de peuples connus ou inconnus dont les efforts successifs ont constitué la France, les Gaulois ont, les premiers, conçu, exprimé et réalisé en partie un idéal politique qui est demeuré le nôtre... C'est d'eux que nous tenons, pour ainsi parler, nos plus anciens parchemins nationaux ».

L' « idéal politique » dont parle Grenier est celui qui, chez les historiens de toute tendance du XIXᵉ siècle, est réputé le ciment de la « nation française ». La marche vers la « nation française », à partir de l'anarchie gauloise, a toujours été en France une tendance fondamentale de l'historiographie. Tous les grands historiens, ou presque, ont écrit leur « Histoire de France ». La plus remarquable est, à certains égards, celle d'un académicien du début de ce siècle, Ernest Lavisse, directeur de l'École normale supérieure et professeur à la Sorbonne. Ce personnage considérable de la IIIe République ne dédaigna nullement de rédiger, à l'usage des écoliers de l'enseignement laïc, gratuit et obligatoire, une Histoire de France familièrement appelée, en raison de son format, le « petit Lavisse », qui expliquait aux jeunes Français pourquoi ils devaient être fiers de constituer une nation. Après Michelet, ou Victor Duruy, Lavisse racontait sur le mode épique cette marche du peuple français vers l'unité, mais aussi vers la liberté et la démocratie des années 1890.

Le thème national, annexé par les républicains, réconciliait ainsi toutes les familles françaises « autour du drapeau », en persuadant les écoliers que les rois, les empereurs et les Républiques avaient tous contribué, chacun en son temps mais avec une remarquable continuité, au grand rassemblement des terres et des hommes. Philippe le Bel le roué, Louis XI le comptable, Louis XIV le conquérant, passaient, aux yeux des républicains, pour des monarques respectables, à qui l'on pardonnait volontiers, en 1890, leurs éclatants défauts, parce qu'on leur reconnaissait le mérite d'avoir été les « rassembleurs de la terre française ».

L'Histoire de France a été longtemps racontée selon ce double schéma : constitution de la nation autour des rois de l'Ile-de-France, puis de l'État centralisateur — évolution du peuple français vers la République démocratique et libérale, vers le suffrage universel et « l'École du peuple ».

Cette dernière interprétation doit beaucoup à Michelet et aux historiens « libéraux » du XIXe siècle. La France aurait vécu dans l'ignorance et l'intolérance pendant les longs siècles du Moyen Age. Mais l'effort global d'un peuple, une volonté collective d'affranchissement au contact de civilisations plus évoluées (l'Italie notamment) auraient imposé la constitution d'une nation moderne. Après mille épreuves et beaucoup de contradictions, cette nation aurait trouvé en elle-même la force d'affirmer son indépendance dans une Europe hostile, et son désir d'élaborer une démocratie.

En ce sens, les guerres nationales seraient des guerres de libération contre la « tyrannie » oppressive des vieux États européens. Dès l'époque de Jeanne d'Arc, et même aux temps de Bouvines, la France aurait eu implicitement conscience d'exister comme nation ! C'est avec la Révolution française de 1789 que la volonté populaire de rassemblement aurait trouvé ses formes juridiques. De ce point de vue, la « Grande Révolution » est pour Michelet un accomplissement. Tout l'effort du XIXᵉ siècle libéral est de retrouver cet idéal perdu, constamment réprimé par les régimes réactionnaires ou bourgeois.

Le thème démocratique n'a donc pas moins d'importance, dans le fond commun des *Histoires de France*, que le thème national. Il est même à remarquer que ces thèmes se confondent d'autant mieux que les auteurs sont fermement attachés au progrès, à la justice sociale. L'idée de nation est très souvent à gauche dans l'histoire moderne et contemporaine de la France. La levée en masse, l'armée et la guerre révolutionnaires sont des idées françaises, de même que le prosélytisme républicain. La Révolution ne doit pas faire seulement le bonheur des Français, elle doit libérer l'Europe, affranchir les esclaves, constituer un modèle pour le monde entier. Elle a des vues continentales et planétaires. Quand le peuple français se libère, il libère aussi les « Républiques-sœurs », et les racines des nouvelles nations sont identiques à celles de la nation française : elles se libèrent pour réaliser la justice et pour institutionnaliser la liberté. 1830, 1848, et plus tard la Commune de Paris sont fidèles à cet idéal de libération universelle, qui sera repris et exalté, sous une autre forme, par les socialistes « patriotes » des cabinets de guerre, après 1914.

Dans l'idée de justice, on trouve, à la base, une volonté égalitaire, celle-là même qui s'est affirmée, longtemps avant la Révolution, dans la passion bien française de la centralisation. Des légistes royaux aux Premiers ministres, anciens élèves de l'École nationale d'administration, cette constante des mentalités françaises s'affirme dans le culte de l'État. Quand Louis XIV affirmait : « l'État, c'est moi », il ne se livrait sans doute pas à une manifestation d'orgueil. Il entendait que la personne royale, seule garante du droit, devait aussi l'imposer à tous ceux qui avaient la prétention de dire le droit, à tous les « privilégiés ». L'État centralisateur de l'ancienne monarchie s'est donné pour but de niveler les particularismes, les coutumes régionales et locales, les survivances de la féodalité et les anomalies dues aux caprices de l'histoire. Une certaine conception de la justice veut que tous les « sujets » soient égaux devant le « souverain ». Il suffit de remplacer la souveraineté du roi par celle du peuple pour maintenir, sous la Révolution, la tradition centralisatrice de la monarchie.

De fait, un des grands débats de la Révolution française fut celui des Girondins et des Montagnards. Les Girondins voulaient une nation fédérée, décentralisée. Les Montagnards, avec Danton et Robespierre, voulaient au contraire imposer la centralisation, au nom de la justice et de l'efficacité révolutionnaire. De leur point de vue, le fédéralisme ne pouvait aboutir qu'au triomphe de la réaction dans les provinces, la vraie révolution n'étant que de Paris.

Le débat des Parisiens centralisateurs et des provinciaux fédéralistes est vieux comme la France. Il se retrouve dans l'affrontement des partis politiques d'hier et d'aujourd'hui. Il se manifeste dans la résistance des grands seigneurs de province — aujourd'hui les maires de certaines grandes villes — aux rois de l'Ile-de-France, à leur appareil étatique. Il apparaît, longtemps après le triomphe de Louis XIV sur la noblesse, dans la lutte des États provinciaux contre les intendants, officiers du roi dans les provinces. Il est tranché péremptoirement par Bonaparte qui établit, avec les préfets, un État hypercentralisé imité de l'ancien Empire romain.

Pour certains historiens, la constitution réelle de la nation-France vient de cette étape décisive dans l'affirmation d'un État égalitaire et niveleur, un État-roi qui interdise toute contestation fédérale, et réduise tous les droits et coutumes particuliers. La continuité de l'Histoire ne proviendrait pas seulement de la volonté de rassembler, mais aussi de cette passion centralisatrice. Les rois ne sont pas de simples rassembleurs de terres, ils sont aussi les créateurs de l'État moderne. La République et Bonaparte ont recueilli, avant d'autres, leur héritage.

Ainsi écrite, l'Histoire de France est évidemment très partielle. Elle suit la ligne d'évolution très apparente vers l'hexagone contemporain. Elle délaisse comme rebuts ou déchets ce qui fait la richesse des forces centrifuges, les civilisations perdues des provinces, leur volonté d'exister. Les tendances actuelles de l'Histoire poussent à la redéfinition, précisément, de l'histoire nationale, dénoncée comme simplification et parfois comme mystification. Le cours de l'Histoire, particulièrement celle de la France, n'est pas lisse et régulier. Il y a les rivières des diverses origines, qui ont leur temps propre, celui de leur région. Le cours des événements se rassemble et se grossit en certains points du profil : la Révolution, par exemple, ou les grandes guerres. A ces instants de crispation collective se définit un avenir plus long, plus calme. Il faut insister, dans le récit, sur les moments privilégiés, qui conditionnent en profondeur les mentalités et laisser courir plus vite le fil des périodes sans orages. Mais il faut aussi rendre compte de la richesse des profils régionaux, dont l'insertion, dans l'explication globale du phénomène « France », apparaît aujourd'hui comme possible. Des tentatives d'histoires régionales ont vu le jour depuis vingt ans. De très sérieuses études existent sur l'Histoire de Bretagne, de Normandie, du Languedoc, de l'Alsace, qui modifient très sensiblement les « perspectives » parisiennes, pour qui toute ligne provient d'un centre, la borne de Notre-Dame... Les conceptions unitaires et linéaires de l'histoire ne parviennent pas à masquer, au cours des événements, l'affrontement souvent passionné, parfois désespéré de Paris, centre de l'État, et de telle ou telle province.

Il fut un temps où l'antagonisme mettait en question plus que le pouvoir politique. L'acharnement des barons du Nord contre le comté de Toulouse, la révolte à la fois mystique et sociale des Cathares ont ouvert dans le Sud-Ouest des plaies qui, avec le temps, n'ont pas été oubliées. Les expéditions royales dans le Languedoc protestant sont du même ordre, ainsi que les « dragonnades » et autres exploits des agents de Paris dans les Cévennes. C'est à la périphérie de l'hexagone que l'on trouve les forces de contestation les plus constantes, dans les pays « à États » plus récemment rattachés au royaume : la Bretagne, le Languedoc, la Provence, le Dauphiné...

Les rapports de Paris et de la province, sous l'angle de l'affrontement et du dialogue, prennent un autre relief que dans la perspective linéaire de l'histoire centralisatrice. Ils font apparaître la survie ou la résurgence des civilisations régionales, parfois d'une grande richesse, et expliquent certains aspects d'une évolution ou d'un comportement politique qui ne peuvent se réduire au dialogue de sourds entre l'autorité centrale et les mauvais sujets de la périphérie.

Il n'est pas indifférent de remarquer combien ces provinces périphériques sont sensibles aux influences des régions d'Europe qui les prolongent. La nation de frontière, comme isolant parfait, joue un rôle très restreint dans la longue période de notre histoire. Elle se limite aux temps malheureux des affrontements nationaux. Jadis, comme aujourd'hui, l'Alsace était du Rhin aussi bien que française, et la Flandre flamande, et le Jura jurassien, de chaque côté des crêtes, et la Savoie alpine, qu'elle fût française ou italienne... De sorte que dans leur conception, les Histoires régionales qui s'écrivent aujourd'hui ne sont pas à la recherche d'une série de civilisations perdues, elles s'efforcent légitimement d'oublier le point de vue trop strictement national de l'ancienne tradition historiographique pour ouvrir tous les aspects de la vie française à leurs prolongements européens. Ainsi le nouveau récit de l'Histoire de France peut-il espérer gagner en rayonnement ce qu'il perd en simplification, et apporter sa contribution à une nouvelle intelligence des peuples de l'Europe de l'Ouest.

PREMIÈRE PARTIE

Des Gaulois aux Réformés

CHAPITRE I

Les Gaules et les Gaulois

Il n'est certes pas facile d'imaginer l'espace-France aux origines de son peuplement. Les paysages, comme les peuples, ont leur histoire. Ni les hommes ni les sites ne restent semblables à eux-mêmes sur une très longue période, et les données manquent pour se faire une idée très précise. Il est clair cependant que « nos ancêtres les Gaulois » ont habité la région limitée par l'Océan, le Rhin, les Alpes, la Méditerranée et les Pyrénées dès la période du premier âge du fer, c'est-à-dire depuis le début du premier millénaire avant notre ère, il y a 3 000 ans.

L'occupation du territoire.

Longtemps auparavant, l'Europe du Nord-Ouest était peuplée d'humains. Certains sont sortis, presque intacts comme les momies d'Égypte, des marais du Danemark. Les ancêtres de ceux-là vivaient dans des grottes et des cavernes, au quaternaire. Les traces de cette population abondent en France.

LES CHASSEURS DES CAVERNES.

La caverne... telle est l'origine réelle et mythique tout ensemble des hommes de l'Europe occidentale. Dès la seconde moitié de l'ère du quaternaire, il existe sur l'espace-France des cavernes et des hommes. Le climat très rigoureux les avait réduits à se réfugier dans les sites les plus abrités du Sud-Ouest (la Dordogne) ou du couloir Saône-Rhône (Solutré, en Saône-et-Loire). Les grottes-refuges de cette époque sont célèbres pour leurs peintures : Lascaux, Combarelles et Font de Gaune du Périgord. Dans la « caverne des Trois Frères » (à Niaux) les gens des Pyrénées avaient sculpté le rocher et découvert une technique de peinture polychrome! On était à l'époque des grands glaciers.

Le froid ne ralentissait pas l'activité humaine. Il la stimulait au contraire. Les chasseurs de l'espace-France sortaient de leurs repaires pour traquer le gibier. Ils inventaient des armes et des outils. Ils débitaient en tranches très minces le silex des montagnes. Ils taillaient l'os en pointes de flèches, tendaient des arcs primitifs pour frapper les bisons, les rennes, les mammouths. Bientôt ils fabriquaient des harpons et des sagaies. Ils imaginaient l'aiguille d'os, qui permettait aux femmes de coudre des fourrures.

Les chasseurs savaient rabattre les troupeaux, ils les engageaient dans des vallées étroites, pour les prendre au piège. Ils les acculaient à des promontoires, comme celui de Solutré, d'où les milliers de chevaux sauvages sautaient en masse vers la mort.

L'isolement de ces hommes perdus dans une nature hostile était redoutable. Il fallut bien des générations pour qu'ils pussent connaître des conditions de vie plus douces, mieux adaptées, plus confortables. Vers 25 000 avant notre ère, un souci du mieux vivre se manifeste. Les hommes ne sont plus des bêtes errantes parmi les bêtes. Ils expriment, et savent exprimer, leurs croyances et leurs angoisses. Ils enterrent soigneusement leurs morts, ils rendent un culte à des dieux mystérieux, ils ont des sorciers et des chefs. Sans doute sont-ils déjà plus nombreux à occuper le sol. Ils sont mieux nourris, mieux armés, mieux adaptés. De cette époque datent les statuettes sacrées et les peintures de grottes découvertes dans la France du Sud-Ouest.

12 000 avant Jésus-Christ : les troupeaux de rennes gagnent le Nord et le Grand Nord. Les ours se réfugient dans les hautes montagnes. Les hommes peuvent enfin sortir, définitivement, des cavernes. Le climat a changé, plus vite ici qu'en Amérique du Nord ou en Asie continentale. Les paysages se couvrent de forêts. Mammouths et bisons disparaissent... Vient le temps des cerfs, des sangliers et des renards : c'est la fin de la dernière glaciation.

LA FIN DES GRANDS NOMADES.

Beaucoup, parmi les hommes, suivirent les troupeaux vers le Nord, restant chasseurs et nomades. Les autres, pour survivre, s'installèrent au bord de la mer ou le long des cours d'eau : si la chasse était plus difficile, dans la forêt touffue, restait la pêche.

Pour la population clairsemée de l'Europe du Nord-Ouest, la disparition des grands troupeaux impliquait une lente et difficile adaptation aux nouvelles données climatiques. Mais la lumière, peu à peu, vint d'Orient.

De proche en proche, par un cheminement obscur, les techniques de l'agriculture et de la métallurgie gagnèrent l'Europe occidentale. Au lieu de vivre de pêche et de cueillette, les hommes défrichaient la forêt, élevaient des troupeaux d'animaux domestiques, et, déjà, semaient des graines de céréales. Avec les techniques vinrent aussi les hommes : la plus importante vague de peuplement aborda les côtes de la Méditerranée sans doute au IVe millénaire. Elle avait l'Orient pour origine. Ces peuples marins élevaient les chèvres et les moutons, ils semaient l'orge. Ils ne s'engageaient pas eux-mêmes dans l'intérieur des terres. Mais leurs techniques faisaient tache d'huile, et se répandaient, d'un peuple à l'autre. Ces marins devenus sédentaires ont été identifiés grâce aux poteries qu'ils fabriquaient, sur lesquelles ils imprimaient des coquillages.

D'autres peuples venus de la mer, également pasteurs et cultivateurs, remontèrent à une époque plus tardive la vallée du Rhône et de la Saône, débouchant sur le Bassin parisien. Les hommes se fixaient encore le long des cours d'eau, construisant, dans la région du Jura, des cités lacustres. Ils défrichaient les forêts et semaient les céréales, tout en pêchant dans les marais et les rivières.

Étaient-ils nombreux ? On ne sait. Ce peuplement se réduisit à un espace utile très restreint. De plus ces peuples pratiquaient sans doute le nomadisme des cultures. La révolution décisive dans l'adaptation des hommes au sol devait provenir de l'utilisation des métaux. Des prospecteurs venus d'Orient découvrirent des mines d'étain et de cuivre en Angleterre et en Espagne.

Dès lors de nouveaux types de peuplements apparaissent, dans la Lozère notamment, mais aussi en Seine-Maritime, avec la civilisation appelée « campignienne », du nom du village de Campigny. Les « Campigniens » ne connaissent pas encore l'usage du cuivre. Mais ils sont fixés au sol. Ils travaillent la terre avec des roches plus dures. Ils apportent la preuve qu'avec l'invention d'outils nouveaux, les nomades deviennent des villageois, parce qu'ils sont plus efficaces.

Si les métaux et leur procédé d'utilisation viennent aussi d'Orient, c'est par voie de terre et non par mer. L'Europe centrale et danu-

bienne est le relais essentiel de cette pénétration de l'art de la métallurgie en Europe occidentale.

A cette époque reculée, l'emploi d'une technique nouvelle définissait une nouvelle civilisation. Avec les métaux apparaissent les
premiers « tumulus ». Ces monticules de terre remontent aux
années 1600-1300 avant Jésus-Christ. Quand on les fouille, on
met au jour des tombeaux, et dans les tombeaux les premiers
« Celtes ».

Tout le monde n'est pas d'accord pour appeler « Celtes » les
hommes des premiers tumulus. Étaient-ils Celtes aussi, les
hommes de la civilisation des dolmens ? Très longtemps avant la
période des tumulus, les dolmens et les menhirs, hauts quelquefois de vingt mètres, s'alignaient en Bretagne, à Carnac par
exemple. Sans doute étaient-ils dressés en l'honneur des morts. Les
hommes des dolmens, contrairement à ceux des tumulus, ignoraient l'usage des métaux. Ils avaient, en guise d'outils, des
silex taillés. Ils apprirent l'usage du cuivre grâce aux contacts
maritimes qu'ils avaient avec les peuples du Nord et du Midi en
relation avec l'Espagne. Les hommes des dolmens préexistent aux
premières invasions « celtiques ». Ils vont cependant exporter leur
civilisation : il y a des dolmens dans les Cévennes et jusque dans
la vallée du Rhône. Inversement, des tumulus existent en Auvergne.
Les deux types de civilisation ont donc fini par se rejoindre.

Il n'y avait pas, entre elles, de vide. Entre les hommes des dolmens, à l'Ouest, et ceux des tumulus, à l'Est, une population de
plus en plus nombreuse occupait le centre de la Gaule, et s'initiait
aux secrets de la métallurgie. Dans leurs tumulus, on trouvait
des armes de bronze assez courtes et des vases sommairement
décorés. Le bronze venait de Bohême. Il gagna la France par l'Alsace, la Lorraine, la Franche-Comté et la Bourgogne. Vers 1500, il
était connu dans le Massif central, dans les Limagnes et la plaine
de l'Allier. De là, il gagnait la vallée de la Seine et le Nord. Dans les
grands tumulus circulaires, les hommes du bronze enterrés avec
leurs armes étaient de grands gaillards solides, au crâne allongé,
aux cheveux blonds. Après la Gaule, ils auraient envahi l'Angleterre
et l'Irlande. C'est la première expansion des Celtes, ou des « proto-
Celtes ».

Vers 1000 avant Jésus-Christ, une seconde vague d'envahisseurs
venus de l'Est substitua le rite de l'incinération à celui de l'inhu-
mation. Les tombes, au lieu d'être surmontées d'un tumulus,
furent creusées dans le sol. On parle alors de « champs d'urnes »,

contenant les restes incinérés des hommes. Les « champs d'urnes » existent dans le Centre de la France, mais aussi bien dans l'Europe de l'Est et en Espagne.

LA CHEVAUCHÉE DES ROIS CELTES.

Derrière ces envahisseurs arriva enfin la grande vague des cavaliers celtiques, porteurs des secrets de la fabrication du fer, qu'ils tenaient de la civilisation de Hallstatt, en Basse-Autriche. De 900 à 500 avant Jésus-Christ... ces « hommes du fer » qui sont incontestablement des Celtes se répandirent dans l'Ouest jusqu'au Portugal.

Au Ve siècle, le voyageur grec Hérodote trouve les Celtes installés dans le Sud de l'Espagne. Ils ont envahi l'Europe. A cette époque, toute la Gaule est devenue celtique. Poussés probablement par des peuples germaniques, les Celtes ne sont pas toujours venus en conquérants, mais peut-être en pasteurs, cherchant de place en place des pâturages le long des rivières, éclaircissant les forêts pour installer des villages. Le peuplement celtique n'a pas eu lieu d'une seule poussée. Il fut lent, progressif, lié souvent au parcours des troupeaux. On peut imaginer, en Bretagne par exemple, un contact pacifique de populations entre les agriculteurs et les marins de la civilisation des dolmens, et les hommes venus de l'Est avec le fer et le char à quatre roues.

Autour de 500 avant Jésus-Christ, une deuxième « civilisation du fer », dite « civilisation de la Tène », se développe en Gaule, où les premières mines sont exploitées. A cette époque, toute la Gaule n'est pas celtisée : les Ligures occupent le rivage méditerranéen, des Alpes-Maritimes au Rhône. Les Ibères vivent sur les côtes du Sud-Ouest.

Dans son ensemble, cependant, la Gaule est dominée par les Celtes. Les forges de Lorraine, exploitées dès cette époque, celles de Bourgogne et du Massif central, permettent aux Celtes de s'armer de ces longues épées droites qui répandent la terreur. La nouvelle civilisation, qui enterre les morts dans d'immenses fosses, couvre peu à peu l'essentiel de la Gaule. Les contacts avec l'Orient, notamment par la Méditerranée, permettent aux Celtes de faire des progrès décisifs en artisanat et dans les techniques agricoles. Est-ce à partir de Marseille (fondée vers 600 par les Grecs) que se répandent l'usage de la monnaie et la culture de la vigne ?

Par son unité, le monde celte est comparable au monde romain :

les langues parlées en Gaule sont de même racine. Les arts et les techniques tendent à s'harmoniser. Il en est probablement de même des mœurs et des structures sociales. Dès le VIe siècle, des relations existent avec la Grèce. La découverte de la tombe de Vix, près de Châtillon-sur-Seine, en 1952, peut en témoigner : à côté des objets de la première civilisation du métal (statuettes et vase de bronze, char à quatre roues) on y trouva des objets incontestablement grecs. Ainsi les ancêtres des Gaulois étaient-ils déjà en contact, par mer et par terre, avec les autres civilisations de la période proto-historique.

LES TRIBULATIONS DES GAULOIS HORS DE GAULE.

On ne sait trop comment étaient organisées les premières sociétés celtiques. Ceux que les Grecs appellent indifféremment Celtes ou « Galates », que les Romains appelleront plus tard les « Gaulois », formaient peut-être une fédération de tribus. La tombe de Vix était princière, sans doute les fameux « rois celtes » existaient-ils à cette époque, ou, à leur défaut, des princes.

C'est à la période du second âge du fer, au IVe siècle avant Jésus-Christ, que les Celtes ou Galates, devenus conquérants, se répan-dirent, au-delà des Alpes, dans la plaine du Pô. Ces « Gaulois » affrontèrent les Étrusques, qu'ils vainquirent. Ils pénétrèrent dans le Latium, s'emparèrent de la ville de Rome, où seul le Capitole put leur résister, vers 390 avant Jésus-Christ.

Ces étranges envahisseurs nous sont connus par un chroniqueur et géographe grec, Strabon, qui a repris des témoignages de l'époque :

> « A leur franchise, dit-il, à leur fougue naturelle, les Gaulois joignent une grande légèreté et beaucoup de fanfaronnade, ainsi que la passion de la parure, car ils se couvrent de bijoux d'or, portent des colliers d'or autour du cou, des anneaux d'or autour des bras et des poignets, et leurs chefs s'habillent d'étoffes teintes de couleurs éclatantes et brochées d'or. »

Strabon, après tant d'autres auteurs, dresse ensuite un portrait moral peu flatté :

> « Cette frivolité de caractère, dit-il, fait que la victoire rend les Gaulois insupportables d'orgueil, tandis que la défaite les

consterne. Avec leurs habitudes de légèreté, ils ont cependant certaines coutumes qui dénotent quelque chose de féroce et de sauvage dans leur caractère, mais qui se retrouvent, il faut le dire, chez la plupart des nations du Nord. »

Et Strabon se fait l'écho des souvenirs terrifiants des anciens Romains, ceux-là mêmes qui affrontèrent les Gaulois lors du siège de Rome :

« Au sortir du combat, ils suspendent au cou de leurs chevaux les têtes des ennemis qu'ils ont tués et les rapportent avec eux pour les clouer, comme autant de trophées, aux portes de leurs maisons... Les têtes des personnages illustres étaient conservées dans de l'huile de cèdre et ils les montraient avec orgueil aux étrangers, refusant de les vendre, même au poids de l'or. » (Stabon, IV, 4, 5.)

Ainsi les Gaulois avaient constamment des contacts avec les étrangers, ils pratiquaient les échanges et le commerce, ils connaissaient l'usage de l'or comme monnaie et non seulement comme parure. Où auraient-ils trouvé « l'huile de cèdre » sinon dans les échanges avec les peuples de la Méditerranée ? Et l'or dont ils étaient couverts ?

On sait que, dans les Balkans, les Galates faisaient régner la terreur, qu'au IIIe siècle, conduits par Brennus, ils pillaient les cités grecques et se répandaient jusqu'en Asie mineure. La pression des tribus gauloises devait profondément transformer la population de l'Italie du Nord qui devint véritablement une « Gaule cisalpine ». Sur les bords de la Méditerranée, les Gaulois finirent par se fondre avec leurs adversaires, les Ligures et les Ibères.

Vint le temps des revers. Au IIIe siècle, les Belges, Celtes germanisés, qui incinéraient leurs morts, occupèrent peu à peu les territoires compris entre la Seine, la Marne et le Rhin. Ils chassèrent les Celtes du second âge du fer qui prirent le chemin de la Grande-Bretagne, où ils vinrent occuper les terres de la vague antérieure, celle des proto-Celtes de la période hallstattienne. Ainsi sur les territoires européens se succédaient sans cesse les nouveaux occupants.

A la fin de cette migration, Rome avait grandi. Les légions occupaient l'Espagne (201) et soumettaient les tribus gauloises de la

Gaule cisalpine. Les Celtes n'étaient plus véritablement rassemblés qu'en Gaule. C'était la fin de l'Europe celtique.

Formèrent-ils jamais une nation ? Les récits des voyageurs grecs, les relations des Romains, celles de Jules César enfin, permettent de se faire une idée assez précise de la civilisation des Celtes habitant la Gaule transalpine, les Gaulois nos ancêtres, mais non de donner une réponse définie à cette question.

Les Gaulois en liberté.

UNE RACE GAULOISE ?

Les Romains ne connaissaient pas la Gaule, mais les Gaules. Avec leur sens inné de l'image, ils distinguaient d'abord les Gaulois porteurs de toge de la *Gallia togata*. Ceux-ci étaient habillés à la romaine parce qu'ils avaient été les premiers romanisés. Ils habitaient la Gaule cisalpine, l'Italie du Nord.

Il y avait ensuite les Gaulois porteurs de braies (ou culottes) de la *Gallia braccata* ; c'est l'actuelle Provence, accrue du Languedoc, conquise par les Romains en 125 avant Jésus-Christ parce qu'elle se trouvait sur la route de l'Espagne. La troisième Gaule était la chevelue, *Gallia comata*, ainsi nommée parce que les Gaulois, à l'inverse des Romains, portaient longs leurs cheveux blonds.

> « Les Gaulois sont de grande taille, écrit Diodore de Sicile, leur chair est molle et blanche ; non seulement leurs cheveux sont naturellement blonds, mais ils s'appliquent à rehausser cette couleur en les lessivant continuellement avec de l'eau de chaux. Ils les tirent du front vers le sommet de la tête ou de la nuque. Grâce à cette opération, leurs cheveux deviennent épais comme la crinière des chevaux. »

Faut-il croire le chroniqueur ? Faut-il suivre Virgile quand il écrit, parlant des Gaulois, « en or leur chevelure, en or leurs vêtements » ? L'historien Ferdinand Lot ne croit pas au mythe des « grands guerriers blonds ». Il pense que les Romains les décrivaient ainsi par pure convention, et qu'en réalité les cheveux des Gaulois étaient teints ou décolorés...

Blonds ou bruns, les Gaulois étaient en tout cas réputés, dans le monde antique, pour leur ardeur guerrière et leur « habileté à la parole ».

> « Le caractère commun à toute la race gauloise, écrit Strabon, c'est qu'elle est irritable et folle de guerre, prompte au combat, du reste simple et sans malignité. Si on les irrite, les Gaulois marchent droit à l'ennemi, sans s'informer d'autre chose... Forts de leur haute taille et de leur nombre, ils s'assemblent en grande foule, simples qu'ils sont et spontanés, prenant volontiers en main la cause de celui qu'on opprime. »

Ils ont une langue commune, proche à la fois du ligure et du latin. C'est une langue indo-européenne. Elle a des variantes en Bretagne, en Irlande, en Pays de Galles. Comme l'écrit Albert Grenier :

> « Quand ils apparaissent dans l'Histoire, les Gaulois parlent un langage de même famille que celui des Arya de l'Inde. »

C'est postérieurement que les différences apparaissent dans la langue des peuples. Le début de la dispersion date de l'âge du cuivre. Au moment de l'âge du fer, les Gaulois ont un langage commun qui s'apparente beaucoup à celui des Germains. Ils appellent le fer *isarno* (les Germains : *eisarn*).

Même rameau linguistique, même ethnie, les Gaulois ou Celtes sont bien les ancêtres des Français. Cela ne veut pas dire qu'ils parlaient tous la même langue, ni qu'ils avaient le même type physique : entre les habitants des Cévennes, ceux du Rhin, les Arvernes et les Bretons, les différences étaient déjà très sensibles. Mais comme le dit avec beaucoup de bon sens Ferdinand Lot :

> « On prétend qu'il n'y a pas de type français... il y a cependant une moyenne ethnique française... et ce fait ne peut s'expliquer que si les ressemblances entre gens de France sont supérieures aux dissemblances, et cela depuis des temps anciens. »

L'ANARCHIE ORGANISÉE DE LA GAULE AUX TROIS CENTS PEUPLES.

Si l'on admet qu'une certaine unité du monde celtique a jadis existé, il faut bien reconnaître que la centaine de peuples qui habitent la Gaule sont très différenciés, très individualistes, et qu'ils sont souvent en conflit les uns avec les autres. Il n'y a pas d'unité politique. Il y a seulement une dominante de civilisation.

Ces peuples, les Romains les appelaient des « cités ». Certains l'emportaient nettement en puissance sur les autres. Il y avait, en tout, soixante « cités », subdivisées en districts campagnards, les « pagi » ou « pays ».

Les peuples qui dominaient la Gaule chevelue étaient les Arvernes ; maîtres du centre de la Gaule, ils avaient Riom pour capitale (Rigomagnus). Les Éduens, installés en Saône-et-Loire, tiraient leur force de leur métallurgie et de la maîtrise des routes commerciales Nord-Méditerranée et Suisse-Atlantique. A l'est du Jura, les Helvètes, puissamment organisés, dominaient les Allobroges. Les pays entre Loire et Seine étaient contrôlés par les Sénons, cependant que les Carnutes organisaient la navigation sur la Loire, dont ils tiraient un grand profit. C'est dans leur territoire que se tenait l'assemblée générale des druides.

Chez les peuples de la Gaule chevelue, la puissance des tribus venait de la domination d'un fleuve, de la possession de mines de fer, de cuivre, ou d'une certaine disposition pour le commerce. La richesse économique donnait déjà l'influence politique. Dans l'Aquitaine, une quinzaine de petits peuples à moitié ibères se partageaient le territoire, sans que l'un d'eux l'emporte nettement sur les autres. Ils n'avaient ni mines ni grandes routes commerciales. La région méditerranéenne et les Alpes étaient mieux partagées : aussi furent-elles occupées très vite par les Romains. Des villes se fondèrent de bonne heure dans la vallée de la Durance : Sisteron et Gap (Segustero et Vapincum), dans le Vaucluse : Orange (Arausio) et Avignon (Avenio). Les peuples de la côte étaient, soit franchement ligures, soit celto-ligures. Les petits peuples des cols alpins, bien retranchés dans leurs *oppida* (citadelles), tenaient tête aux Romains comme aux Celtes et faisaient payer cher à tout le monde le franchissement de la montagne.

Les peuples les plus entreprenants ont eu, l'un après l'autre, des prétentions d'hégémonie sur la Gaule chevelue : au ve siècle

av. J-C., les Bituriges devaient à leur roi Ambicatus d'avoir dominé
à la fois les Arvernes, les Sénons, les Éduens et même les Carnutes
de la Loire. Deux cents ans plus tard, les Arvernes étaient, semble-
t-il, maîtres de tout le centre du pays. Ils luttaient contre les
Éduens et les Séquanes pour obtenir l'hégémonie.

LE PAYSAGE GAULOIS AU TEMPS DE LA CONQUÊTE.

Combien d'habitants comptait alors la Gaule ? Les estimations
varient de cinq à trente millions ! Au temps de César les Helvètes
étaient environ 360 000. Le territoire helvète comptait quatre cents
villages ou *vici*. Mais le peuple helvète était particulièrement
nombreux.

Il est impossible d'estimer à sa juste valeur l'occupation du sol
par les Gaulois, mais il est vraisemblable qu'elle ne dépassait pas
dix à douze habitants au kilomètre carré.

Ils semblent s'être fixés de préférence le long des fleuves, dans
les régions riches en minerais, sur les côtes, dans les plaines particulièrement fertiles. Quelle était l'importance des forêts dans la
Gaule chevelue ? On connaît l'existence, au Nord du territoire, de
l'immense « forêt charbonnière ». Mais ailleurs ? Il est vraisemblable que les tribus gauloises, très largement adonnées à l'élevage
et à la chasse, avaient besoin pour leur subsistance d'un assez vaste
territoire. Le peuplement était nécessairement discontinu, et
d'abord pour des raisons de sécurité. Il ne faisait pas bon, au IIIᵉ siècle avant Jésus-Christ, d'avoir des voisins trop entreprenants.
Mieux valait être séparé d'eux par des forêts impénétrables.

Les fleuves, de préférence aux routes, étaient utilisés pour le
commerce. Mais il y avait des exceptions. Comment expliquer la
puissance des Arvernes ou des Bituriges sans les routes terrestres ?
Ces régions du centre de la Gaule, qu'ils occupaient, n'étaient-elles
pas, déjà, parmi les plus civilisées, et comment expliquer leur degré
d'évolution sans les supposer en contact constant avec le monde
méditerranéen ?

La population des tribus gauloises était, sans doute, essentiellement rurale. Les villages (*vici*) formaient la base du peuplement et
de l'organisation sociale. Les grands peuples en comptaient des
centaines. En dehors des villages, les nobles faisaient souvent construire des maisons particulières que les Romains devaient appeler
aedificia. Mais la Gaule avait aussi des villes.

Les capitales, les gros marchés, les lieux importants pour le commerce étaient généralement fixés sur des collines entourées de murailles et de défenses. On les appelait *oppida*. En cas de danger, les populations des villages trouvaient refuge dans l'oppidum, qui était nécessairement vaste : celui d'Alésia pouvait abriter 80 000 guerriers, avec les approvisionnements, la population civile et les réfugiés des campagnes voisines. Tous les oppida contenaient des réserves en vivres et en fourrages, car on abritait aussi les troupeaux.

Construites en matériaux sommaires, avec les murs en torchis, les pierres mal équarries, les remplissages de terre sèche dans le Midi, les villes gauloises étaient de gros bourgs établis à la diable, ayant seulement un but de défense ou de rencontre. Quelques villes plus riches, centres de trafic important, bordaient les fleuves. Mais il n'y avait pas de civilisation urbaine.

Cicéron écrivait : « Il n'y a rien de plus vilain qu'une bourgade gauloise. »

LA PUISSANCE DES CASTES.

Pas de villes véritables, pas de bourgeoisie. La Gaule était aux mains de guerriers, des nobles. Ceux-ci prélevaient un impôt très lourd sur toutes les catégories de la population.

Les nobles composaient une caste de cavaliers jouissant du pouvoir économique et du pouvoir politique tout ensemble. Maîtres de la terre, ils disposaient d'une clientèle plus ou moins nombreuse d'hommes dévoués qui les accompagnaient à la guerre et levaient pour eux les impôts. Les nobles exerçaient eux-mêmes les commandements civils et militaires.

Ils régnaient sur un peuple de paysans libres, et sur un petit nombre d'esclaves. Massacrant les prisonniers de guerre, ils ne pouvaient en effet développer l'esclavage. Les structures familiales, tant chez les nobles que chez les villageois, étaient très solides : le père avait droit de vie et de mort sur sa maison. Une sculpture célèbre du Musée national à Rome montre un guerrier celte vaincu, qui, pour échapper à la captivité, tue sa femme avant de se donner la mort.

Chez les riches, mais aussi chez les moins riches, la femme apportait une dot à son mariage, à charge, pour le mari, de fournir un apport de même valeur. Les enfants reconnus héritaient des biens des parents.

Les paysans n'héritaient pas de la propriété de la terre (qui appartenait aux nobles) mais du droit d'usage, pour le compte des nobles. Ceux-ci possédaient aussi le bétail, qui constituait la richesse fondamentale. Ils disposaient des moyens de culture et des semences. Il n'est pas certain qu'ils aient exercé un droit de propriété individuelle sur leurs terres, au sens où l'entendaient les Romains. Les vastes domaines des *vici* étaient peut-être la propriété collective de la tribu, dont la possession était reconnue aux chefs, à charge pour eux de nourrir leurs clients et les travailleurs des villages.

Le respect entourant les chefs était considérable. Leurs funérailles entraînaient de grandes fêtes, où s'exprimait l'émotion d'un peuple entier. Les chefs étaient d'ailleurs parfois choisis par les tribus, en raison de leur valeur militaire. Le corps du chef mort était solennellement enseveli avec ses objets précieux, ses animaux familiers, ses clients et ses esclaves que l'on sacrifiait pour la circonstance.

A côté des chefs, mais non moindres en dignité et en puissance, étaient les prêtres de la collectivité appelés druides. A la fois sorciers, juges, éducateurs et poètes, les druides, exempts d'impôts, grands sacrificateurs, font figure de gardiens des valeurs spirituelles d'une société qui croit à l'immortalité de l'âme. De grands poèmes analogues à ceux de l'Inde décrivent la vie spirituelle et transmettent les croyances. Ils ne sont pas rédigés, de peur d'être profanés par des indignes. Les druides connaissent par cœur ces textes sacrés, et les transmettent de génération en génération.

Les druides sont donc les seuls à posséder la science de la religion. Ils se rencontrent, en des occasions solennelles, pour chanter les poèmes sacrés et faire échange d'informations et de techniques. Il y a des congrès de druides, où l'on vient de toute la Gaule.

La religion des Gaulois enseigne la mutation des âmes, qui survivent à la mort et connaissent un au-delà. La survie tient une grande place dans la religion, comme en témoigne la cérémonie du gui :

> « Les druides n'ont rien de plus sacré que le gui, écrit Pline l'Ancien, du moins celui du chêne rouvre. Le rouvre est pour eux l'arbre divin par excellence. Leurs bois sacrés

appartiennent à cette essence, l'emploi de son feuillage est exigé dans tous les sacrifices. Aussi, une touffe de gui vient-elle à surgir sur un chêne, c'est signe qu'elle arrive du chêne, et que l'arbre est l'élu d'un Dieu. »

Cela peut aussi vouloir dire qu'en hiver, la touffe verdoyante au sommet du chêne atteste la continuité de la nature, symbole de la permanence des âmes...

« La coupe s'en fait suivant un rite minutieux et sévère, ajoute Pline. Elle a lieu le sixième jour de la lune... Le prêtre, vêtu d'une robe blanche, muni d'une faucille d'or, monte à l'arbre et coupe le gui qui doit être reçu dans une saie toute blanche. »

L'arbre, le gui, les sources, les bois, les montagnes, il est vraisemblable que bon nombre de lieux ruraux, aujourd'hui marqués d'une croix de bois dans les campagnes, sont des lieux de culte qui remontent au passé gaulois. Ces lieux, privilégiés, ont une qualité définie, qu'il s'agisse de l'eau, de la terre ou de l'ombre. Ils ont exprimé les dieux depuis plus de deux mille ans.

Les Gaulois adorent toutes sortes de formes symboliques dans la nature. Le soleil, bien sûr, source de vie, mais aussi la lune et les animaux magiques des grands bois. Les Helvètes adorent l'ours, les Belges le sanglier. Le taureau est l'objet d'un culte dans toutes les régions d'élevage, symbole de force mâle et de fécondation. Éleveurs ou anciens éleveurs, les Gaulois ont une déesse jument, Épona, un Dieu couronné de bois de cerf, Cernunnos. Les eaux thermales, qui sortent bouillonnantes de la terre, sont sacrées. Bourbon-l'Archambault, Bourbon-Lancy tiennent leur nom du Dieu Borvo, qui guérit les malades. Très proche de la nature, la religion des Gaulois se contente, pour le culte, de lieux sacrés, de statues sommaires, de vases pour les sacrifices. Pas de temples, pas de constructions en pierre pour ces descendants des grands nomades des steppes.

LA « QUALITÉ DE LA VIE » EN GAULE.

Il est vrai que les nomades sont devenus villageois : s'ils élèvent le cheval, la vache, le mouton et surtout le cochon, les Gaulois, en bons cultivateurs, sèment le blé, et, selon les régions, le millet ou le seigle. Le lin et le chanvre servent pour l'habillement, l'orge pour confectionner la bière, qui est une sorte de boisson nationale. La vigne n'est connue que sur les bords de la Méditerranée.

Les techniques de l'agriculture sont plus évoluées que celles du monde romain. Les Gaulois, grands métallurgistes (ils ont un dieu forgeron) savent fabriquer les charrues à soc de fer pour remuer les terres les plus lourdes. Ils savent marner les sols et conserver le vin et la bière dans des tonneaux en bois cerclés de fer, dont ils sont les inventeurs.

Tant d'adresse suppose un savoir-faire artisanal. Depuis longtemps les Celtes fabriquent les chars à quatre roues et les attelages pour les chevaux. Le cheval est au centre de leur civilisation. Bientôt les roues des chars sont cerclés de bandes de fer. Le fer est abondant en Gaule, où les forges populaires se multiplient, fonctionnant au bois. On le trouve naturellement dans les Ardennes, dans la vallée de la Meuse, sur tout le rebord oriental du Massif central, mais aussi dans le Berry, le Périgord, dans les Pyrénées et dans le Sud-Ouest.

Le plomb, le cuivre, l'étain de Bretagne, l'argent et l'or du Centre (Auvergne et Cévennes) alimentent l'artisanat. Les Gaulois sont bijoutiers, joailliers, ciseleurs. Le placage sur cuivre permet de faire reluire les casques, les cuirasses et les chars. On décore les chevaux de cuivre et de bronze argenté, pour impressionner l'ennemi. Les femmes ont de riches bracelets, des colliers, des fibules en or et en pierres précieuses. Elles portent de belles étoffes de laine et de lin. Pour la cuisine, elles disposent d'une gamme étendue de poteries.

S'ils ne savent pas faire les routes, les Gaulois construisent des voitures à toute épreuve, qui permettent d'affronter les pistes de terre. Peu marins, à l'exception des Vénètes, qui fabriquent de lourds bateaux en chêne avec des voiles de cuir, les Gaulois possèdent d'innombrables embarcations sur les fleuves, qui sont presque tous navigués. On remonte le Rhône et la Saône jusqu'à Chalon. De là, les marchandises voyagent par terre jusqu'à la Seine. Des échanges se créent à travers tout le territoire. L'étain de Grande-Bretagne arrive-t-il ainsi jusqu'à Marseille ? Il est indiscutable que, grâce aux voies fluviales, les produits grecs de Marseille remontent assez loin vers le Nord, et avec eux les monnaies. La nécessité des échanges avec le monde méditerranéen oblige d'ailleurs certaines tribus gauloises à battre monnaie : dès le IIIe siècle avant Jésus-Christ, les Gaulois frappent l'or et l'argent. Ils ont des pièces à motifs géométriques, d'autres qui représentent des cavaliers, des chevaux ou des sangliers.

Profondément rurale, la Gaule exploitait cependant au mieux ses mines et pratiquait certaines cultures industrielles. Riche de ses terroirs, de ses pâturages et aussi de ses hommes (elle était sans doute le territoire le plus peuplé d'Occident) la Gaule aux cent peuples admettait tous les échanges, toutes les pénétrations. Il ne fallait pas plus d'un mois pour parcourir la distance de Boulogne à Marseille. Tout donne à penser que les étrangers pouvaient, à des fins commerciales, emprunter sans trop de risques les routes et les fleuves.

C'est la guerre continuelle des tribus qui constituait la faiblesse essentielle de la Gaule, son impuissance, sa répulsion peut-être aussi, à concevoir un système politique unitaire. Si l'on en croit César, les tribus gauloises avaient le sentiment de l'unité de leur civilisation, de leurs croyances et même, devant l'envahisseur, de leurs intérêts ; mais elles tenaient à préserver leurs sociétés sans État, sans roi, sans chef suprême, et ne se résignèrent à l'action commune que sous l'insupportable contrainte de l'envahisseur romain. La richesse gauloise était célèbre dans le monde romain. Les commerçants italiens, les *negociatores*, sillonnaient depuis longtemps le pays. Les ressources agricoles étaient considérables, les réserves en or abondantes, la civilisation vigoureuse. Autant de tentations pour les généraux romains : ils savaient qu'à l'intérieur des cités, des rivalités opposaient les partis, les clans des nobles, des druides, et les ambitieux qui s'appuyaient sur le peuple. Ils savaient que les cités n'hésitaient pas à demander l'aide de l'étranger, dans leurs incessantes querelles. La Gaule était une proie mûre. Elle ne manquerait pas d'intéresser César.

Sous le joug des Romains.

LES CONQUÉRANTS AUX CHEVEUX COURTS.

Les Romains n'étaient certes pas, au temps de César, des inconnus pour les Gaulois. Ceux-ci les avaient envahis au IVe siècle mais Rome avait pris sa revanche : de 125 à 120 avant Jésus-Christ, elle avait réalisé la conquête de la « Gaule transalpine ». Cn. Domitius Ahenobarbus, consul romain, avait écrasé les Allobroges et les Arvernes. Il avait organisé, des Alpes aux Pyrénées et de part et d'autre de la route d'Italie en Espagne, la *Provincia Romana*. Marseille était, à l'origine, restée indépendante dans cette province où avait été fondée la colonie romaine de Narbonne, en 188 avant Jésus-Christ.

Les habitants de Nîmes, Arles et Narbonne logeaient donc depuis longtemps dans des maisons romaines et apprenaient le latin au moment où Jules César s'apprêtait à faire la conquête de la Gaule chevelue.

Il y fut appelé par les Éduens. Le druide Divitiac, qui vint demander en 60 avant Jésus-Christ le secours de Rome, redoutait une invasion germanique. Déjà cinquante ans auparavant, les Cimbres et les Teutons avaient envahi la Gaule et l'Italie. Seuls les Romains avaient pu les arrêter. Riches commerçants, les Éduens redoutaient de nouveaux pillages. Ils conclurent un traité avec Rome.

Il se trouvait alors que Jules César, proconsul de la Gaule cisalpine, avait l'ambition d'acquérir la gloire en conquérant la Gaule chevelue. En 58 avant Jésus-Christ, les Suèves d'Arioviste, à défaut des Teutons, obligèrent les Helvètes à abandonner une partie de leurs terres pour chercher refuge à l'Ouest. A l'Ouest étaient les Éduens. Ils refusèrent cette pression et appelèrent Rome au secours. C'est ainsi que César entra en Gaule.

Il battit sans trop de peine les Helvètes dans la région d'Autun. Mais ils étaient talonnés par les Germains d'Arioviste. César obligea Arioviste à repasser le Rhin.

Il n'avait plus rien à faire en Gaule. Et cependant ses légions s'attardaient en pays séquane. Les Gaulois bientôt s'inquiétèrent. Les Belges envoyèrent dans toutes les cités des émissaires, pour tenter de nouer une coalition rejetant les Romains au-delà des Alpes.

César prit les devants : il fonça en pays belge, triompha sur la Sambre de la coalition, descendit ensuite vers l'Aquitaine, en traversant toute la Gaule. Il remonta en Bretagne pour battre les Vénètes. Ces campagnes incessantes lui permirent de pousser des pointes en dehors de la Gaule : il tenta un débarquement outre-Manche et passa le Rhin en 55-54 pour défaire les Germains. La conquête fut-elle si facile ?

Elle avait été rapide, mais rude, et César, dans ses *Commentaires*, rendait souvent hommage à la pugnacité des Gaulois. Il est vrai qu'elle servait leur vainqueur, qui avait ainsi plus de mérite à la victoire :

> « C'est une race d'une extrême ingéniosité, disait-il, et ils ont de singulières aptitudes à imiter ce qu'ils voient faire... Ils faisaient écrouler notre terrassement en creusant des sapes, d'autant plus savants en cet art qu'il y a chez eux de grandes mines de fer et qu'ils connaissent et emploient tous les genres de galeries souterraines. Ils avaient garni toute l'étendue de leurs murailles de tours reliées par un plancher et protégées par des peaux... Ils entravaient l'achèvement de nos galeries en lançant dans les parties encore découvertes des pièces de bois taillées en pointe et durcies au feu, de la poix bouillante, des pièces énormes, et nous interdisaient ainsi de les prolonger jusqu'au pied du mur. »

Au prix de grandes difficultés, et grâce à l'extrême mobilité de ses légions, César pouvait considérer en 53 la Gaule comme pacifiée. Il avait dominé certaines tribus par la force, et s'était gagné les autres par des traités d'amitié. C'est alors que, subitement, un sentiment unitaire de résistance se manifesta chez les Gaulois.

En 52, la révolte éclate partout contre les occupants romains. Un noble arverne, très jeune et très vaillant, en prend la tête. Il se nomme Vercingétorix.

> « A la plus grande activité, dit de lui César, il joint une sévérité extrême dans l'exercice du commandement. La rigueur du châtiment rallie ceux qui hésitent. Pour une faute grave, c'est la mort par le feu ou par toutes sortes de supplices. Pour une faute légère, il fait couper les oreilles du coupable ou lui fait crever un œil, et il le renvoie chez lui afin qu'il serve d'exemple. »

Vercingétorix obtient tout de suite le soutien massif des Arvernes et de leurs voisins. Dans presque toutes les tribus, les druides prennent position pour lui. Il recueille dans ses colonnes, de l'aveu de César lui-même, « des miséreux, des gens sans aveu ». Incapable de susciter toutes les révoltes, il essaye de les exploiter toutes. Un jour les Carnutes massacrent des négociants romains. César, qui se trouvait en Cisalpine, revient à marches forcées, feint d'attaquer les Arvernes, parvient à rejoindre son lieutenant Labienus qui se trouvait dans le Bassin parisien.

Vercingétorix profite de la situation. Il tente d'affamer les Romains en détruisant les réserves des oppida. Il cède aux habitants d'Avaricum (Bourges) qui refusent de détruire leur blé. Mal lui en prend : les Romains se l'approprient. César, par une marche éclair, s'est porté sur Bourges et l'a prise.

Il veut alors attaquer de front Vercingétorix. Mais, à Gergovie, il subit un rude échec. La furie des Gaulois déconcerte ses légions. Les cavaliers tournoient sans cesse, les accablent de traits. Les Romains laissent sept cents morts sur le terrain.

Chez les Gaulois, ce succès a des conséquences immédiates : les Éduens abandonnent César. Tous les peuples de Gaule se réunissent chez eux, à Bibracte. Ils jurent de lutter ensemble jusqu'à la libération.

Cependant César a rassemblé en hâte onze légions. Il gagne la plaine de la Saône. Vercingétorix lance en vain sa cavalerie. Il est battu non loin de Dijon. Il trouve refuge sur le plateau d'Alésia. Alésia n'est pas Gergovie. Le site est plus facile à assiéger. La science romaine fait merveille. César multiplie les défenses, les tours d'assaut, les fossés plantés de pieux contre la cavalerie.

Vercingétorix a devant lui un mois de vivres. Il a dû renvoyer ses chevaux, faute de fourrage. L'armée de secours des Gaulois se fait attendre deux longs mois. Quand elle arrive, les défenseurs sont épuisés. César a fait construire vingt et un kilomètres de fortifications dirigées vers l'extérieur. L'armée de secours, malgré les assauts furieux, ne peut les percer. Vercingétorix n'a plus qu'à se rendre, ce qu'il fait avec panache. Il ornera le triomphe de César à Rome, avant de mourir étranglé dans sa geôle. C'en est fini de la Gaule chevelue.

LES OCCUPANTS.

Une longue période de « paix romaine » commence alors pour la Gaule, ponctuée de rares révoltes. L' « assimilation » des vaincus se fait sans heurts, pacifiquement, progressivement. La Gaule romaine est au sommet de sa prospérité sous les empereurs Antonins. Elle ne connaît de difficultés qu'à partir du IIIe siècle après Jésus-Christ. Ces trois cents ans de paix vont profondément — inégalement d'ailleurs — marquer le pays.

Rome impose adroitement son autorité. La Gaule a beaucoup souffert de la guerre : un million de Gaulois auraient été tués, un million a été réduit en esclavage. Les « pays » ont été ravagés. De toutes parts, on souhaite l'ordre et la paix.

Rome profite de ces bonnes dispositions. Elle garde les cadres administratifs de la Gaule, dont les nobles élites s'intègrent à l'organisation municipale romaine. La Gaule est divisée, sous Auguste, en trois provinces (Aquitaine, Lyonnaise et Belgique) dépendant de l'empereur. Il n'y a pas d'occupation militaire permanente. Il faut attendre le IIe siècle pour que Rome impose à la Gaule un appareil administratif comparable au système italien : neuf provinces dont deux seulement sont militaires : les Germanies.

La Narbonnaise, province sénatoriale, était gouvernée par un proconsul. Les trois provinces de la Gaule chevelue avaient à leur tête un légat d'Auguste qui restait généralement cinq ans en fonction. Ces légats résidaient à Saintes (par la suite à Bordeaux), à Reims et à Lyon. Le légat de Lyon, colonie fondée en 43 par Plancus, avait plus de prestige que ses collègues, parce que Lyon était, sous les Romains, la vraie capitale de la Gaule chevelue.

Sans trop de problèmes, les Romains levaient l'impôt sur les provinces et enrôlaient les Gaulois dans l'armée. Les volontaires pour les légions étaient nombreux. Ils devenaient, en s'engageant, citoyens romains. En quittant l'armée, ils rentraient dans leur village où ils avaient rang de notables. Ils savaient le latin, disposaient de terres, de pensions, et jouissaient de la considération générale.

A l'intérieur des provinces, les vieilles cités gauloises avaient gardé leurs limites et leur personnalité. On retrouverait plus tard ces limites de cité à cité dans les diocèses du Moyen Age. Soixante cités gauloises étaient ainsi reconnues par l'administration romaine pour les trois Gaules, une vingtaine pour la Narbonnaise.

Les cités avaient été traitées avec plus ou moins de faveur au début de l'occupation, selon leur attitude pendant la conquête. On distinguait les cités *fédérées*, ou alliées de Rome, les cités *libres*, repentantes, et les *stipendiaires*, qui payaient tribut. Mais, sous l'Empire, Rome traita également toutes les cités, les soumettant au même régime fiscal. Les cités continuaient à dominer les 300 *pagi*, ou « pays » connus en Gaule.

Les capitales ou *oppida* devenaient de véritables villes à la romaine, imitant ces colonies que César et Auguste avaient fondées surtout en Narbonnaise. Des villes nouvelles doublaient les vieux oppida et abritaient l'administration des cités, les institutions municipales, les magistrats et les décurions. Les villes, sous Auguste, avaient aussi une fonction religieuse. A Lyon, en 12 avant Jésus-

Christ, il avait rassemblé les délégués des soixante cités de la Gaule chevelue pour célébrer le culte de Rome et d'Auguste. Chaque année, le 1er août, la même assemblée devait se réunir en signe de loyauté. Autour de l'autel des Gaules, où se rendait le culte impérial, se dressaient désormais à Lyon, sur les pentes de la Croix-Rousse, les soixante statues des Cités. Les délégués, qui s'y rendaient tous les ans, prirent l'habitude d'approuver ou de critiquer l'action des légats. Auguste avait voulu associer la Gaule au culte impérial. Il l'avait en fait intégrée à la vie politique de l'Empire. Désormais il faudrait compter, à Rome, avec l'opinion publique des Gaulois.

Ainsi ceux-ci acceptaient-ils la romanisation : leurs magistrats municipaux recevaient souvent le titre de citoyens romains. Lyon était colonie romaine, comme les villes de Narbonnaise où s'installaient volontiers les Italiens en raison de la douceur du climat. Combien de Transalpins vinrent-ils ainsi s'installer en Gaule ? 100 000 peut-être pendant un demi-siècle d'immigration. Les nouveaux Romains de Gaule étaient essentiellement des Gaulois « naturalisés » romains.

Il faut dire que cette procédure d'assimilation ne s'exerçait qu'au profit de l'élite. Les anciens soldats, les nobles et les bourgeois de l'administration municipale étaient les seuls bénéficiaires des faveurs de Rome qui n'ouvrait les portes de son Sénat aux « illustres » de la Gaule chevelue qu'avec beaucoup de parcimonie. Et pourtant, en misant sur l'élite, Rome créait dans les cités gauloises un climat d'émulation, une forte tendance à la romanisation. La prospérité économique due à la « paix romaine » faisait le reste.

LES OCCUPÉS.

La route et le mortier romains devaient révolutionner les Gaules bien plus que les lois de l'occupant. Le réseau serré des voies romaines est encore reconnaissable dans l'actuel tracé des routes de France. Il est vrai que ces célèbres voies, presque rectilignes, empruntaient plus volontiers le flanc des coteaux ou les plateaux que le fond des vallées, souvent infestées de marécages et soumises aux inondations. Jalonnées de bornes, ponctuées de gîtes d'étapes qui devaient donner naissance à de nouveaux villages, les voies romaines allaient réaliser, comme beaucoup plus tard les chemins de fer pour la France, l'unité politique des Gaules.

Outre la voie maritime, des routes terrestres reliaient la Gaule à Rome : la route du littoral, par Narbonne et Arles, qui joignait l'Italie à l'Espagne — la route des Alpes, par le Petit et le Grand Saint-Bernard. Les voies romaines rayonnaient en Gaule autour de Lyon, carrefour stratégique, lieu d'échanges entre les routes terrestres et les voies fluviales, plus que jamais utilisées par les Romains. On estime que les associations de bateliers, les *nautes*, assuraient le transbordement des marchandises d'un fleuve à l'autre, par exemple de Lyon à Roanne. Les Romains ne creusaient pas de canaux.

L'organisation des transports permettait le développement du commerce. Les grands domaines des nobles gaulois, les *fundi*, comme les villas des colons romains, produisaient des céréales en quantité suffisante et des produits d'élevage. Les Gaulois vendaient jusqu'en Italie leur jambon réputé, et leur vin de Bordeaux prenait déjà, par mer, le chemin de la « Bretagne » (l'Angleterre d'aujourd'hui). Ils utilisaient à merveille la capacité de leurs tonneaux en chêne pour la conservation des vins fins. Ils vendaient non seulement le bordeaux, mais le vin de Narbonnaise. Ils produisaient aussi, pour l'extérieur, des étoffes, des vêtements, des draps de lin, des couvertures de laine. Les céramiques gauloises, celles de La Graufesenque en Aquitaine ou de Lezoux en Auvergne étaient exportées dans tout l'Empire, de même que les bijoux, les célèbres fibules de Belgique.

Le développement de la production augmentait le niveau de vie des Gaulois, surtout des habitants des villes. La Gaule importait des denrées de consommation ou des matières premières, comme l'étain et le cuivre d'Espagne, le fer des Asturies, le plomb de Bretagne, les marbres d'Italie pour la construction. Les vins et les huiles de la Méditerranée pénétraient largement tout le pays, et les « occupés » perdaient peu à peu le goût de la bière. Les échanges internationaux étaient largement profitables aux Gaulois. L'enrichissement qui en résultait avait favorisé, sur un rythme rapide, l'urbanisation des cités.

Le mortier romain allait permettre la construction de véritables villes, aux monuments indestructibles, qui font aujourd'hui partie de nombre de sites français. Les plus riches parmi les Gallo-Romains (ou Gaulois romanisés) contribuaient de leurs deniers à la construction des amphithéâtres de Nîmes et d'Arles, du théâtre et de l'arc de triomphe d'Orange, du théâtre et de l'odéon de Lyon, des portes monumentales d'Autun et de Trèves, des thermes de Paris, etc. Les aqueducs géants, comme le pont du Gard, apportaient l'eau aux villes (20 000 m3 par jour).

L'urbanisation était plus rapide et plus spectaculaire dans le Midi. Elle s'accompagnait toujours de la construction de temples et d'édifices publics. Au sud de la Gaule, ces temples, bâtis à la romaine, étaient rectangulaires. Au nord, ils avaient la forme gauloise, ronde ou carrée. La romanisation fut plus forte au sud de la Loire, ainsi que dans les régions du Rhin et de la Moselle. Elle fut plus lente ailleurs.

Partout où l'influence romaine est forte, les Gaulois édifient de vastes *forum* et surtout des thermes. Les sources thermales du centre sont particulièrement appréciées et gardent encore des monuments romains, comme la petite ville de Néris-les-Bains dans l'Allier qui possède des thermes, des arènes, des lieux de culte et des palais.

Les villes gauloises ressemblaient ainsi singulièrement aux villes romaines. On connaît moins bien ces villes, qui ont disparu sous le tissu urbain postérieur, que les riches villas campagnardes, dont certaines ont été reconstituées. La vie romaine avait en effet gagné les campagnes, où les Romains avaient apporté leur mode de vie. Les villas qu'ils faisaient construire étaient immenses et somptueusement décorées, comme la villa de Montmaurin, près de Toulouse, qui ne comptait pas moins de cent cinquante pièces !

A la ville, le luxe existait également : les riches bourgeois devenus décurions, tous les profiteurs de la paix romaine, les *negociatores* ou marchands parvenus, les membres de l'ordre équestre vivaient dans l'abondance et possédaient de belles résidences. C'est eux qui devaient prendre en charge les dépenses publiques, faire construire à leurs frais les bâtiments urbains. Leur opulence était telle qu'ils achetaient d'immenses domaines à la campagne, où ils faisaient aussi construire des villas.

Grâce à la réussite matérielle, la Gaule avait ainsi de belles villes à la romaine, avec des rues rectilignes, régulières, disposées autour du centre de la cité, ou forum. Sur le forum, vaste place rectangulaire, on construisait la basilique, temple de la justice et des affaires, la curie, le temple à Rome et Auguste. Le forum était bordé sur deux côtés par des boutiques. C'était un lieu de rencontres et de commerce. La ville avait une enceinte percée de portes monumentales. Celle de Vienne, sur le Rhône, avait six kilomètres de circonférence. Les portes, richement décorées, affichaient tout l'orgueil des cités.

Les Romains étaient passés maîtres dans les techniques de l'urbanisation. Ils apprirent aux Gaulois à construire des égouts, des entrepôts souterrains pour les vivres, des aqueducs géants pour que l'eau soit dans toutes les maisons. L'aqueduc alimentant Lyon courait sur soixante-quinze kilomètres. Il allait chercher l'eau au mont Pilat. La moindre ville possédait ses thermes. Pour 10 000 habitants, ceux de Lutèce avaient des proportions colossales. Il y avait plus de cent théâtres (plus qu'aujourd'hui) et cinquante amphithéâtres dans la Gaule romaine. Les grandes villes avaient des cirques. Le théâtre d'Autun pouvait recevoir 30 000 spectateurs!

Combien de Gaulois étaient-ils devenus des citadins? L'urbanisation ne doit pas faire illusion. Ils restaient, en grande majorité, des ruraux. Lyon n'a jamais eu plus de 80 000 habitants, Bordeaux en comptait 20 000. Les petites villes approchaient de 5 000 habitants. Les villes les plus riches, les plus somptueuses, étaient celles du Midi : Arles et Narbonne, métropoles commerciales qui avaient éclipsé Marseille, Nîmes et Vienne, Saintes et Bordeaux en Aquitaine. Ces villes avaient une architecture romaine combinée à certaines inventions ou traditions gauloises. L'invention se manifestait particulièrement dans l'art des bas-reliefs sculptés. Ainsi la fusion des deux tempéraments s'exprimait-elle jusque dans le décor de la vie.

Si les Romains n'ont pas peuplé massivement la Gaule, si les Gaulois sont restés « entre eux » à l'intérieur de leurs territoires municipaux, une civilisation gallo-romaine, répandue grâce à l'urbanisation, a fini par se dessiner au cours de quatre siècles d'occupation.

Le latin, dans certaines régions au moins, a pu l'emporter sur les dialectes gaulois. Par exemple, en Narbonnaise, où il s'est substitué à la langue locale, non sans s'altérer et se « barbariser ». Partout ailleurs, les colons, les militaires, les commerçants, les administrateurs doivent apprendre le latin, qui est la langue officielle de l'État. On peut parler les langues celtiques, on ne peut les écrire. Pourquoi ne pas écrire le latin? Il est commode, logique, utile. Tout ce qui sait écrire en Gaule écrit le latin.

Comme le grec, il est enseigné dans les écoles, fréquentées par les enfants de la bonne société gauloise. Les *grammatici* et les *rhetores*, payés par les municipalités, permettaient aux Gaulois fortunés d'accéder aux professions libérales, d'administrer les cités et même d'entrer dans la vie politique romaine. Les grandes villes avaient leurs écoles supérieures et payaient des professeurs réputés :

Lyon, Arles, Reims, Toulouse, Trèves... On apprenait le grec à Marseille ou à Autun. Le poète Ausone enseignait à Bordeaux, au IVe siècle, devant deux cents étudiants. Les Gaulois aimaient l'art oratoire et la poésie. Grâce aux écoles, ils allaient constituer une élite éclairée, instruite, apte aux affaires publiques et privées.

S'ils avaient perdu leurs druides, les Gaulois avaient gardé leurs dieux. Les Romains persécutaient les druides, qu'ils soupçonnaient de pousser les populations à la révolte. Beaucoup se réfugièrent en Bretagne, où ils vécurent dans la clandestinité. Les dieux gaulois finirent par se confondre avec ceux des vainqueurs : les vieilles divinités celtiques, le taureau à trois cornes, le dieu aux bois de cerf, la déesse Épona, survécurent comme les dieux des bois et des sources, comme Borvo le guérisseur ou Sucellus, le dieu au maillet. On adorait encore, sous l'occupation romaine, les déesses mères et les déesses de carrefour. Il est vrai que ces cultes subsistaient surtout dans les campagnes ; à la ville, on les avait oubliés.

Les citadins aimaient les dieux romains : Mercure, dieu du commerce et de l'artisanat, Jupiter, maître de la foudre, en qui l'on reconnaissait le Taranis des Celtes. Mars était estimé. Apollon rappelait aux Gaulois à la fois Belenus, dieu celtique du soleil, et Borvo le dieu des sources. Les Gaulois accueillaient les dieux orientaux, comme Cybèle et Mithra, le dieu-taureau.

Ils adoraient aussi les dieux officiels de Rome. Au cours des siècles, ils avaient oublié l'indépendance, ils n'avaient plus de rapports qu'avec le monde romain, dont ils étaient, en Occident, le pivot. Les liens de dépendance avec l'Empire s'étaient organisés de telle sorte qu'une élite gauloise en avait profité largement, dans la paix générale et durable. Le peuple des campagnes, qui était la majorité de la population, n'avait guère bénéficié des progrès. Du moins restait-il soumis à ses maîtres et à ses coutumes. C'est lui qui gardait les vieux cultes et les anciens dialectes.

Les nobles, les bourgeois, les commerçants s'étaient intégrés à la vie romaine : riches et instruits, ils profitaient pleinement de la paix. Les magistrats des cités se rendaient à Lyon, une fois l'an, pour discuter des affaires de la Gaule. Il leur arrivait de briguer des postes politiques et de forcer les portes du Sénat romain ; au IIIe siècle les Gaulois avaient oublié la guerre. Les Germains les remplaçaient dans les légions. Et cependant deux dangers menaçaient le monde gaulois comme l'Empire tout entier : le christianisme et les Barbares.

CHAPITRE 2

Les Francs

La Gaule était le pays le plus riche d'Europe occidentale. Il n'est pas étonnant qu'elle ait tenté, à partir du IIIᵉ siècle, les nouveaux envahisseurs qui se pressaient au-delà du Rhin. Quand les Romains étaient entrés en Gaule, ils avaient trouvé un monde celtique en pleine décadence. Comme le disent très bien Myles Dillon, Nora Chadwick et Christian Guyonvarg'h dans leur livre sur les royaumes celtiques, « qui tenait la Gaule tenait toute l'Europe occidentale, et l'événement a eu deux conséquences : la première a été de romaniser le pays, la seconde de retarder de plus de deux siècles le déferlement de la marée germanique ».

En cinq cents ans, de 300 à 800, la nouvelle ruée des Barbares aboutit à la création d'un Empire franc, celui de Charlemagne, qui fit apprendre le latin aux écoliers et tint à se faire couronner par le pape à Rome. Comme les Celtes, les nouveaux Germains auraient-ils été, en un demi-millénaire, romanisés ?

Les convulsions de l'Empire d'Occident.

A L'ASSAUT DE LA ROMANIA.

Les Romains avaient construit à la périphérie de l'Empire une ligne fortifiée continue, le *limes*, constamment surveillée par les légions, et qui devait maintenir les Barbares hors de l'ensemble des pays romains, la *Romania*.

Mais les empereurs se succédaient au prix d'assassinats et de guerres civiles continuelles. Les luttes armées des candidats à l'Empire dégarnirent dangereusement les frontières. Sous le nez des Barbares, les légions se déchiraient entre elles.

Très au courant des difficultés des Romains (certains Barbares servaient dans les auxiliaires de l'armée), les Francs et les Alamans en profitèrent en 253 pour franchir le Rhin. Ils parvinrent jusqu'à la Seine, puis se replièrent, après un raid fructueux. Ils avaient pillé la Gaule. En 259-260, ils traversèrent tout le territoire, en passant par les routes d'Auvergne, pour aller piller l'Espagne. Une nouvelle expédition, plus sévère encore, affecta la Gaule, en 275. Cette fois les riches avaient caché leur or.

Les empereurs ne restaient pas inactifs : en 254-258, Gallien avait réussi à repousser les envahisseurs au-delà du Rhin. Il fallait empêcher les Barbares de s'installer, si l'on ne pouvait éviter les pillages.

La Gaule livrée à ses seules forces s'était organisée pour la résistance : les soldats du Rhin avaient même proclamé empereur un Gaulois du nom de Postumus (259) qui avait libéré le pays. Rome ne pouvait admettre un tel précédent ; c'était une menace de sécession. Aurélien avait envoyé une armée pour réduire Postumus (274).

L'année suivante Probus avait anéanti les Francs et les Alamans. Mais ces premières invasions avaient laissé des traces douloureuses. On se souviendrait longtemps en Gaule de l'atroce IIIe siècle. Les villages étaient dévastés, les travaux des champs abandonnés. Les paysans fuyaient les *pagi*, constituaient des troupes de brigands errants appelées *bagaudes*. Les villes finissaient par redouter autant les *bagaudes* que les Barbares. Elles s'entouraient hâtivement de murailles, levaient des milices. On démolissait les temples pour bâtir des remparts. La *Romania* était en état de siège.

Les Francs, les Alamans, les Saxons étaient d'obstinés pillards qui guettaient toutes les faiblesses de l'Empire. Les plus acharnés parmi eux étaient les Francs.

Le nom « Franc » vient du norois *frekkr*, qui veut dire « hardi ». Les Francs vivaient en peuplades éparses, depuis le Ier siècle, dans la région du Rhin inférieur. Leur langue était germanique. Ni les Chamaves, ni les Bructères, ni les Sicambres n'étaient dangereux pour Rome. Ils vivaient le long du *limes* et commerçaient avec les villes frontières de l'Empire.

C'est au IIIe siècle qu'ils devinrent agressifs, pour une raison mal connue. Ils se groupèrent en peuples organisés, dirigés par des chefs de guerre. D'autres peuples faisaient-ils pression contre eux, vers l'Est ? Les Francs, c'est incontestable, subissaient en particulier la poussée des Alamans. Ils cherchèrent à s'ouvrir la route des riches plaines de Gaule.

Les moyens guerriers ne leur manquaient pas. Ils intervenaient aussi bien sur terre que sur mer. Les Francs dits *Saliens* s'alliaient aux Frisons et aux Saxons pour lancer des expéditions maritimes contre les îles de Bretagne et les côtes du Nord-Ouest de la Gaule. Sur terre, ils avaient forcé le *limes* à Xanten et gagné peu à peu l'actuelle Belgique et le Sud de la Hollande. Les Francs dits *Ripuaires*, rassemblés dans la région de Cologne, exerçaient une pression directe sur le Nord-Est de la Gaule.

Les Romains avaient songé à utiliser leur compétence à la fois militaire et agricole. Ainsi les Francs n'avaient-ils pas eu toujours à faire la guerre pour entrer en terre romaine. Ils y avaient été invités par les Romains eux-mêmes. Les Francs intégrés dans l'armée montraient des qualités de chefs. Ils gravissaient souvent très vite les échelons de la hiérarchie des légions. Certains étaient devenus officiers supérieurs.

Sur les terres dépeuplées de la Gaule du Nord et du Nord-Est, on avait attiré des populations entières de Francs qui s'installaient ainsi en qualité d'*hôtes* sur les terres gallo-romaines. A la veille de la grande poussée de 406, les Francs n'étaient ni des inconnus, ni même des étrangers pour les Gaulois.

LE MERVEILLEUX RÉPIT DU IVe SIÈCLE.

A Rome, Dioclétien, empereur énergique, avait réorganisé l'Empire. Il nomma pour l'Occident un « César », Maximien, qui rétablit en 286 la frontière du Rhin. Désormais il y avait deux Empires presque distincts, en Orient, en Occident, et, pour la protection de l'Empire d'Occident, la Gaule était plus que jamais essentielle. Tant qu'il y aurait un Empire romain, il ne saurait admettre de sécession gauloise.

Maximien choisit, en 293, un général de valeur pour la défense de la Gaule et de la Bretagne. Ce chef, Constance Chlore (en grec : « le pâle »), devint à son tour « César » et se fit aimer des Gaulois. Il installa sa capitale à Trèves, pour être plus près du Rhin.

Son fils Constantin, devenu empereur d'Occident en 307, fit de

Trèves la « Rome des Gaules » et obtint partout la paix. L'armée fut renforcée, alimentée par un service militaire obligatoire et par les engagements de Barbares. On doubla le nombre des légions sur le Rhin, on constitua de nombreuses troupes barbares, les *numeri*, d'abords commandées par des Romains, puis par des officiers francs. Une armée de réserve fut formée en 316 quand l'empereur Constantin, vainqueur de Maxence, décida de s'installer en Orient. Cette nouvelle armée, le *comitatus*, devait assurer l'ordre en Gaule pour cinquante ans. Une nouvelle administration, plus souple, se proposait de fournir aux cités, dont le nombre était augmenté (il y en avait plus de cent vingt à la fin du IVe siècle), un encadrement plus efficace. La Gaule était divisée en deux *diocèses*, celui de Trèves, au nord, celui de Vienne au sud. Les diocèses étaient divisés en provinces. Une préfecture des Gaules commandait de Trèves à la fois la Gaule, la Bretagne et les Espagnes.

L'énergie des responsables politiques et militaires donna aux Gaules un nouveau sursis d'un siècle, très bénéfique pour l'activité économique. Constantin fit frapper une nouvelle monnaie, le sou d'or ou *solidus*, qui devint valeur universelle d'échanges. Un nouveau système fiscal et le blocage des prix rétablirent la confiance chez les possédants.

La bonne situation monétaire profitait à l'agriculture qui bénéficiait en outre de la décadence des villes, si souvent pillées au siècle précédent. Les hommes riches achetaient des terres, exploitaient leurs biens en utilisant au besoin la main-d'œuvre barbare, en manifestant un vif souci de rentabilité. Partout gagnait la vigne, et les terres céréalières se rassemblaient en immenses domaines. Les villas attiraient les artisans des villes, qui installaient à la campagne leurs ateliers de tissage, de céramique, de joaillerie.

Sans doute les échanges avaient-ils diminué : les routes étaient mal entretenues, les communications peu sûres. Seules les régions peu touchées par les invasions continuaient à s'enrichir dans le cadre d'une civilisation urbaine : l'Aquitaine par exemple. En dehors d'exceptions heureuses comme Trèves, nouvelle capitale d'Empire, les campagnes, et non les villes, devenaient le centre de la nouvelle activité économique.

Aussi bien les notables vivaient-ils désormais sur leurs terres. Les aristocrates, les *clarissimes* (qui avaient rang de sénateurs), étaient des grands propriétaires en même temps que de hauts fonctionnaires. Ils vivaient dans leurs villas, véritables palais comptant parfois plus de cinq cents domestiques, artisans, ouvriers agricoles.

Leurs enfants recevaient l'éducation romaine la plus raffinée. Ils devenaient à leur tour notables et hauts fonctionnaires, familiers, à Trèves, de la Cour impériale. Couverts d'honneurs, bien dotés en argent et en dignités, les aristocrates des Gaules défendaient l'Empire d'Occident dont ils étaient solidaires.

Les représentants de la bourgeoisie urbaine avaient plutôt tendance à se désolidariser : les décurions avaient la responsabilité de l'impôt. Ils cherchaient à l'esquiver. Les fonctionnaires moyens, les *perfectissimes*, n'étaient guère satisfaits de leur sort. Des règlements impériaux régissaient très strictement les corporations de marchands et d'artisans. Ils avaient pour but de maintenir les hommes dans leur profession. Tous cherchaient à en changer, de crainte d'être contraints à trop d'efforts pour un profit trop maigre. Les classes intermédiaires étaient mécontentes, démissionnaires. Le boulanger ne voulait plus cuire le pain, qu'on lui payait trop peu. Le boucher ne voulait plus découper la viande.

A la campagne, seuls les riches triomphaient. Les petits et moyens colons, les anciens de l'armée dotés par l'empereur de maigres terres ne voulaient plus payer l'impôt. Constantin dut les menacer des chaînes pour les empêcher d'abandonner leurs terres. Les plus pauvres se révoltaient, prenant la vie errante des *bagaudes*.

LE CHRISTIANISME CHEZ LES GAULOIS.

Le monde romain n'avait pas pour adversaires que les Barbares. Il était menacé, de l'intérieur, par les chrétiens, qui niaient toute divinité à l'empereur et prêchaient la révolte contre les « idoles ».

La doctrine nouvelle, venue d'Orient, avait gagné, assez lentement, la Gaule. Pourtant, dès 177, une première communauté chrétienne existait à Lyon. Comme la civilisation romaine, le christianisme allait d'abord s'installer en Gaule par les villes.

Longtemps les empereurs ont persécuté les chrétiens. Les Gaulois n'échappaient pas à cette politique de terreur. Pothin, Attale et Ponticos avaient été martyrisés à la Croix-Rousse. Un évêché s'était créé dans la clandestinité. Les persécutions s'étaient poursuivies pendant tout le IIIe siècle, à Lyon et dans les autres villes de Gaule : Saturnin avait été supplicié à Toulouse, Symphorien à Autun. Mais bientôt chaque ville eut son évêque clandestin. Au début du IVe siècle, on en comptait une vingtaine en Gaule : Paris,

Tours, Reims, Marseille, Narbonne, Arles, Limoges, Toulouse, Clermont...

Brusquement, Constantin se convertit au christianisme. Les persécutions cessèrent aussitôt. Le christianisme, devenu religion officielle (« sous ce signe tu vaincras »), était l'auxiliaire du pouvoir politique, de la puissance impériale. Les évêques sortaient de l'ombre et s'installaient au cœur des cités. Les Gaulois trouvaient des chefs spirituels. Les Césars encourageaient la multiplication des évêchés, même aux frontières, dans le Nord et dans l'Est.

Restaient les campagnes. En vain les évangélisateurs comme Martin essayaient-ils de convertir les paysans des *pagi*. Ceux-ci considéraient le christianisme comme une nouvelle religion de Rome, ils restaient fidèles à leurs dieux des sources et des champs. Ils restaient « païens ».

Non seulement la religion nouvelle avait du mal à gagner les campagnes, mais elle était exposée, dans les villes, à tous les dangers de déviation. Les grands évêques gaulois, Irénée et surtout Hilaire, avaient le plus grand mal à protéger la doctrine romaine contre les interprétations locales ou étrangères : Hilaire de Poitiers avait résisté, non sans mérite, à une hérésie venue d'Orient, l'*arianisme*, qui avait séduit le propre fils de Constantin le grand, Constance II.

Ami d'Hilaire de Poitiers, l'ancien officier Martin avait compris que le christianisme, pour s'imposer, pour se démarquer des anciens cultes et des perversions diverses, devait approfondir sa spiritualité. Il avait importé en Gaule une invention de l'Orient : le monachisme. Les hommes renonçaient au monde pour se retirer, en moines, dans la retraite et la prière. Le succès de cette entreprise fut immense en terre celtique. L'évêque de Tours avait fondé le monastère de Ligugé. Des ermites inconnus, Cassien, Honorat, fondaient des règles et se retiraient dans les déserts. La règle de Cassien, en 420, était la première du genre en Occident.

L'Église de Gaule, au IVe siècle, était une création de l'État constantinien. On avait fondé presque autant d'évêchés que de cités. L'évêque, très naturellement, s'installait au chef-lieu de la cité. Il était souvent issu de la société locale. Quelquefois même il était marié, avant de devenir évêque, comme cet Urbicus, évêque d'Auvergne, dont parle Grégoire de Tours. Ancien sénateur converti, il avait dû congédier sa femme pour se livrer à son ministère. Celle-ci ne l'entendait pas de cette oreille :

« Jusqu'à quand dormiras-tu, évêque, lui criait-elle en frappant la nuit à sa porte... Pourquoi méprises-tu ta femme ? »

La dame avait mis tant d'insistance dans sa démarche, que le nouvel évêque la fit entrer, et consomma le péché.

« Gémissant du crime qu'il avait commis, ajoute Grégoire de Tours, il se retira dans le monastère de son diocèse pour y faire pénitence... De son péché naquit une fille qui se voua à la vie religieuse. »

Sans doute les évêques avaient-ils du mal, comme tous les nouveaux convertis, à renoncer à leur vie antérieure. Ils avaient appris, avec les bonnes manières, les belles-lettres — précieuse formation car ils devaient savoir lire et écrire le latin. Ils constituaient une nouvelle élite.

L'évêque choisissait les prêtres et les envoyait officier dans les campagnes, où ils multipliaient les chapelles grâce à l'appui des *clarissimes*. Si les dieux des bornes et des bois restaient en place, les évangélisateurs parvenaient à vaincre la méfiance des Celtes du vieux pays. Martin de Tours réussissait à évangéliser le Centre, et Victrice, de Rouen, les provinces de l'Est. Le cheminement de la religion nouvelle fut à la campagne lent, mais sûr.

Les évêchés les plus développés, les plus puissants étaient en Gaule ceux de Lyon, de Trèves, d'Arles et de Vienne. Désormais, à côté des représentants civils et militaires de l'empereur, les cités avaient un chef spirituel, à la tête d'une hiérarchie qui s'organisait. Quand les autres hiérarchies s'écrouleraient, celle-là resterait en place.

Reposant encore, à la fin du IVe siècle, sur des minorités, mais puissamment encouragé par l'État romain et par les notables gallo-romains, le christianisme risquait de devenir une religion officielle, soumise au pouvoir. L'écroulement de l'Empire le préserva de ce danger en lui confiant, au sein de chacun des royaumes barbares, une fonction politique et sociale essentielle.

Les rois barbares s'installent en Gaule.

La paix de Constantin ne devait pas régner très longtemps sur la Gaule. Après sa mort, ses fils Constantin II et Constant purent maintenir l'ordre jusqu'en 350. Pendant cinquante ans encore, les frontières tinrent tant bien que mal. Puis, en 406, une invasion massive eut raison de toutes les défenses.

LA LONGUE NUIT DU 31 DÉCEMBRE 406.

Quand les Barbares se présentèrent en masse, pour la grande ruée de 406, les défenses étaient affaiblies par plus de cinquante ans d'alertes continuelles. Celle de 352 avait été la première qui présentât des symptômes graves.

L'année d'avant, Constance II avait licencié l'armée de réserve de Gaule, le *comitatus*. Il craignait en effet que ces soldats de métier ne se donnent un César rival, et n'entretiennent la guerre civile. Sans armée de réserve, la Gaule était une proie. Elle fut envahie au Nord-Est par les Francs et les Alamans qui s'installèrent en profondeur, prenant les terres, asservissant les hommes, dominant tous les *pagi* situés entre Rhin et Moselle. Pour la première fois, les Barbares manifestaient l'intention de s'installer définitivement par la force sur terre d'Empire.

Julien, devenu César en 355, avait réussi peu après à reconquérir la plaine du Rhin. Il avait été proclamé *Auguste* à Lutèce, où il avait fait construire un palais. Épris de philosophie grecque, Julien se plaisait sur les rives de la Seine. Valentinien, son successeur, s'était installé à Trèves d'où il avait, une fois de plus, repoussé les Alamans. Les 35 000 guerriers rassemblés sur le Rhin avaient été défaits, contournés, anéantis au prix de grands efforts. Pour empêcher de nouvelles concentrations de peuples, Valentinien et son fils Gratien étaient intervenus au-delà du Rhin, dans la vallée du Neckar.

La Gaule put ainsi s'endormir dans une sécurité trompeuse. N'avait-on pas engagé dans l'armée une masse nouvelle de Barbares, ceux qui n'avaient pas voulu repasser le Rhin ?

La surprise fut grande, la nuit du 31 décembre 406. Une concentration de Barbares jamais vue jusque-là se présenta sous les remparts du *limes*. Les garnisons n'en croyaient pas leurs yeux. Tous les peuples germaniques passaient le Rhin, avec femmes, enfants, troupeaux. C'était une véritable migration, un flot ininterrompu qu'il était impossible d'endiguer. Il n'y avait pas là seulement les vieux ennemis, Francs et Alamans, mais aussi les Vandales, les Suèves, les Alains, les Burgondes. La pression formidable de ces peuples faisait céder les fortifications de Valentinien. La foule qui se pressait aux portes de l'Empire ne venait pas pour piller. Elle était partie sans espoir de retour, elle était dangereuse parce qu'elle avait peur. Derrière les Germains, les cavaliers huns prenaient les récoltes et brûlaient les villages.

La *Romania* était envahie. Les secours ne pouvaient venir d'Orient. Là-bas, les Wisigoths, chassés aussi par les Huns, avaient battu l'armée romaine à Andrinople en 378. En Gaule, l'usurpateur Maxime profitait du désordre pour s'emparer du pouvoir. L'empereur romain Théodose avait lâché contre lui une armée de Barbares commandée par des généraux francs, Richomer et Arbogast. Les Francs vainqueurs avaient à leur tour fabriqué un usurpateur : Eugène... Théodose avait dû trouver d'autres Barbares, pour vaincre les Barbares de Richomer et Arbogast. Mais à sa mort, l'empereur d'Occident, Honorius, avait onze ans... Il ne devait jamais connaître la Gaule. Le général vandale Stilichon y régnait à sa place.

En 406, quand fut connu le désastre, Stilichon était occupé à défendre l'Italie contre les Ostrogoths. Les seuls soldats dont disposât la Gaule envahie étaient tous des Barbares.

Ils n'opposèrent aucune résistance au passage des Germains. De Mayence, ceux-ci gagnèrent, de proche en proche, l'Espagne. Quelques peuples s'étaient installés dans les provinces : les Burgondes dans la vallée du Rhône, les Wisigoths d'Athaulf en Narbonnaise. Devenu roi de Narbonne, Athaulf y avait épousé en grande pompe la fille de Théodose, Placidie... Rome trouvait quelque avantage à cette « installation » des rois barbares. Certes la Gaule n'avait plus de nouveaux envahisseurs, mais elle n'appartenait plus à Rome. Honorius devait convoquer à Arles (et non à Lyon) l'assemblée générale des Gaules. Les provinces s'administraient elles-mêmes. On revenait à la grande anarchie gauloise.

En 418, Rome avait fait revenir d'Espagne ceux des Wisigoths qui s'y étaient aventurés. Craignant une invasion des peuples marins, les Saxons, elle avait installé les Wisigoths en Aquitaine.

Les « fédérés » wisigoths étaient alors le seul peuple organisé sur le territoire gaulois, en dehors des Francs et des Burgondes établis sur la rive gauche du Rhin. Ces « fédérés » obéissaient à leurs rois nationaux, pas à Rome.

Nominalement, le pouvoir de Rome, et surtout son prestige, subsistaient. Un « maître de la Milice », Aetius, tenta même d'organiser à la romaine, de 425 à 454, l'installation des différents peuples barbares sur le sol gaulois. Il combattit les Burgondes et leur proposa d'occuper à titre d'*hôtes* la région des Alpes, de Grenoble à Genève. Les « hôtes » barbares prenaient possession des domaines, avec leurs familles. Ils avaient droit à la moitié, quelquefois au tiers, mais souvent aux deux tiers du sol ou des revenus du sol. En échange ils devaient assumer la défense des villages. Après les Burgondes, Aetius avait ainsi « installé » les Francs Saliens, qui avaient investi méthodiquement le Nord.

Il se félicita de sa politique quand il dut affronter, en 451, la grande ruée des Huns. Attila en personne avait passé le Rhin, à la tête d'une armée nombreuse. De Metz, il lui fallut deux mois pour atteindre Orléans. Aetius mit à profit ce délai. Il fit alliance avec les Wisigoths, les Burgondes, les Francs et les peuples de l'Armorique. Attila, étonné de cette résistance, se replia sur Troyes. Au lieu dit « Campus Mauriacus », il fut vaincu par la coalition des Barbares de Gaule. Théodoric, roi des Wisigoths, était mort dans la bataille.

Aetius ne tira guère profit de sa victoire. Celui que l'on appelait en Gaule « le dernier des Romains » mourut victime d'une intrigue de palais. Valentinien III le fit assassiner à Rome. Ceux qui l'avaient aidé à repousser les Huns n'avaient pas manqué de tirer eux-mêmes les bénéfices de leur action. Nulle autorité n'existait plus en Gaule. Les notables gallo-romains, inquiets, appelaient eux-mêmes les rois barbares et leurs guerriers, pour bénéficier de leur protection. Ainsi les Burgondes s'étaient-ils installés dans la vallée de la Saône et jusqu'à Lyon, qu'ils occupèrent. Bientôt ils descendirent le Rhône, « protégeant » tous les domaines de la vallée et des côteaux, prenant pied dans la vallée de la Drôme et dans celle de la Durance. La Franche-Comté et la Suisse romande étaient également sous leur coupe. Les rois burgondes régnaient de l'Yonne et de la Haute-Seine jusqu'à la Durance.

Au Nord, les Francs campaient sur la Somme et poursuivaient leur descente vers le Sud. Dans le Midi, les Wisigoths enlevaient le Berry aux derniers représentants de Rome. Leur roi Euric entrait dans Arles, s'emparait de l'Auvergne, ardemment défendue par Sidoine Apollinaire. Les Wisigoths atteignaient la Loire. Toute la Gaule était aux mains des rois barbares lorsque disparut complètement l'Empire romain d'Occident, en 476.

LA PROGRESSION DES ROIS FRANCS : 476-715.

Les tribus des Francs avaient peu à peu occupé le Nord de la Gaule, s'emparant des terres et des villes. Il leur manquait, pour être redoutables, de constituer un groupe uni, une sorte d'État. Cette tâche revint à un jeune chef franc nommé Clovis, fils de Childéric. Il rassembla les différentes tribus et les lança à la conquête du pouvoir, en Gaule.

Plutôt que de conquête, il faut parler, au début de l'avance franque, d'occupation progressive. Comme l'écrit Lucien Musset :

> « Il est probable que les rois francs disposaient, en raison des établissements de colons... et de leurs propres campagnes, de larges intelligences dans les pays allant jusqu'à la Loire. »

Ainsi les chefs de tribus venus du Rhin faisaient-ils la conquête des villages gaulois : ils y étaient souvent les bienvenus.

Clovis, le chef illustre des Francs établis sur la Somme, n'est guère connu que par sa légende, rapportée par Grégoire de Tours plus de soixante-dix ans après les événements. Né sans doute autour de 465, il est roi dès 481. Sa réputation est celle d'un chef de guerre hardi, impitoyable. Pour dominer les tribus franques, il se montre particulièrement brutal. Mais il sait aussi ménager les élites gallo-romaines, dont il a besoin pour accéder au pouvoir. Clovis n'est pas un chef comme les autres. Il veut être aussi, à sa manière, un « romain ».

C'est un « Romain » de Gaule qu'il attaque d'abord près de Cambrai, un certain Syagrius. A cette époque troublée, le prestige des titres et des dignités de l'ancienne Rome était si grand que tous les chefs de guerre voulaient être consuls et réputés « romains ». Pour battre Syagrius, Clovis a fait alliance avec le roi de Cambrai, un autre franc, Ragnacharius. Près de Soissons, Clovis est vainqueur. Syagrius s'enfuit près de Toulouse, chez les Wisigoths qui, lâchement, le livrent à Clovis. Il le fait assassiner. La Gaule est libérée des « Romains ».

Il faut situer ici l'épisode célèbre du « vase de Soissons ». S'il n'est pas authentique, il est significatif. L'évêque demande au roi franc de respecter un vase sacré. Ses soldats ne pensent qu'au butin. Chef de guerre, Clovis ne peut s'opposer au partage coutumier. Il ne peut châtier un soldat cupide, mais il peut punir un soldat négligent, pour le plus grand bien de l'Église. Clovis est en passe de devenir le Prince des notables gallo-romains.

Il lui a fallu un an pour faire un exemple, en fendant le crâne du guerrier de Soissons. Dans le feu de la victoire, il n'aurait pu se le permettre. Il était trop lié aux soldats qui l'avaient hissé sur le pavois.

De combien de guerriers dispose Clovis ? Les Francs Saliens sont 100 000, 150 000 peut-être. Pour l'époque, une armée de 10 000 hommes est importante. Les Wisigoths sont 100 000. Les Francs sont les plus nombreux. Ils sont en outre les meilleurs guerriers. On connaît leur silhouette par la description du dernier poète latin de Gaule, le notable Sidoine Apollinaire :

« Du sommet de la tête, écrit-il, une large chevelure rousse leur descend jusqu'au front, tandis que leur nuque reste à découvert. Dans leurs yeux glauques luit une prunelle couleur d'eau, à leur visage rasé de minces touffes de poils où passe le peigne tiennent lieu de barbe. Des vêtements étroitement cousus collent aux jambes élancées des guerriers, un large ceinturon enserre leur taille étroite. C'est pour se garantir contre la tentation de fuir et de présenter leur nuque découverte aux ennemis que les Francs ne se protégeaient que le devant du crâne avec leurs cheveux. Les casques sont pour eux des coiffures d'apparat, fragiles... Leur passion est la guerre... S'ils sont par hasard accablés par le nombre, la mort seule les abat, la crainte, jamais. »

Après des siècles de romanité, on reconnaît dans ce portrait fait par un riche sénateur gallo-romain les traits que les Romains reconnaissaient jadis aux combattants celtes de Vercingétorix. Il est vrai que si les Francs sont, à l'origine, des cavaliers, ils combattent le plus souvent à pied, comme les Burgondes. Armés de haches (les « francisques ») et de lances, ils portent glaive et bouclier, comme des Romains. Ils sont totalement soumis à leurs chefs, dont le seul insigne de commandement est la longue chevelure blonde.

LE BAPTÊME DU ROI BARBARE.

Ces rudes guerriers permettent à Clovis, vainqueur de Syagrius, de s'affirmer en Gaule et de déployer une puissance militaire irrésistible. Il intervient sur le Rhin, assure la sécurité des marches de l'Est. Il aide en 496 les Francs ripuaires à repousser les Alamans. C'est après sa victoire de Tolbiac qu'il faudrait situer, si l'on en croit la chronique, sa conversion au christianisme.

La conversion de Clovis n'est pas douteuse, mais le mérite en revient peut-être davantage à l'adresse du clergé gallo-romain — et à son influence dans les cités — qu'à l'inspiration divine sur le champ de bataille. On comprend que Grégoire de Tours et les évêques aient voulu faire passer Clovis pour le nouveau Constantin : sa conversion était une œuvre politique préparée de longue main.

Le clergé de Gaule ne pouvait en effet se fier aux autres rois barbares qui occupaient le territoire. Ils étaient chrétiens, faux chrétiens plutôt, adeptes de cette religion pervertie, issue du christianisme, de cette hérésie appelée « arianisme ». L'arianisme avait été condamné avec la plus grande vigueur par le clergé de Rome. Il fallait aux évêques de Gaule un Barbare qui eût la vraie foi.

Précisément Clovis venait d'épouser (est-ce un hasard ?) une princesse burgonde bonne catholique, Clothilde. Il lui promit de se convertir. Remi, évêque de Reims, lui donna le baptême le jour de Noël. (On ne sait si la bonne date pour ce baptême est 496, 498 ou 506.)

La conversion de Clovis avait une importance politique exceptionnelle. Avec le christianisme, il pouvait hériter de la *Romania*, et se parer des dignités et prestiges de l'ancien Empire, puisque, depuis 476, l'Empire d'Occident n'existait plus. Et de fait l'empereur d'Orient Anastase lui dépêcha un ambassadeur qui le salua du titre de consul. Clovis cessait d'être un chef de guerre heureux pour devenir un héritier.

Protecteur de l'Église de Gaule, le roi des Francs Saliens avait le devoir d'intervenir en terre burgonde ou wisigothique, toutes les fois qu'il y serait appelé par les catholiques persécutés par le pouvoir politique arianiste. Enfin Clovis, roi chrétien, pouvait s'attacher, dans les territoires qu'il contrôlait, le dévouement des chefs de l'Église, détenteurs de la seule autorité qui subsistât en Gaule depuis le naufrage de Rome.

Les conquêtes de Clovis furent faciles et rapides. En battant les troupes de Gondebaud, il abattit d'un coup la puissance burgonde. Il était maître, par cette victoire, du sillon rhodanien. D'après Grégoire de Tours, il entreprit ensuite une expédition d'inspiration religieuse contre les Goths d'Alaric, pour libérer les catholiques du Midi du joug hérétique. Il aurait ainsi lancé la première « croisade » franque. Alaric périt près de Poitiers. Son armée fut anéantie. A Toulouse, les évêques accueillirent Clovis comme un libérateur. Les Goths défaits passèrent en Espagne.

Infatigable, Clovis reprit ensuite le chemin du Nord, enlevant au passage Bordeaux, imposant sa loi aux Bretons sans coup férir. Était-il maître de toute la Gaule ?

A sa mort, en 511, il avait effectivement recollé les trois morceaux de l'ancienne Gaule chevelue : le franc, le burgonde et le gothique. Seul le petit royaume de Bourgogne, qui avait finalement survécu, et la Provence ostrogothique échappaient au contrôle des Mérovingiens. En 537, les fils de Clovis se chargeraient de les annexer.

LE GRAND ROYAUME FRANC DES GAULES.

Clovis avait bâti un royaume, non un État. Il devait ses succès au courage et à la terreur qu'inspiraient ses guerriers, à l'appui sans défaillance du clergé et des grands propriétaires, qui nourrissaient ses soldats et finançaient ses expéditions. Mais le problème des descendants du mythique Mérovée était la succession royale. Les rois francs restaient, de ce point de vue, des chefs de guerre soumis à la coutume de leurs peuples.

A la mort de Clovis, ses fils Thierry, Clodomir, Childebert et Clotaire se partagèrent ses conquêtes, comme un butin. L'unité du « grand royaume franc » était aussitôt remise en question. Les frères n'avaient pas, de leur pouvoir, une conception territoriale.

Ils se fixaient, non loin les uns des autres, à Paris, Soissons, Orléans et Reims. Ils restaient des chefs de bandes.

Les massacres familiaux, l'influence désastreuse des femmes et leurs intrigues dans les familles régnantes (Frédégonde et Brune-haut chez le fils de Clotaire, Chilpéric) ajoutaient à la confusion. Trois royaumes distincts devaient se constituer peu à peu : la Neus-trie, à l'ouest de l'Oise, l'Austrasie à l'est, autour de la Meuse et de la Moselle, et la Bourgogne dans l'axe Saône-Rhône. Ce dernier royaume était différent des deux autres, en raison de son fort peu-plement gallo-romain.

La Bretagne, l'Aquitaine et la Provence, qui n'avaient aucun peuplement franc, échappaient largement aux héritiers de Clovis. Au reste, du VIIᵉ au VIIIᵉ siècle, les luttes entre les rois de Neustrie et d'Austrasie furent continuelles et sauvages. Elles empêchèrent les Francs de rendre effective la conquête de la Gaule. Partout où leurs interventions ne pouvaient assurer l'unité, des royaumes indé-pendants se constituaient : ainsi les Basques au Nord-Ouest des Pyrénées, et la Septimanie au Nord-Est bravaient la puissance franque. Deux rois se partageaient la Bretagne, bientôt unifiée par Waroc en 580. Contre les Francs, les Provençaux n'hésitaient pas, au VIIIᵉ siècle, à demander le secours des Arabes.

Dagobert, fils de Clotaire II, tenta de recoller l'héritage de Clovis. Roi des Francs de 629 à 639, il réussit à se faire reconnaître par la Neustrie, la Bourgogne et par une partie des Basques et des Bre-tons. Il passait pour un roi juste et éclairé, sensible aux conseils du clergé. L'orfèvre Éloi, ancien trésorier de Clotaire II et futur évêque de Noyon, l'aidait à se conduire comme un souverain, à rendre la justice sans être soumis aux seules coutumes franques, mais en tenant compte du droit des Gallo-Romains. Dagobert se fit ainsi une réputation de véritable souverain, qui connaissait son métier de roi. Il limita la puissance foncière de l'Église et celle des puissants propriétaires de domaines. Il se fit respecter à l'intérieur comme à l'extérieur du royaume. Il combattait l'âpreté de certains chefs ecclé-siastiques, mais non l'Église elle-même, qu'il aida de ses dons. Il fonda l'abbaye de Saint-Denis ainsi que de nombreux monastères.

Pas plus que Clovis, il n'avait réussi à régler le problème de la succession. De son vivant, déjà, il avait renoncé en faveur de son fils Sigebert à la couronne d'Austrasie, en raison de la menace que les Avars faisaient peser sur le Nord-Est de la Gaule. Ainsi les Mérovingiens n'avaient assuré que pour de courtes périodes l'unité des Gaules.

LES LOIS BARBARES.

Les Francs, mais aussi bien les Burgondes ou les Goths avaient cependant modifié partout les mentalités et les mœurs, en apportant et en imposant leurs coutumes.

Ils avaient obtenu le droit d'utiliser en justice leurs coutumes partout où ils résidaient. C'était le principe de la « personnalité des lois ». Les lois barbares, contrairement au droit romain, n'étaient pas écrites, mais coutumières, elles se transmettaient de génération en génération. Les assemblées de justice, en pays gaulois, devaient donc être mixtes, afin de pouvoir juger les gens de toutes les nations. Au « mallus » ou tribunal du comte de la province ou de la cité, les Gallo-romains siégeaient à côté des Barbares.

Le droit barbare était pourtant très différent du droit romain : la loi du sang ou *vergeld* obligeait les Francs coupables d'un crime à payer la « composition » à leur victime ou aux parents de la victime. Le meurtrier remboursait en sous d'or. Les Burgondes et les Francs, sous l'influence des Romains, commençaient à faire rédiger leurs coutumes. Il y aurait bientôt une loi wisigothique, une loi burgonde, une loi salique et une loi ripuaire. Dans les territoires du Midi la loi romaine, solidement implantée, continuait à s'imposer. Peu à peu les lois barbares et le droit romain tendirent à se rapprocher. Du reste les rois barbares utilisaient la compétence des Gallo-Romains pour leurs administrations naissantes, fiscale et judiciaire notamment.

La fusion des lois suivait la fusion des peuples : les mariages mixtes entre les gens des élites sénatoriales et militaires devaient l'accélérer, en pays franc notamment. Il était d'usage que la femme adoptât la loi du mari, mais cette loi était singulièrement corrigée par sa transcription et son adaptation au cadre social. Naturellement, le droit et les coutumes germaniques restaient plus purs partout où le peuplement barbare était dense, dans le Nord et dans l'Est par exemple. Ailleurs, la romanité dominante reprenait tranquillement ses droits.

LA GAULE DES FILS DE MÉROVÉE.

Le roi « des Francs » a le sentiment d'appartenir à une famille royale d'origine mythique, celle de Mérovée. Il se trouve que les

Francs ont pris l'habitude de choisir leurs rois, par superstition sans doute, dans la même famille. Mais le roi ne conçoit pas son royaume comme un État. En ces temps où toute valeur est attachée à la possession de la terre, le royaume est un patrimoine que l'on acquiert par conquête et que l'on divise à la mort du chef entre ses descendants.

Les comtes (ou *comites*) placés à la tête des cités sont des amis, des compagnons du roi, qui leur distribue des « bénéfices », c'est-à-dire les revenus des terres, en échange de leur loyauté. L'administration est embryonnaire. Le seul personnage qui prend de l'importance est le « majordome » ou premier serviteur du roi. On l'appelle bientôt le « maire du Palais ». Les fils de Mérovée étant de plus en plus décadents, le maire du Palais tend à se substituer à ces « rois fainéants » qui ont la réputation de parcourir les villages en chars à bœufs.

Les autres dignitaires sont de moindre importance. Ils sont des exécutants, ou disposent de titres seulement honorifiques. Quand ses « comtes » le trahissent, le roi lève une armée, les tue et les remplace. Les rois, comme les comtes, vivent du produit de l'impôt, payé en nature comme au temps des Romains. Le peu d'or qui reste en Gaule continue à partir vers l'Orient, car le commerce des denrées précieuses et chères (les épices, par exemple, ou les tissus et les armes richement décorées) continue à être actif jusqu'à l'arrivée des musulmans. L'essentiel de l'activité économique est rural. C'est aux campagnes de payer.

Les habitants des villes les ont désertées, sauf si l'évêque, particulièrement puissant, a su protéger sa cité. Seule en effet l'Église balance le pouvoir des aristocraties terriennes franque et gallo-romaine. Celles-ci, de leurs villas, dominent le peuple des esclaves et des manants, de ceux qui « restent » sur la terre (en latin : *manere*, d'où « manant »).

L'évêque est lui-même un personnage important en dignité et en puissance. Sous Clotaire II, on est loin déjà du temps où l'évêque recherchait le sacrifice, le martyre. L'évêque est la plupart du temps d'origine noble. Par les legs et donations, il recueille des biens fonciers qui en font un seigneur parmi les autres, une puissance économique, donc politique. Il peut faire construire des églises rurales, ou persuader les seigneurs de les édifier dans leurs domaines. Le christianisme progresse ainsi dans les campagnes, sous son impulsion. Il est un facteur d'unité et d'assimilation des Barbares.

Les initiatives des rois et des seigneurs permettent aux monastères de se multiplier. Ceux-ci, dotés de biens fonciers, deviennent à leur tour une pépinière d'évêques et de missionnaires. Les moines assurent non seulement le progrès en profondeur de la foi et de la réflexion religieuse, mais la transmission de la culture grécolatine, car ils retrouvent et recopient les manuscrits des Latins et des Grecs.

S'il existe une civilisation mérovingienne, elle est due entièrement aux efforts des gens d'Église, qui encouragent les arts et l'artisanat comme ils peuvent, qui répandent dans leurs écoles le goût de la lecture et la pratique de l'écriture, qui assument en partie la justice et la survivance du droit romain.

La domination de fait de l'Église et des nobles terriens réduit, après la mort de Dagobert, la monarchie mérovingienne à peu de pouvoir. Les maires du Palais gouvernent, mais ils sont choisis par les nobles. Ceux-ci ne voient pas d'un bon œil, bien sûr, les maires du Palais devenir trop entreprenants, trop envahissants.

Ils doivent bien supporter cependant les entreprises de l'un d'entre eux, Pépin de Herstal. Nommé en Austrasie, il domine bientôt la Neustrie et la Bourgogne, nomme « maires » ses propres fils dans ces deux royaumes. Au début du VIIIe siècle, le voilà maître, en fait, de tous les pays francs. Bientôt tous les héritiers des derniers souverains mérovingiens disparaissent, sans laisser de traces...

Très pieux, renommé pour son courage, Pépin s'est rendu illustre en refoulant les Frisons au-delà du Rhin, en repoussant une fois de plus les Alamans. Il est vrai qu'à sa mort, en 715, la Gaule est de nouveau partagée. Les nobles de Neustrie se soulèvent, faisant maire un des leurs. De nouveau les Frisons, les Saxons menacent, et dans le Midi les musulmans. Le sauveur des Francs est un bâtard de Pépin. Il s'appelle Charles Martel. Il a pris le pouvoir en Austrasie

Le nouvel Empire des Francs.

Les Mérovingiens avaient par moments réussi à reconstituer l'unité des Gaules, à créer un royaume unitaire appuyé sur les nobles et sur les évêques. Mais trop souvent l'unité avait été remise en question par les querelles de succession, les intrigues et les assassinats, l'incapacité des souverains. A peine réunis, les Francs se divisaient et revenaient aux guerres tribales. Il appartenait à la nouvelle dynastie des Carolingiens de donner aux Francs plus qu'un royaume : l'ancien Empire romain d'Occident.

LA RECONQUÊTE DU ROYAUME FRANC.

Charles Martel est connu dans l'Histoire pour avoir repoussé à Poitiers, en 732, une armée berbère, et défendu ainsi l'Occident chrétien contre l'Islam. Il est vrai que sa victoire, remportée aux portes de l'Aquitaine, devait avoir dans toute la Gaule un immense retentissement.

Avant de vaincre l'expédition musulmane partie de Pampelune en Espagne, Charles avait fermé les frontières du Nord et de l'Est contre les envahisseurs, il avait dominé la Neustrie en révolte, intimidé l'Aquitaine, qui, après Poitiers, devait se rallier massivement à ses étendards. Il avait parcouru tout le pays, d'une frontière à l'autre, pour le protéger contre les agressions. Il était véritablement le restaurateur du royaume franc.

Charles avait désarmé l'opposition des nobles, dont beaucoup jalousaient sa gloire, en distribuant libéralement les « bénéfices » à ses fidèles, en distribuant aux grands seigneurs les terres confisquées à l'Église qu'il entreprit par ailleurs de réformer, pour en chasser les éléments indignes.

Charles, pas plus que les Mérovingiens, n'avait su régler sa succession. A sa mort, ses fils Carloman et Pépin, dit le Bref, durent faire la guerre pour réprimer une révolte générale des nobles. Ils firent mieux : pour désarmer l'opposition des seigneurs, ils allèrent chercher dans sa retraite un Mérovingien oublié de tous, Childéric III, pour en faire un roi.

Mais Pépin voulait pour lui le pouvoir. Son frère Carloman étant entré au couvent, il réunit, à Soissons, en 751, l'assemblée des nobles du royaume franc. Non content de se faire élire roi selon la coutume franque, il se fit sacrer par saint Boniface, devant tous les évêques du royaume, après avoir reçu l' « onction » de l' « huile sainte ». C'était la première cérémonie du sacre. Pépin voulut recevoir un deuxième sacre, pour mieux établir sa souveraineté, des mains du pape lui-même. Étienne II vint en personne dans l'abbaye de Saint-Denis pour la cérémonie de 754. Selon la chronique, le pape fit ce jour-là « défense à tous sous peine d'interdit et d'excommunication, d'oser jamais choisir un roi issu d'un autre sang ». Ainsi naissait la royauté de « droit divin ». Désormais le roi était protégé par le Dieu des chrétiens. Le sacre en faisait un personnage inviolable. Sur des bases nouvelles, la dynastie des Carolingiens était véritablement fondée.

CHARLES LE GRAND PREND LE POUVOIR.

Si Pépin parvint sans peine à se faire respecter par les Francs, il eut du mal à établir son autorité en Languedoc et à retirer la Septimanie (la région de Nîmes et Béziers) à l'occupation des musulmans. Quand il mourut, en 768, il laissait à ses fils, Charles et Carloman, un royaume pacifié.

Mais en même temps, ce monarque absolu, roi de droit divin, partageait avant de mourir ses biens à la manière franque, également entre ses fils. Heureusement pour l'unité du royaume, Carloman mourut prématurément en 771, laissant Charles seul héritier.

Une rude tâche l'attendait aux frontières : il dut de nouveau pacifier l'Aquitaine, où il établit comme roi son fils Louis. Levant le maximum de guerriers francs, il décida de porter le fer au-delà du Rhin et des Pyrénées, pour frapper les ennemis du monde chrétien. Charles repoussa les tribus païennes de Germanie entre Rhin et Elbe. Il attaqua les musulmans en Espagne. Il entraînait avec lui, dans chaque expédition, des missionnaires qui avaient pour rôle de christianiser aussitôt les pays conquis.

Les expéditions franques partaient chaque année au printemps. Les guerriers payaient eux-mêmes leurs armes, leurs montures, leurs armures et les gens de pied. Charles faisait requérir pour l'*ost* (armée) non seulement les seigneurs, mais les hommes libres. S'ils ne voulaient pas aller à la guerre, ces derniers devaient payer l'équipement de leurs seigneurs. Chaque campagne durait environ trois mois.

Charles engagea ses armées loin vers l'Est. En Bavière la rébellion du duc Tassillon fut matée en 788. Les Saxons, païens, furent poursuivis sans trêve. Ils finirent par se soumettre en 785. Jamais les Francs n'avaient osé intervenir aussi loin, aussi constamment en pays germanique. Avec Charles, l'Europe occidentale cessait d'être soumise à la pression des peuples venus de l'Est, pour enfin reprendre l'initiative.

L'occupation franque dans les pays germaniques était extrêmement dure. En Saxe, on déployait la terreur religieuse. Toute atteinte à la religion chrétienne était punie de mort. Pendant plus de trente ans, la Saxe fut victime des expéditions de Charles, qui porta au-delà de l'Elbe les frontières de la chrétienté. Il soumit même les Avars de la vallée du Danube et les Frisons du nord du Rhin. Le Khan des Avars, son peuple une fois converti à la religion catholique, devait faire sa cour au roi des Francs.

A la demande du gouverneur de Barcelone, Charles intervint contre les Sarrazins qui razziaient le Sud de la Gaule, dès 778. Il envoya deux armées pour affronter les soldats de l'émir Abd al Rahmân. Les Pyrénées passées, Charles dut battre en retraite à l'annonce d'une révolte des Saxons. L'arrière-garde, commandée par le comte de la Marche de Bretagne, le paladin Roland, périt dans une embuscade dressée par les Basques, et non, comme le veut la légende, sous les coups des « Maures », dans le défilé de Roncevaux. Il fallut plusieurs campagnes pour contenir les musulmans au-delà des Pyrénées, puis pour constituer en Catalogne une « marche » franque solide. Échappaient encore à Charles, dans les Pyrénées, le pays basque et les montagnes de Navarre.

En Bretagne, il n'eut pas la partie plus facile : deux expéditions furent nécessaires (786, 799) pour soumettre les Bretons. Et le résultat fut loin d'être décisif. Il fallut renoncer à pacifier l'extrémité du pays. Charles dut aussi guerroyer contre des marins du Nord que l'on appelait *Northmanni* ou Normands (en fait, des Danois) qui agressaient les côtes de l'Ouest depuis 799. Ils pillaient chaque année les villages côtiers, de la Hollande à l'Espagne. Il fallut organiser sur les côtes un service de surveillance et un système de défense.

CHARLEMAGNE, ROI DE L'EUROPE CHRÉTIENNE.

Clovis était un converti, Dagobert un homme sage, Charles était un inspiré. Comme son grand-père, Charles Martel, il avait une foi profonde et vivante. Il était sensible aux insuffisances et aux faiblesses de l'Église. Il considérait comme un devoir de veiller lui-même sur l'éducation et la moralité des prêtres. Le christianisme était pour lui le ciment de l'Europe nouvelle. Oint du Seigneur, il prenait très au sérieux sa mission religieuse. Ancêtre des Croisés,

Charlemagne menait sur toutes les frontières le combat de la catholicité.

Il fit tout ce qui était en son pouvoir pour renforcer les croyances et étayer les rites sur des bases incontestables. Il fit venir un moine anglo-saxon, Alcuin, qu'il installa en l'abbaye de Saint-Martin de Tours pour reviser le texte latin de la Bible et imposer la Vulgate. Charles fit copier les textes sacrés dans toute la chrétienté, créant des écoles près des cathédrales et dans les monastères pour avoir des « copistes » en nombre suffisant. L'importance des textes sacrés lui semblait primordiale.

Lui-même cultivé, Charles avait suivi les leçons du célèbre grammairien Pierre de Pise. Il savait le latin et le grec. Il avait appris d'Alcuin l'astronomie, le calcul et la philosophie. Il était convaincu que l'Europe ne pouvait affirmer son existence que par le progrès des sciences, des lettres et des arts, dans le respect absolu de la religion. Mais ce progrès n'était possible que si les Francs attiraient en Gaule tout ce que l'Italie, l'Espagne, la Grèce lointaine et l'Angleterre proche pouvaient encore compter de talents. La « renaissance carolingienne » fut en grande partie l'œuvre personnelle de Charlemagne. Il fut le premier roi « barbare » qui se montrât soucieux de reconstituer la vie spirituelle de l'ancienne civilisation, en lui donnant comme ciment et comme aiguillon la vie religieuse.

A la demande du pape, menacé par les Lombards, Charlemagne intervint en Italie. En 774, après de durs combats, le roi Didier fut pris. Charles coiffa aussitôt la couronne de fer des rois lombards. Par campagnes successives, il fit ensuite la conquête de l'Italie dont il fit roi son fils Pépin (781).

Charlemagne se trouvait alors maître de toute l'Europe continentale, de l'Elbe à l'Èbre et de la mer du Nord à la Méditerranée. Il établit dès 789 sa capitale à Aix-la-Chapelle, où il attira les savants et artistes de tous les pays d'Europe. Protecteur de l'Église et défenseur du pape, c'est très légitimement que Charlemagne pouvait apparaître, au sacre de 800, comme le nouvel empereur d'Occident.

La monarchie franque semblait reconstituer, grâce à la cérémonie romaine, et pour le plus grand bien de l'Église, l'Empire de Théodose.

En fait Charlemagne n'avait pas exagérément désiré cette consécration. Il avait le sentiment de bâtir une Europe nouvelle, et non de reconstituer les formes politiques du passé. Il ne croyait pas à la pérennité de l'Empire, mais il voulait assurer le rayonnement de la civilisation chrétienne.

LA RENAISSANCE CAROLINGIENNE.

Protégée par les armes franques, dominée spirituellement par l'Église qui lui assurait une certaine unité, l'Europe carolingienne connut de nouveau la prospérité. Et cette « renaissance » n'était pas due à la reprise du commerce : certes les riches seigneurs achetaient à grands frais les produits d'Orient, les épices continuaient à s'offrir sur les marchés européens, après avoir parcouru de longues routes maritimes ou terrestres. Mais les marchés urbains restaient faibles et les économies très régionalisées.

La prospérité revint surtout dans l'activité agricole. On pouvait recommencer à cultiver les grands domaines en toute tranquillité. Les terres appartenaient aux seigneurs qui les tenaient du roi, ou aux princes de l'Église. Ceux-ci les faisaient cultiver directement (sur les « réserves ») par leurs serfs, ou grâce aux services qu'ils exigeaient des paysans libres, les anciens « colons » du monde romain. Ils donnaient aussi une partie de leurs terres, sous forme de tenures, à des paysans « tenanciers », à des esclaves « casés » ou « chasés ». Peu enclins à faire du zèle pour travailler la « réserve » des seigneurs, les paysans étaient souvent trop pauvres pour améliorer les rendements de leurs cultures sur leurs propres domaines. De la sorte, les progrès techniques étaient inexistants et les défrichements fort rares. Il n'importe. L'ordre politique garantissait à tous la possibilité de travailler en paix. Ce fait nouveau en Occident se traduisait par un grand bien-être matériel. Les domaines royaux, immenses, assuraient à la Cour des revenus considérables, ainsi qu'aux grands seigneurs.

Charlemagne, comme ses prédécesseurs, distribuait les terres ou « fiefs », à ses « vassaux », en échange d'un serment de fidélité et du « service d'ost ». Pour faire prêter ce serment, et s'assurer de la loyauté des vassaux, il prit l'habitude d'expédier dans les provinces des envoyés spéciaux, les *missi dominici*, qui faisaient connaître les ordres royaux et devaient ensuite lui rendre des comptes, sur leur exécution. Le roi Charles n'avait pas les moyens de s'offrir une administration permanente. Il la remplaçait par une pyramide de vassalités.

Au palais royal, il est vrai, un certain nombre de services fonctionnaient en permanence, autour du souverain. Celui de la « Chapelle » par exemple, chargé des affaires religieuses. Le service de la « Chancellerie » était un secrétariat. Un « comte du Palais » était chargé de la justice. Des dignités domestiques étaient attribuées aux seigneurs de la Cour.

Dans les provinces, les comtes (250 environ) représentaient Charlemagne et disposaient de vastes pouvoirs. Ils recevaient du palais d'Aix-la-Chapelle des ordres écrits, les « capitulaires », qu'ils devaient appliquer scrupuleusement. Les comtes étaient des seigneurs déjà bien nantis en terres et en bénéfices et dont le roi, en reconnaissance pour les services rendus, accroissait les domaines. Eux-mêmes disposaient de vassaux à qui ils distribuaient des terres. Ainsi se consolidait le régime de la « féodalité ».

Issu souvent de la noblesse, le clergé était soumis à l'autorité du roi, depuis que celui-ci se faisait sacrer. Charlemagne avait profité de cette autorité — que ses prédécesseurs n'avaient guère — pour réformer profondément l'Église, dans la voie indiquée par saint Boniface. Les curés recevaient le droit de percevoir un impôt en nature, la dîme, sur les récoltes de leurs paroissiens. La règle monastique était renforcée. Les évêques étaient choisis parmi les hommes pieux et sages. Charles voulait chasser de l'Église tous ceux qui la déshonoraient par leur appétit d'argent et de jouissance. Pour surveiller les évêques et diriger les provinces ecclésiastiques, on avait créé les archevêques. Charlemagne voulait donner au clergé les moyens d'être indépendant de la noblesse, en lui garantissant ses ressources propres ; mais il exigeait de lui, par contre, le zèle le plus scrupuleux dans la défense et l'illustration de la religion.

Il lui donnait en outre mission de répandre partout la culture. Des écoles de village, gratuites, devaient être créées pour alphabétiser le peuple. Le grand Alcuin écrivait lui-même des livres pour les enfants. L'École du Palais formait à Aix des cadres enseignants que l'on expédiait partout dans les villages. Une écriture nouvelle, aux caractères très lisibles (la « carolingienne » ou « caroline »), était répandue, pour faciliter l'alphabétisation. Si le latin redevenait la langue des lettrés, les langues populaires étaient encouragées, et se développaient dans les cités. L'empereur parlait lui-même le franc, mais il suivait avec attention l'évolution de la langue parlée dans les provinces, par les populations gallo-romaines : peu à peu le latin abâtardi de la *Romania* se transformait, sous l'influence des dialectes barbares, en une langue nouvelle d'où sortirait, plus tard, le « français » du Moyen Age.

Pour l'Église rénovée, Charlemagne voulait un cadre éclatant. Il fit venir les meilleurs constructeurs, sculpteurs et peintres d'Europe pour construire des monastères, des abbayes, des cathédrales. Celle de Germigny-les-Prés, dans le Loiret, la crypte de Saint-Germain d'Auxerre sont le témoignage de cet immense effort. Charles avait confirmé le clergé dans ses privilèges. Mais il lui demandait de relever le niveau culturel de l'Europe, et de faire de sa capitale, selon le mot d'Alcuin, « l'Athènes nouvelle ».

LES HÉRITIERS DE CHARLEMAGNE.

A sa mort, Charles, selon la coutume franque, avait partagé ses biens entre ses trois fils. Malgré le sacre, malgré l'Empire, il avait réagi sur son lit de mort en roi franc, pour lui le « patrimoine » se divisait comme à la guerre le butin. La mort rapide de deux des héritiers permit, il est vrai, à Louis le Pieux d'hériter de l'ensemble en 814.

Louis le Pieux est le premier roi qui tenta d'établir une coutume successorale tendant à éviter le morcellement de l'État. Il fit de son fils Lothaire, son aîné, le seul héritier du trône en le proclamant « empereur ». Les cadets, Pépin et Louis, n'étaient que rois d'Aquitaine et de Bavière. Bernard, neveu de Louis le Pieux, était roi d'Italie. L'Empire carolingien, défenseur de la chrétienté, était-il durable ?

Du vivant de Louis le Pieux, Bernard s'était déjà révolté. L'empereur avait dû intervenir, avec toutes ses forces. Bernard n'avait pas été exécuté. Il avait eu seulement les yeux crevés. Il mourut au cours du supplice. Le royaume d'Italie était supprimé.

La succession semblait réglée. Mais Louis le Pieux avait eu un fils d'une seconde union avec Judith de Bavière. Ce fils Charles, le futur Charles le Chauve, entrait dans la compétition. Louis le Pieux en faisait son favori. A son profit, il revenait sur ses dispositions antérieures. Lothaire, le fils aîné, était envoyé en Italie. Charles recevait un royaume à l'est de l'Empire comprenant les terres allemandes, l'Alsace et une partie de la Bourgogne.

Les nobles et le clergé de Gaule étaient hostiles à ces mesures dictées au vieux roi par la coterie de la reine Judith. Lothaire, Pépin et Louis, les enfants du premier lit, étaient mûrs pour la révolte. En 830, ils tentaient d'imposer la tutelle à leur père. Ils enfermaient Judith au couvent. Lothaire, aidé par tous les nobles du royaume, exerçait en leur nom le pouvoir. C'était la revanche des grands, longtemps abaissés par Charlemagne et le pouvoir impérial.

Louis retourna la situation l'année d'après. Mais pour l'emporter, il avait dû faire des promesses, renoncer à l'idée de la transmission intégrale de l'Empire à un seul héritier. Les projets de partage suscitaient de nouvelles réactions de révolte. L'aristocratie se partageait, soutenant tel ou tel candidat dans sa brigue. L'anarchie était revenue en Gaule.

A la mort de Louis, en 840, il n'était plus question de maintenir l'unité de l'Empire, mais de rétablir l'ordre en ses diverses parties. Les notables s'inquiétaient pour l'héritage. Il fallait sortir des querelles de famille.

LE SERMENT DE STRASBOURG ET LE TRAITÉ DE VERDUN.

Après bien des manœuvres, Louis dit le Germanique et Charles l'Austrien se prêtent à Strasbourg serment mutuel d'assistance contre Lothaire. Le serment fut tenu en 842 devant les deux armées réunies, qui venaient de défaire complètement les troupes de Lothaire. Le texte du serment fut écrit en langue romane et en germanique, afin que nul ne l'ignore. Lothaire, qui voulait hériter seul de l'Empire, était dépossédé.

Il fallait bien cependant qu'il ait sa part de l'héritage. On ne pouvait tout lui retirer. Il consentit, en 843 à signer le traité de Verdun qui partageait sur une base solidement établie l'Empire de Charlemagne. Charles, dit le Chauve, héritait de la *Francia occidentalis* (les territoires à l'ouest de l'Escaut, de la Meuse, de la Saône et du Rhône). Louis le Germanique recevait les territoires situés entre le Rhin et l'Elbe. Quant à Lothaire, on lui laissait la bande médiane, de la mer du Nord à l'Italie.

Les frères respectèrent le partage pendant quinze ans. A la mort de Lothaire, en 855, les difficultés de succession ressurgirent. Les trois fils de Lothaire se partageaient son domaine : l'un prenait le Nord, jusqu'à la Saône. Le deuxième le Rhône et la Provence, le troisième l'Italie. Il y avait désormais cinq royaumes, qui étaient l'objet de luttes continuelles. Louis le Germanique envahit celui de Charles, et Charles la Provence... Il n'y avait plus de paix pour les populations.

UNE NOUVELLE VAGUE D'INVASIONS.

Déchirés entre eux, les rois francs ne pouvaient guère faire face aux envahisseurs qui se pressaient de nouveau aux frontières de la chrétienté. A partir de 850, les raids musulmans faisaient régner la terreur sur les bords de la Méditerranée. Les pillards remontaient les fleuves, notamment le Rhône, pour brûler les villages et emporter tout ce qu'ils pouvaient. Ils s'emparaient des îles de Méditerranée occidentale, la Sicile, la Corse, les Baléares. Ils occupaient le Sud de l'Italie. La conquête musulmane reprenait en force.

Sur les côtes du Nord et de l'Ouest, les Normands, déjà connus de Charlemagne, multipliaient les razzias. Les *Vikings* (Norvégiens et Danois) remontaient l'Escaut, l'Yonne jusqu'à Sens, la Loire et la Charente, utilisant des bateaux à fond plat de vingt mètres de long. Ils embarquaient cent à deux cents guerriers sur chaque bateau qui pouvait affronter aussi bien la haute mer que les fleuves les moins profonds. Ils frappaient partout, à volonté.

Quand ils attaquent, à partir de 850, les côtes franques, ils sont déjà maîtres de la mer du Nord, de la Manche et même de l'Atlantique. Ils pillent systématiquement les églises et les couvents, pour y trouver l'or et les objets précieux. Ils inspirent partout la terreur. Ils embarquent des chevaux pour pouvoir rayonner très au-delà de leurs points de débarquement. En 864 on les signale à Clermont-Ferrand...

Une expédition dirigée par le chef viking Rollon se traduit en 911 par la session aux « Normands » (hommes du Nord) des pays de la basse Seine. Charles le Simple y a renoncé par traité, parce qu'il est dans l'incapacité de les défendre. Voilà les « Normands » installés sur un territoire. Ils en font une base d'opérations et leur hardiesse ne connaît plus de bornes. Ils prennent et pillent Paris.

LA FIN DES CAROLINGIENS.

L'Europe carolingienne, malgré ses divisions, avait gardé toute sa puissance d'assimilation. Les Hongrois s'étaient installés dans l'Est, jusqu'en Lorraine ; vers l'Ouest, les fiers Vikings étaient devenus les « Normands ». Les évêques et le clergé avaient entrepris leur conquête spirituelle. Las de piller et de naviguer, ils s'étaient civilisés et même christianisés.

En fait, ils constituaient une nouvelle nation dans la carte troublée de l'Europe, qui ne parvenait pas à retrouver la stabilité. En vain le pape avait-il tenté de rétablir le titre d'empereur d'Occident, en faveur de Charles le Chauve en 875, puis de Charles le Gros (le fils de Louis le Germanique) en 881. En 896 Arnulf, neveu de Charles, devait être le dernier détenteur du titre. Jamais l'unité des terres chrétiennes n'avait été rétablie. La « France », l'Allemagne et l'Italie constituaient des royaumes définitivement distincts.

Les rois étaient incapables de faire régner l'ordre dans leurs royaumes. Les seigneurs y étaient trop puissants, trop insoumis. Déjà Charles le Chauve leur avait garanti l'hérédité de leurs seigneuries. C'est eux qui défendaient le territoire, en construisant, sur leurs terres, aux endroits stratégiques, des forteresses, les fameux « châteaux forts ». La défense s'organisait ainsi région par région. Elle ne dépendait plus du roi.

En Champagne, en Bourgogne, dans les Flandres, en Aquitaine, les seigneurs tenaient seuls leurs territoires. Le roi des Francs n'était plus roi vraiment que sur ses terres propres, sur son « domaine ». Louis le Bègue, Louis III et Carloman, qui succédèrent à Charles le Chauve, n'étaient déjà plus que des roitelets sans pouvoir.

La lutte contre les Normands obligeait les seigneurs à intervenir dans la succession royale. Le comte Eudes défendait Paris assiégé. Son courage décida les seigneurs à lui offrir la couronne, que Charles le Gros, descendant légitime des Carolingiens, ne semblait pas pouvoir défendre. Eudes, fils de Robert dit le Fort, était donc en quelque sorte élu par ses pairs, hissé sur le pavois dans la grande tradition des Francs.

Tous les seigneurs n'étaient pas d'accord. Des intérêts rivaux les divisaient en deux clans : les « Robertiens », partisans d'Eudes, firent ainsi la guerre aux Carolingiens, une guerre sans merci, qui usait rapidement les chefs. Enfin la branche carolingienne s'éteignit définitivement. Les nobles se rassemblèrent à Noyon et élevèrent au trône un abbé laïc, Hugues, du clan des Robertiens. En raison de la « chape » de Saint-Martin qui était conservée dans son abbaye, Hugues fut surnommé « Capet ». La nouvelle dynastie était née, celle des « Capétiens ».

A l'entreprise démesurée des Carolingiens, qui avaient un moment reconstitué l'Empire, se substituait la timide monarchie capétienne, réduite au bon vouloir des ducs et comtes, limitée à la mouvance du domaine. Ainsi naissait vraiment « l'Histoire de France ».

CHAPITRE 3

Roitelets du Nord
et géants du Midi

Autour de l'an mil, la France est dominée par de puissants seigneurs, dont le petit roi de l'Ile-de-France n'égale ni l'influence, ni le prestige, ni la richesse, ni la force. Limité à son domaine amoindri, il dispose cependant d'un atout majeur, dont il fera bon usage : il est le seul qui détienne la puissance spirituelle que confère la cérémonie du sacre. Il n'est pas seulement l'héritier diminué de Charlemagne : par le sacre, il descend en droite ligne des Rois d'Israël. Comme l'écrit très bien Georges Duby :

> « *La société féodale n'a jamais pu se passer d'un roi ; la présence terrestre d'un monarque lui fut aussi nécessaire que celle, invisible, de Dieu. Pour cette raison tous les rois de France de cette époque... jouirent d'un prestige et d'un pouvoir de fait sans commune mesure avec ceux que détenaient les princes les plus puissants du royaume* [1]. »

Les petits rois de l'Ile-de-France.

DES SUZERAINS THÉORIQUES.

Élu par ses pairs, sacré roi à Reims, Hugues Capet (987-996) était le suzerain « éminent » des pays situés à l'ouest de l'Escaut,

(1) Histoire de France, Larousse 1973, tome 1, p. 258.

de la Saône et du Rhône. Les pays à l'est de cette ligne étaient réputés « d'Empire ». En réalité le premier Capétien ne possédait vraiment que le « domaine » royal, les terres qu'il avait en propre, comme seigneur et non comme roi.

Au Sud, il disposait d'une partie de la plaine de Beauce de Paris à Étampes, et Orléans. Au Nord, le domaine atteignait Senlis, à l'Ouest... Poissy. A l'Est, la limite avec le comté de Champagne était à Sens. Encore le roi devait-il compter, sur ce territoire exigu, avec le caractère indépendant des petits « barons » qui contestaient son autorité.

Restait la couronne. Hugues en connaissait le prestige et le prix. Dès 987, il avait fait, de son vivant, désigner comme roi son fils Robert (le futur Robert le Pieux) par l'Assemblée des seigneurs. Cette procédure devint exemplaire, et fixa la coutume : pendant plusieurs générations, elle serait suivie scrupuleusement par les Capétiens, et respectée par leurs vassaux.

L'élection du roi par les seigneurs, autre coutume venue des usages francs, devint, en somme, une formalité. Robert le Pieux succéda sans difficulté, en 996, à Hugues Capet. N'était-il pas déjà roi ? Il ne put y avoir désormais de vacance du pouvoir. La royauté devenait un principe, elle ne pouvait ni s'abolir ni se partager, même pour un court instant, même pour la liquidation d'une succession : le roi est mort, vive le roi !

Encore fallait-il qu'il y eût un roi. Le roi régnant devait avoir nécessairement un héritier (et non une héritière). Robert le Pieux n'en avait pas eu avec ses deux premières épouses : il les congédia pour en prendre une troisième, qui lui donna quatre fils. L'aîné fut aussitôt associé au trône. Mort prématurément, il fut remplacé par son cadet, Henri. En vain la reine tenta-t-elle d'imposer son dernier fils, Robert, qu'elle préférait, avec l'aide de puissants vassaux. Elle échoua dans son entreprise et Henri Ier fut roi. Il régna de 1027 à 1060.

Il laissait à sa mort un fils de huit ans, ce qui risquait de compromettre la dynastie. Fort heureusement le comte Beaudouin des Flandres et la reine mère assurèrent la régence et Philippe Ier régna jusqu'en 1108. Quand son fils Louis VI fut désigné comme successeur, ce fut seulement par acclamation des seigneurs, et non par une véritable élection ; il en fut de même pour Louis VII. La succession des Capétiens était donc désormais assurée par la loi coutumière. Le « dauphin » était publiquement désigné par son père et l'archevêque de Reims le déclarait officiellement élu en le faisant acclamer par les vassaux réunis. Une des principales causes de faiblesse de la monarchie franque disparaissait ainsi. Les bases d'un État durable étaient enfin jetées.

LES DESCENDANTS DE SALOMON.

La cérémonie du sacre jouait un rôle déterminant dans la consécration du pouvoir royal. Les Capétiens ne pouvaient prétendre à l'héritage légitime des Carolingiens puisqu'ils avaient en fait usurpé la couronne. Aussi tenaient-ils à maintenir la cérémonie du sacre, qui donnait à leur accession au trône un prestige incomparable. Au XIe siècle, le roi était « oint » à Reims avec un mélange de baume et d'une huile de qualité particulière. On prétendait que ce « saint chrême » venait de Dieu lui-même : une colombe l'aurait apporté à saint Remi, lors du baptême de Clovis. Au-delà des Carolingiens, les Capétiens cherchaient les racines de leur légitimité dans les traditions religieuses les plus anciennes et les plus mythiques de la monarchie.

Bien au-delà de Charlemagne et de Clovis, le roi capétien se voulait, par le sacre, l'héritier de Salomon et des rois de l'Ancien Testament. Ce pouvoir religieux qui lui était solennellement conféré distinguait d'emblée le roi de France des princes, ses vassaux. Il frappait en outre l'imagination populaire. Le roi eut bientôt la réputation de faire des miracles, de guérir les malades. Cette renommée existe dès le temps de Louis le Pieux, qui, selon son biographe, guérissait les plaies d'un signe de croix. Il soignait les aveugles, comme le Christ lui-même, en leur lavant le visage avec de l'eau bénite. De Robert le Pieux jusqu'à l'aube des temps modernes, les rois « thaumaturges » guériraient les « écrouelles ». Nul ne pouvait plus contester leur pouvoir spirituel. Pour les mentalités du Moyen Age, ce n'était certes pas un mince prodige que ce pouvoir surnaturel placé par Dieu dans les mains du roi.

LA RÉALITÉ DU POUVOIR.

Passant le Rhône ou la Meuse, les voyageurs de l'époque avaient conscience d'entrer « en France ». Et pourtant l'autorité du roi était illusoire dans les provinces. Le roi capétien ne pouvait guère faire respecter sa loi, en dehors de son domaine.

Le roi n'avait pas de résidence déterminée. Il se terrait à Paris ou à Orléans. Il n'avait ni administration ni ressources financières régulières. Il employait ce qui lui restait de forces à se faire respecter par les « barons pillards » de l'Ile-de-France, comme ce Thomas de Marle, qui terrorisait les campagnes autour de son château fort de Coucy, et qui fut réduit à l'obéissance par Louis VI le Gros.

Pourtant les rois amélioraient peu à peu leur puissance. Ils assumaient, sur leurs terres, la protection du clergé. Entourés de sages conseillers comme Suger, ils bénéficiaient des débuts d'un renouveau économique. Les voies d'eau, la Seine, la Loire, la Marne, leur étaient profitables. Les foires du Nord étaient des étapes vers les Flandres. Les marchands italiens recommençaient à fréquenter les marchés de l'Ile-de-France. La Beauce et la Brie, de plus en plus défrichées, enrichissaient à la longue leurs maîtres capétiens qui se comportaient en gestionnaires prudents, et non, comme les Carolingiens, en maîtres prodigues, toujours prêts à aliéner leurs biens. Les rois capétiens voulaient transmettre à leur descendance plus qu'ils n'avaient reçu. Ils se comportaient déjà en rois bourgeois.

DES FRANCS AUX FRANÇAIS.

Le petit roi de Paris était réputé au-dehors « roi des Français ». Il ne manquait pas une occasion de parler en Europe au nom de la France tout entière. Parfois ses interventions n'étaient pas sans audace : face à l'Empire romain germanique, qui était, vers l'an mil, la plus grande puissance chrétienne d'Europe, le Capétien osait revendiquer l'héritage de Charlemagne, affirmer des vues sur la Lorraine... Contre l'empereur allemand, Louis VI le Gros n'hésitait pas à mobiliser les Français. Il en avait le droit : le roi de France, de l'aveu des seigneurs, était celui qui « levait l'host » en cas de danger. Il pouvait user comme bon lui semblait de l'armée rassemblée de ses vassaux. Il restait, dans la tradition des chefs francs, le maître de la guerre et de la paix. En 1124, contre « l'empereur romain et le roi anglais », Louis VI avait réussi une mobilisation des nobles, qui ne fut pas suivie d'effets. Le roi pouvait en effet menacer. Il ne pouvait guère entreprendre. Trop de puissances l'eussent étouffé. Il utilisait seulement dans la diplomatie son pouvoir assez théorique. Il n'allait pas jusqu'à livrer ces grandes guerres de pays à pays, qui devaient ensanglanter l'Europe deux siècles plus tard.

Bientôt les Capétiens résolurent de se fixer à Paris, pour asseoir leur prestige définitivement. Louis VI voyait en l'abbaye de Saint-Denis « le chef de son royaume » et son fils devait établir sa résidence dans l'ancien palais de l'île de la Cité, où avait vécu déjà Robert le Pieux. Autour du palais, les seigneurs et conseillers de la Cour firent construire de solides hôtels. Un embryon de capitale royale existait ainsi dès le XIIe siècle. Les Capétiens disposaient, avec Paris, Saint-Denis et Reims, de trois lieux mythiques bientôt unanimement respectés en France.

Les grands vassaux du royaume.

LE « SYSTÈME FÉODAL ».

Le pouvoir du roi était reconnu par les princes dans le cadre du « système » féodal. Il était le suzerain suprême, capable de convoquer les seigneurs en certaines occasions solennelles, pour les « consulter » sur l'intérêt du royaume. Il ne pouvait les contraindre à accepter quotidiennement son autorité. Le pouvoir, sur le territoire français, était naturellement décentralisé : il appartenait aux seigneurs dominant les régions, qui n'avaient avec le roi, plus haut seigneur du royaume, que des liens assez lâches. Les seigneurs devaient au roi service armé et fidélité dans les circonstances exceptionnelles. Pour le reste du temps, ils étaient maîtres chez eux.

Les grands seigneurs avaient constitué partout de vastes domaines où leur souveraineté était presque totale, puisqu'ils pouvaient battre monnaie, rendre la justice, lever impôts et hommes de guerre. Au nord de la Loire, le comte des Flandres et le comte de Vermandois étaient beaucoup plus riches que le roi de France. A l'Est du domaine royal, les dangereux voisins du Capétien étaient le comte de Champagne et le duc de Bourgogne. A l'Ouest, le duc de Normandie et le comte de Bretagne étaient presque indépendants ainsi que les comtes du Maine, d'Anjou et de Blois. Les grands seigneurs du Midi se partageaient de vastes territoires qui constituaient de véritables États : les comtes de Toulouse et de Barcelone ignoraient les lointains rois de France. Les ducs de Gascogne et d'Aquitaine affichaient le même mépris que leurs voisins de Toulouse pour les « Barbares du Nord ».

S'il existait encore, au seuil de l'an mil, un « royaume de France », la France réelle avait plusieurs souverains, dont celui d'Ile-de-France était, dans la réalité des rapports de force, l'un des plus faibles. La puissance des seigneurs du Nord, des comtes et des ducs du Midi, était une conséquence directe du développement de la féodalité.

Devant les menaces continuelles et l'insécurité endémique, devant les invasions répétées jusqu'au IXe siècle, les populations s'étaient regroupées autour de la seigneurie la plus proche, la plus capable d'assurer la défense commune. Les seigneurs étaient tous de familles nobles qui s'étaient illustrées sous les précédentes dynasties. Comme tels, bien qu'ils ne fussent pas sacrés, ils étaient respectés du peuple. Ces nobles pouvaient être, au Xe siècle, de tout petits barons retranchés dans leurs châteaux forts. Les châteaux, construits à l'origine en bois et non en pierre, avaient en effet tendance à dominer un « pays » (les vieux *pagi* de Gaule), à se rendre indépendants des plus grands seigneurs du comté ou du duché. Les « châtelains » se comportaient sur leur territoire en souverains : ils défendaient la population rurale et lui offraient en cas de danger le refuge du château. Mais, en échange, la famille qui dominait la forteresse levait sur les paysans les droits féodaux et seigneuriaux. De la sorte, la distinction s'établit très vite entre les familles « nées » qui se transmettaient, de père en fils, à la fois l'héritage des terres et celui du « ban » (pouvoir de commandement) — et les familles roturières, nées pour le travail et non pour la guerre, qui devaient livrer aux nobles une partie des fruits de leur travail. En marge de ces deux groupes, les gens d'Église, du clergé séculier ou régulier, avaient droit à la protection des « chevaliers » sans aucunement devoir leur verser l'impôt. La société privilégiale des « ordres » s'imposait ainsi aux mentalités collectives. On peut considérer qu'au XIe siècle la vision de la société impliquait cette idée d'ordres. Le système féodal était en place.

Naturellement les petits châtelains et les barons de terroirs avaient dû subir la suzeraineté effective (et non formelle comme celle du roi de France) des puissants seigneurs des provinces, qui avaient fait sentir leur force et imposé leur droit. S'ils avaient respecté les coutumes et privilèges locaux, ils avaient brisé l'autonomie des petits châteaux, pour les regrouper dans leur possession. La féodalité se trouvait ainsi reconstituée en une sorte de pyramide, à la tête de laquelle se situait nominalement le roi de France. Ce schéma théorique, dont le conseiller Suger faisait l'image même de l'organisation du royaume, restait un idéal.

Le roi ne disposait en effet à l'égard de ces princes que d'une seule arme : il pouvait intervenir, comme suzerain, dans les questions d'héritages ; par exemple Robert le Pieux, profitant d'une vacance dans la succession du duché de Bourgogne, put imposer son propre fils comme héritier. La politique matrimoniale pouvait avoir aussi une certaine efficacité. En 1137, à la mort du puissant duc d'Aquitaine, Louis VI avait marié son fils à l'héritière du duc, Aliénor, espérant qu'un enfant mâle apporterait le duché au royaume. Hélas, Louis VII répudia Aliénor ! Le mariage fut annulé en 1152 et l'héritière se jeta dans les bras du duc d'Anjou, futur roi d'Angleterre, Henri Plantagenêt.

C'est à l'intérieur du système féodal que le roi de France, par des interventions heureuses, pouvait espérer rétablir son autorité en étendant son domaine. Il n'avait pas les moyens, ni d'ailleurs la volonté, d'abattre le système lui-même. La fortune du royaume était ainsi conditionnée par le jeu des mariages, des héritages, des alliances et mésalliances. Elle était étroitement liée au sort des familles princières.

LES COUSINS DE NORMANDIE.

Le duc de Normandie était l'un des plus puissants vassaux du roi de France, et aussi l'un des plus dangereux. Pour fixer les Vikings, qui pillaient le fleuve loin vers l'amont, Charles le Simple avait en 911 installé les « hommes du Nord » sur la basse Seine. Leurs chefs étaient devenus des seigneurs bien dotés en terres. Le premier duc, Rollon, avait favorisé le commerce. Devenus chrétiens et bons chrétiens, ces anciens pilleurs d'églises bâtissaient des monastères et des abbayes. En 1034, on vit même un duc de Normandie, Robert, partir en pèlerinage, jusqu'en Terre Sainte...

Avant ce grand départ, il avait désigné comme successeur au trône ducal son fils bâtard Guillaume, né d'une union passagère avec la gentille Arlette, habitante de Falaise. Les fils légitimes du duc, Richard Ier, Richard II et Richard III, se trouvaient ainsi dépossédés. Bientôt Robert mourait en Orient. En Normandie, c'était la guerre.

La guerre et l'anarchie : les petits seigneurs normands retrouvaient d'un coup les instincts des Vikings. Ils devenaient indépendants, refusaient en bloc les Richard, Guillaume et le christianisme. Enfin, las des querelles et des coups de main, ils finissaient par répondre à l'appel de l'héritier de Richard II, Guy de Brionne, qui revendiquait le duché.

Guillaume, qui n'avait plus d'amis ni de soutiens, faisait appel, en désespoir de cause, au roi de France son suzerain. Henri Ier levait une armée, qui mit en fuite les Vikings de Brionne. Le duc Guillaume, ayant rétabli la paix, grâce à son suzerain royal, fortifia bientôt ses possessions, fit de Caen sa capitale, y fonda deux abbayes. Il épousa la fille du comte de Flandre et devint plus riche que le roi de France. Henri Ier était intervenu pour rien.

Bientôt le duché reçut une administration, il eut des impôts réguliers, un budget, comme un véritable État. Les « vicomtes » représentaient le duc dans les différentes régions du duché. Ils rendaient des comptes au palais ducal, où ils faisaient de fréquents séjours. Le duc nommait lui-même les évêques, comme les vicomtes ; l'Église lui était donc dévouée. Il installait dans de nouveaux fiefs appelés « fiefs de haubert » les cadets des familles nobles qui lui avaient rendu service. En échange de l'attribution d'une petite terre, ceux-ci devaient s'équiper à leurs frais pour accomplir un service de quarante jours par an dans l'armée ducale. Le duc prenait soin de rappeler à ses grands vassaux qu'ils lui étaient eux-mêmes redevables du service d'ost. Il disposait ainsi d'une force armée efficace, et n'avait plus désormais besoin des secours du roi de France.

La mise en ordre politique s'accompagnait d'un vif essor du commerce. La démographie normande était alors en pleine expansion. Des relations maritimes s'étaient établies avec les pays de la mer du Nord, l'Espagne et même la Méditerranée. Les villes gagnaient en surface et en population.

L'organisation originale et la prospérité du duché ne pouvaient manquer d'engager le duc à une politique d'expansion. Il se heurtait, à ses frontières, à la rivalité des comtes d'Anjou, qui dominaient le Maine et dressaient leurs places fortes aux limites de la Normandie (Alençon, Bellême, Domfront). Avec ses seules forces, le duc Guillaume s'empara bientôt de ces places et reçut en 1058 l'hommage du Maine qu'il acquit définitivement à la mort du comte quelques années plus tard.

Il n'eut pas, dans l'immédiat, le même bonheur avec les Bretons : une expédition menée en 1064 contre la Bretagne, qui avait pour but de constituer vers l'Ouest, entre Bretagne et Normandie, une marche militaire solide, s'enlisa dans les sables, du côté du Mont-Saint-Michel ; mais Guillaume devait trouver une magistrale compensation dans la conquête de l'Angleterre. Le puissant vassal du roi de France allait ainsi devenir son rival. Duc de Normandie et roi d'Angleterre, Guillaume serait bientôt, par la force des choses, d'abord roi d'Angleterre, puis duc de Normandie.

Il est vrai que le jeune roi de France, craignant l'expansion d'un voisin si entreprenant, avait multiplié les intrigues pour détacher la Normandie du royaume d'Angleterre. On vit ainsi le roi Philippe Ier soutenir contre Guillaume, son propre fils, Robert. Les seigneurs normands avaient souvent acquis, par la conquête, de riches domaines au-delà de la Manche. Ceux qui étaient restés en Normandie n'avaient pas eu leur part. Ils étaient aigris, agités, indisciplinés. A la mort de Guillaume, ses possessions furent partagées entre ses fils : l'aîné, Robert Courteheuse, reçut le duché. Le cadet, Guillaume le Roux, le royaume. Un troisième fils, Henri, était écarté de l'héritage. Il recevait une compensation pécuniaire.

Bien entendu Robert revendiquait bientôt le royaume. Il en chassait Guillaume le Roux. La noblesse anglaise profitait des divisions et des intrigues pour reprendre son indépendance. L'anarchie se développait outre-Manche, pendant que la Normandie également désunie tombait sous les assauts du duc d'Anjou. Pour l'heure, tout danger disparaissait à l'Ouest, où le roi de France n'avait plus de rival.

LA LOINTAINE BRETAGNE.

Pour les Français de Paris, la Bretagne était alors un « bout du monde ».

Les Bretons étaient arrivés en Armorique dès le ve siècle, chassés d'Angleterre par les invasions. A l'époque de Grégoire de Tours, la province était déjà appelée *Britannia*. Les immigrants auraient d'abord peuplé les côtes du Nord et de l'Ouest, laissant la région de Vannes aux Celtes autochtones. Au Centre et à l'Est du pays, les Armoricains ne furent que peu touchés par l'installation des Bretons. Ils restèrent longtemps des Celtes romanisés. Dès l'époque mérovingienne, une Bretagne bretonne s'opposait ainsi, ou du moins se distinguait, d'une Bretagne celto-romaine.

Le christianisme s'était d'abord développé grâce aux monastères et aux saints missionnaires comme Malo, Pol-Aurélien, Brieuc, Samson de Dol, Tugdual de Tréguier et tant d'autres.

Trois diocèses dominaient la vie religieuse : ceux de Vannes, Nantes et Rennes. Rennais et Nantais étaient naturellement attirés par les pays mérovingiens, pour des raisons à la fois commerciales et religieuses. L'Est de l'Armorique avait été assez facilement conquis par Clovis. L'évêque de Rennes, Melaine, était un gallo-romain. Il se rendait aux conciles nationaux. Et de même pour les évêques de Nantes, ville dont les marchands vendaient déjà du vin et du sel à l'Angleterre.

Au contact de la France mérovingienne, la christianisation se poursuivait en Bretagne. Cependant, vers l'Ouest, les Bretons fédérés regroupaient leurs communautés en une sorte d'association, la *Domnonée*, elle-même entourée de petites principautés, le Broerec par exemple, ou encore le Poher et la Cornouaille. La base de l'organisation sociale des Bretons était la paroisse ou « plou ». Le fondateur de la paroisse était un moine ou un chef de clan. Il lui donnait son nom.

Les Bretons avaient des monastères, des abbés et des évêques, qui n'étaient pas sans relations avec ceux de la Bretagne celto-romaine. Les chefs bretons entretenaient, selon Grégoire de Tours, de nombreux rapports avec les princes mérovingiens. Le plus actif de ces chefs s'appelait Waroc. Il s'était installé dans le Morbihan, possédait une flotte, exploitait des mines. Il s'attaquait bientôt aux villes de Rennes, Nantes et Vannes, défendues par les Francs. On comprend pourquoi les évêques de ces villes tenaient à garder des relations étroites avec les Mérovingiens : ils craignaient constamment le pillage. A cette époque, les Francs tenaient garnison le long d'une marche guerrière continue qui correspondait à peu près aux départements de l'Ile-et-Vilaine, de la Loire-Atlantique, du Maine-et-Loire et de la Sarthe.

Cette marche devait s'organiser fortement sous les Carolingiens, après que Pépin le Bref eut fait la conquête du comté de Vannes, en 753. Des Francs devinrent alors comtes ou, comme le « preux » Roland, « préfets des confins de Bretagne ». Le « préfet » s'appuyait sur les « comtes » de Vannes, Nantes et Rennes. Des interventions constantes à cette époque montrent que les Carolingiens n'étaient nullement les maîtres de la Bretagne, s'ils en dominaient les confins.

Pour la première fois au temps de charles le Chauve, un « duc de Bretagne » manifesta sa puissance. Déjà l'empereur Louis avait nommé *missus dominicus* un certain Nominoé, originaire de la région de Vannes. Profitant des querelles des Carolingiens, Nominoé avait unifié la Bretagne sous son autorité. Son fils avait infligé une dure défaite à Renaud, comte de Nantes. Lui-même l'avait emporté en 845 sur les armées de Charles le Chauve. Le chef le plus illustre des Bretons avait pris le titre de duc.

Avec ce duc, Charles fit la paix. Nominoé se trouvait ainsi maître de territoires jadis compris dans la « marche » de Bretagne ; il dominait trois grandes villes et lançait bientôt des expéditions en terres carolingiennes. Il déplaçait ou remplaçait les évêques jugés peu sûrs, sollicitant directement l'investiture du pape, sans passer par l'évêque métropolitain de Tours. Le « duc » breton et ses héritiers finirent par se comporter comme de véritables princes. Ils choisirent les « comtes » parmi les nobles originaires de Bretagne. Ils nommèrent des *missi dominici*, à la manière de Charlemagne, pour surveiller les nouveaux comtes et leur rappeler constamment la suzeraineté ducale. Ils levaient l'impôt et les soldats. Ils dotaient les monastères et les abbayes, assumant la protection de l'Église. Ils exerçaient les pouvoirs régaliens.

Ils encourageaient partout la construction d'églises et de chapelles, pour intensifier les conversions dans les campagnes. Les meilleurs maçons, sculpteurs et couvreurs étaient attirés en Bretagne, pour construire et décorer les églises. La riche abbaye de Redon, qui exploitait de vastes domaines, des marais salants, des moulins et des canaux, recrutait partout des artistes et des écrivains. Foyer de culture et de diffusion de la religion, elle était l'écho, de la « renaissance nationale bretonne » qui se manifestait partout en France. Les ducs bretons faisaient rédiger par les moines la vie des saints de Bretagne : Malo, Guénolé, saint Pol-Aurélien. Les moines copiaient aussi les textes venus de l'Antiquité.

Cette « renaissance » fut compromise, ici comme ailleurs, par les invasions normandes. Les Normands s'infiltraient partout dans l'estuaire de la Loire. Ils prenaient Nantes, pillaient Redon. Vainqueur des Normands, Alain, comte de Vannes, devint « roi des Bretons ». Il reconstruisit les villes et les églises saccagées. A sa mort, en 907, les invasions reprirent. Moines et curés fuyaient devant les pillards.

Quand le roi de France donna la Normandie à Rollon, la paix ne fut pas rétablie en Bretagne, au contraire : des guerres de frontières éclataient constamment. Nantes eut un comte normand, Rennes et Vannes furent menacées. L'œuvre des « rois » bretons était remise en question. Un autre leur succédait : Alain Barbe-torte, par exemple, qui reprenait Nantes et refaisait l'unité bretonne. Les seigneurs du voisinage, Thibault le Tricheur, comte de Blois, et Foulque le Bon, comte d'Anjou, convoitaient les pays bretons, qu'ils sentaient faibles et divisés. Ils savaient que les Normands intervenaient dans la région de Rennes. A chaque querelle successorale, ils se disputaient l'héritage.

C'est finalement le comte d'Anjou, Henri Plantagenêt, devenu duc de Normandie, qui recueillit l'héritage des ducs de Bretagne en mariant son fils Geoffroy à la jeune Constance de Bretagne. Ainsi, par une conséquence imprévue du traité de Saint-Clair-sur-Epte, les Normands dominaient une Bretagne anarchique, qui échappait désormais à l'influence française. Il y avait risque que la Bretagne ne devînt pour la France une terre étrangère, et peut-être une terre ennemie.

LES SEIGNEURS DU MIDI.

Le risque était plus grand encore dans le Midi. Le roi de France n'avait pu intervenir en Bretagne. Il lui était encore plus difficile de se manifester au sud de la Loire. Les comtes d'Anjou et de Blois étaient plus puissants que lui. Que dire alors des comtes de Toulouse, qui, depuis 877 pratiquement, avaient cessé de reconnaître l'autorité royale.

A cette époque, le comté de Toulouse était loin d'être le maître de tout le Midi. Le comte de Barcelone, le comte de Roussillon et d'Ampurias, les comtes d'Auvergne et de Carcassonne se partageaient l'Aquitaine et la Septimanie (l'actuel Languedoc). Aucun de ces seigneurs ne reconnaissait vraiment le roi de France comme suzerain.

Au Xᵉ siècle, comtes et vicomtes se livraient entre eux des combats sans merci. Comme en Bretagne, l'anarchie était à son comble dans les pays de langue d'oc. Le pouvoir se dispersait progressivement entre petits barons et châtelains, bien installés dans leurs régions, quand il n'était pas exercé par les puissants abbés ou évêques, ceux du moins qui avaient les moyens de défendre leurs terres et leurs gens. Les grandes villes, Toulouse, Carcassonne, Narbonne, Nîmes étaient en décadence. Leur population les avait abandonnées, pour cause d'insécurité.

Seule l'Église conservait son autorité, accroissait même sa force matérielle. Son action spirituelle était plus limitée : les moines du Midi, peu touchés par la « renaissance carolingienne », phénomène du Nord, laissaient l'usage du latin décliner. Une langue populaire, la langue d'oc, dérivée du latin et mêlée aux dialectes locaux se constituait. Elle était partout parlée et parfois écrite. Un moine du Limousin composait en cette langue son premier poème vers l'an mil.

A partir des XIe et XIIe siècles, de nouvelles puissances temporelles se constituèrent dans le Midi. Grâce à ces regroupements, la civilisation urbaine connut une renaissance plus rapide et plus précoce ici que dans le Nord.

Raimond IV, le futur comte de Toulouse, n'était à l'origine que le seigneur abbé de Saint-Gilles-du-Gard. Il n'avait hérité de sa mère, outre l'abbaye, que de quelques biens, dont le puissant château de Tarascon sur le Rhône. Mais il disposait bientôt de l'héritage d'une cousine rouergate : une grande partie du bas Languedoc, le Rouergue et le Gévaudan. A la mort du comte de Toulouse en titre, Guilhem IV, Raimond s'empara, en 1085, de sa succession, à laquelle il ajouta le marquisat de Provence et le duché de Narbonne. Il devint ainsi le plus puissant seigneur du Midi, de la Garonne au Rhône, et au-delà jusqu'aux lointaines possessions de Provence.

Il dut lutter contre l'influence rivale du comte de Barcelone et contre la puissance renaissante du vicomte d'Albi et de Nîmes. Puissamment aidé par l'Église, il fut de ceux qui, pendant la Première croisade, entrèrent à Jérusalem. Il fonda une principauté à Tripoli. A sa mort, en 1105, un véritable État existait dans le Midi, avec une administration originale, une civilisation renaissante, des villes en plein essor, irriguées par l'argent du commerce terrestre et maritime.

Les héritiers de Raimond IV furent très vite aux prises avec le duc d'Aquitaine et le comte de Barcelone. Alphonse, le plus jeune fils de Raimond IV, appelé « Jourdain » parce qu'il avait été baptisé, au cours de la croisade, dans les eaux du Jourdain, ne réussit pas à reconstituer la principauté. Son successeur Raimond V fut plus heureux. Abandonnant le mirage de Tripoli et de l'Orient chrétien, qui avait toujours tenté les Toulousains, il rassembla ses forces sur la principauté et réussit à en faire une sorte de fédération de seigneuries relativement indépendantes, mais reconnaissant son autorité. Une paix relative maintint la prospérité des villes et des campagnes.

Dès le XIᵉ siècle, les défrichements s'étaient faits plus nombreux, dans le cadre des abbayes, puis des grands domaines. Les seigneurs du Languedoc éloignaient des côtes les pirates sarrazins et entreprenaient parfois l'assèchement de la plaine du bas Languedoc. Des champs étaient gagnés sur le « palud » ; on exploitait des marais salants. La culture du blé se développait sur les terres hautes, ainsi que l'élevage, pour l'alimentation des villes. Le commerce et l'industrie étaient en plein essor grâce à l'exploitation du sel, aux pèlerins de Saint-Jacques-de-Compostelle, aux relations maritimes de plus en plus intenses avec les villes italiennes. Cuirs, draps et colorants firent la fortune de nombreuses familles à Toulouse, Narbonne et Montpellier. On exploitait des mines d'argent qui permettaient au comte de battre monnaie. Des foires importantes se tenaient à Carcassonne, à Nîmes ou à Saint-Gilles. Dans cette ville située sur l'ancienne route d'Espagne en Italie, les pouvoirs miraculeux du saint attiraient les pèlerins. La fortune commerciale de Saint-Gilles, bien reliée à la mer par un bras du Rhône, était assurée par la fréquentation régulière des marchands italiens, qui vendaient les produits d'Orient. Génois et Pisans, à partir de Saint-Gilles, étaient partout présents sur la côte du Languedoc.

De proche en proche, cette richesse venue de l'Est se répandait jusqu'au centre de la principauté. A Toulouse la vie urbaine était au XIᵉ siècle en pleine renaissance. Des bourgs nouveaux, des « faubourgs » venaient s'ajouter au vieux noyau urbain, de même qu'à Nîmes, à Narbonne, à Carcassonne, à Béziers. Les villes craquaient dans leurs anciens remparts. De nouvelles villes se formaient : Castres, Alès, Beaucaire. Montpellier, bien défendue par les seigneurs Guilhem, commençait à se peupler à la fin du XIᵉ siècle. Elle connaissait alors une croissance très rapide : ses remparts abritaient déjà six mille habitants au début du XIIᵉ siècle.

Le peuplement était partout favorisé par les franchises accordées aux nouveaux habitants par les seigneurs, ainsi que par les corporations de marchands et d'artisans, qui garantissaient à leurs membres une activité protégée, privilégiée. Toutes les villes accueillaient les communautés juives dont les membres étaient très souvent recrutés par les administrations seigneuriales et même ecclésiastiques, en raison de leurs connaissances parfois approfondies des textes, du droit international, des différentes écritures et des méthodes de comptabilité. Ces administrateurs, appelés « bayles », s'occupaient de la gestion des seigneuries, souvent divisées à l'infini par le jeu des successions. On voyait ainsi un « bayle » juif gérer un domaine regroupant quarante co-seigneurs qui touchaient par ses soins leur part des revenus.

Dès le début du XIIe siècle, les villes du comté étaient administrées par des consuls. Avignon, Arles, Béziers, Narbonne, Montpellier avaient les leurs. D'abord désignés par les seigneurs, les consuls furent ensuite élus pour un an selon des modes de suffrages très variés. Toulouse avait ses « capitouls », qui exerçaient une fonction collégiale. Ils rendaient parfois la justice, rédigeaient les textes des lois, à la manière des municipalités italiennes. Un embryon de démocratie urbaine se développait ainsi en Languedoc, sans luttes violentes (sauf à Carcassonne et à Montpellier) contre les seigneurs.

Cette relative autonomie des villes s'accompagnait d'un développement spectaculaire de la civilisation. Une école de « physique » de grande réputation s'était ouverte à Montpellier. Le maître Placentin enseignait dans une université de droit romain. Les notaires formés dans cette université répandaient partout le droit écrit. Dans toutes les villes, des « troubadours » écrivaient en langue d'oc poèmes et chansons. Ce mouvement littéraire, né en Limousin, s'était répandu par Toulouse et Carcassonne jusqu'à Montpellier. C'est en Languedoc que parut le premier ouvrage kabbaliste, le *Bahir*, qui devait, par l'Espagne, répandre la pensée mystique juive dans le monde musulman. La tradition romaine de l'accueil aux étrangers se retrouvait à la cour des comtes de Toulouse.

A cette époque heureuse, une floraison de monuments vint orner les villes et abbayes. Les sculpteurs de l'art « roman » firent merveille au tympan de Conques comme à celui de Saint-Gilles-du-Gard ou de Moissac. Un art original et neuf multipliait ses créations, à Saint-Guilhem-du-Désert, à Saint-Martin-de-Londres, à Saint-Sernin de Toulouse.

Le développement économique, commercial, culturel du Midi de la France marquait la reprise des habitudes du monde romain : les communications furent de nouveau actives sur les itinéraires traditionnels : la route de Barcelone à Marseille par exemple. Les navigations italiennes et la reprise du commerce avec le monde musulman privilégiaient les villes et les ports du bas Languedoc, sans que le développement de cette côte portât préjudice aux pays de l'intérieur. La prospérité de Narbonne, de Nîmes, de Saint-Gilles et de Montpellier favorisait au contraire la renaissance de Toulouse. Les rivalités seigneuriales s'équilibraient finalement mieux qu'au Nord, en raison d'une évolution économique et sociale plus précoce : le phénomène urbain, l'enrichissement des villes à l'italienne, mettaient au second plan, dans une certaine mesure, les problèmes de la possession du sol et de sa mise en culture. Le servage en bas Languedoc disparaissait dès le XIIe siècle. Les liens de la société féodale se relâchaient, pour faire place à de nouveaux rapports sociaux, fondés sur l'argent et créés par l'enrichissement.

Cette société nouvelle se développait presque en marge des seigneuries et royaumes du Nord, bien que déjà les routes commerciales eussent établi des liens. Mais l'hérésie cathare, et les divisions qui allaient en résulter, rappelleraient durement aux habitants de langue d'oc l'existence des Français du Nord.

LA PAIX DE DIEU ET LES CROISADES.

Pendant que le Midi s'enrichissait, accueillait juifs, Italiens et troubadours, le Nord vivait dans l'inquiétude et, pendant le XIe siècle, dans la hantise de l'Apocalypse. Les terreurs de l'an mil, décrites par Georges Duby, affectaient toute la chrétienté, mais plus particulièrement peut-être les royaumes du Nord. Quand on apprit, en 1009, que le khalife du Caire avait fait détruire les lieux saints de Jérusalem, on s'attendit à ce que le soleil prît la forme de la lune à son premier quartier, selon la description des sages, qui prédisaient la fin du monde.

L'Église réagissait mal devant cette panique, parce qu'elle était entraînée dans la décadence générale de la société. Les évêques et abbés s'étaient constitué des seigneuries et, quand ils en avaient le pouvoir, réagissaient eux-mêmes en seigneurs. Les membres plus humbles du clergé se mettaient comme des paysans à la disposition des seigneurs. L'Église perdait à la fois son âme et son rang.

Elle retrouva son âme dans la paix des grands monastères. Des initiatives prises par des saints hommes finirent par constituer un grand mouvement de purification, celui de Cluny. A Saint-Victor, à Marseille, les abbés obtinrent de travailler au bien de l'Église en toute indépendance par rapport au pouvoir temporel. Dans les monastères de Normandie, l'abbé Guillaume de Volpiano redressa la règle et forma, avec beaucoup d'autres, la base d'un nouveau clergé. Rattachée directement à Saint-Pierre de Rome, l'abbaye de Cluny, à l'abri des exactions des seigneurs, se joignit au mouvement dont elle prit la tête. L'abbé Odilon, énergique et persévérant, créa des filiales en Auvergne, en Bourgogne, rendit l'ordre présent sur les relais de la route des pèlerinages. Toutes les filiales, tous les monastères qui se réclamaient de Cluny dépendaient de lui, et non plus des évêques.

Les progrès de l'ordre furent très rapides, au point qu'en 1079, Philippe Ier, roi de France, donna à Cluny les clés du couvent de Saint-Martin-des-Champs, dans sa capitale. Les moines faisaient vœu de pauvreté, de chasteté, renonçaient aux combats du siècle, prêchaient la « paix de Dieu ». La propagande des moines pour le retour à la sainteté déborda sur le Midi, pénétra en Aquitaine et jusqu'en Languedoc, par Arles. De grandes assemblées collectives réunissaient le clergé, les nobles, les riches et les pauvres. Les prédicateurs demandaient le retour à la paix, à l'ordre, et l'oubli des injures ou des fautes. Les églises et les monastères devaient être des lieux d'asiles pour les pécheurs repentants.

L'Église prenait ainsi le parti des faibles contre les puissants, dans les villes comme dans les campagnes. Or les villes du Midi, semblables en cela aux villes italiennes, étaient habitées par une plèbe remuante, le « popolo minuto » de Florence ou de Gênes. Curieusement le mouvement pour la vraie foi se constitua d'abord dans le Nord, mais il connut un succès populaire plus immédiat dans le Midi, où il remuait les foules urbaines. Il y eut, autour de l'an mil, des « conciles de paix » dans les villes du Midi, notamment à Narbonne, en Aquitaine, dans la vallée du Rhône. Chacun s'engageait à respecter le « pacte de paix ». Par Lyon, le mouvement tenta de gagner le Nord, mais il se heurta à l'opposition des princes et des seigneurs. Ceux-ci jugeaient dangereux un mouvement qui soutenait les pauvres et empêchait les guerres féodales. C'est eux que les moines et les évêques durent assagir, en leur imposant un serment personnel de respect de la « paix de Dieu ».

Ainsi l'évêque de Beauvais, en 1025, rédigea le texte d'un serment qui devait être imposé par le clergé aux nobles querelleurs : ceux-ci devaient respecter les églises et les biens d'Église. Ils devaient renoncer au pillage des campagnes et aux exactions contre le petit peuple. A Narbonne, en 1054, on déclara criminelle toute action guerrière contre des chrétiens. L'Église, en imposant sa loi aux bouillants barons du Nord, servait en fait l'autorité supérieure des princes et des rois. Elle aidait à l'instauration d'une hiérarchie que le désordre social menaçait. En intervenant dans les cérémonies de la chevalerie (l'adoubement), elle réussit à imposer la « trêve de Dieu » qui interdisait aux chevaliers de combattre pendant certains jours. Elle limitait ainsi l'action guerrière, au profit de la paix sociale. Elle se classait comme l'ordre privilégié le plus important, dans la société chrétienne renouvelée.

L'aboutissement de cette action fut la croisade. Il s'agissait d'unir la foi populaire et l'ardeur guerrière des chevaliers dans un grand mouvement coordonné par l'Église. Elle y réussit parfaitement.

La voie était défrichée par la coutume du pèlerinage. Saint-Jacques-de-Compostelle, Saint-Pierre de Rome et les Lieux saints de Jérusalem devinrent autant de buts de voyages. Certes, les routes d'Espagne ou celles d'Italie, bien jalonnées de relais, ne présentaient pour les pèlerins aucun danger particulier, sinon celui de perdre leur bourse dans quelque embuscade tendue par des voleurs de grand chemin. Mais les routes de l'Orient, par la Hongrie chrétienne et l'Empire byzantin, devenaient très dangereuses quand on entrait en terre musulmane. Les chevaliers prirent l'habitude de s'y rendre en armes, pour faire face aux agressions. Ils avaient ainsi conscience d'avoir, le cas échéant, à combattre « pour Dieu ». Ils étaient déjà des « croisés ».

En portant la chevalerie au bord de la croisade, en la détournant des guerres intestines, l'Église jouait un rôle social qui devait avoir des conséquences politiques. Elle préparait la reprise en main des États féodaux par les États monarchiques. Désormais les nobles ne pouvaient faire impunément n'importe quelle guerre. Il fallait qu'elle fût conforme aux valeurs de la religion, qu'elle fût approuvée par les gens d'Église. Ceux-ci affirmaient donc la primauté d'un pouvoir spirituel dont ils étaient les détenteurs, sur un pouvoir temporel qui, depuis Charlemagne, avait perdu le sens de sa mission. Au seuil des grands bouleversements qui allaient affecter l'Europe et la France pendant les XIIe et XIIIe siècles, l'Église, très longtemps frappée d'incertitude et d'impuissance, avait retrouvé son efficacité.

CHAPITRE 4

Les grands Capétiens

*De 1180 à 1328, trois grands rois régnèrent sur la France :
Philippe Auguste, saint Louis et Philippe IV le Bel. Ils surent faire
respecter leur autorité dans le royaume et porter loin leur influence
en Europe et dans le monde. Mais leur œuvre n'aurait pas été
possible sans l'incroyable essor qui affectait dans tous les domaines la
France, comme le reste de l'Europe du Nord-Ouest, depuis le début
du XIIe siècle.*

Le nouveau départ de l'Europe.

Après tant de prophéties annonçant l'Apocalypse, l'Europe du
XIe siècle découvrait dans l'étonnement, progressivement, que le
monde ne cessait pas d'exister, et qu'on y vivait plutôt mieux. Aux
prophètes du malheur succédèrent les hommes nouveaux du XIe siècle, bâtisseurs en tout genre qui rendirent à l'Europe l'initiative
et la confiance.

LES PROGRÈS MATÉRIELS.

Tous les historiens en sont d'accord : au XIe siècle la France se
peuple. Les famines et les pestes se font plus rares, la mortalité
diminue et les Français ont plus d'enfants. Il n'est pas rare de voir,

dans les campagnes, des familles de dix ou quinze enfants. Les villages deviennent de gros bourgs, les hameaux se multiplient, les villes se gonflent.

L'opulence de l'agriculture en est la cause : des progrès techniques continuels (moulins à eau, outils divers en fer) permettent d'accroître la quantité de vivres offerts à la consommation. Mais le progrès décisif provient des terres nouvelles gagnées aux cultures sur les friches, les marécages et la forêt. Les « villes neuves » du Nord, les « sauvetés » du Midi, les hameaux appelés « essarts » sont attribués aux défricheurs, colons nouvellement installés qui obtiennent des seigneurs des contrats avantageux. Ces « hôtes » payent de plus en plus aux seigneurs des rentes en argent, au lieu de livrer une partie des récoltes comme les anciens « manants ». L'enrichissement est donc possible dans les campagnes, et le rendement des agriculteurs s'en ressent.

De toutes parts, l'argent, qui se terrait, s'intègre aux circuits des échanges. Les routes des pèlerinages favorisaient déjà le commerce et les contacts. Les marchands italiens, flamands, catalans, sillonnent le territoire et sont présents dans toutes les foires et marchés. Ils vendent les produits d'Orient mais aussi les draps et les armes fabriqués en Europe, en Espagne ou dans le Nord. Pour payer, les seigneurs fondent leurs bijoux et frappent monnaie. Ils multiplient les péages sur les routes nouvelles qui se créent et même sur les fleuves pour se procurer de l'argent. La France entre à nouveau dans le circuit monétaire.

Sur le chemin des Flandres, les foires connaissent une fortune sans précédent, à Lagny-sur-Marne, au Lendit, à Bar-sur-Aube, à Troyes, à Provins ; les réunions de marchands, qui se tiennent une fois l'an, durent six semaines au moins, protégées par les seigneurs, établies sous les murailles des villes. Des marchands n'hésitent pas à s'installer à demeure dans les villes les plus actives, car la population urbaine s'est accrue dans le royaume. Chartres, Dijon, Rouen, Amiens craquent dans leurs remparts, qu'il faut agrandir pour abriter les nouveaux arrivants. Outre les marchands et voyageurs, les villes absorbent en effet le surplus des campagnes en pleine expansion démographique. D'anciens serfs vivent à la ville où ils apprennent les métiers d'artisans. Les échoppes et les boutiques s'ouvrent le long des rues. Dans le Nord, en Flandres, Lille et Gand prospèrent. Caen en Normandie, Tours dans la vallée de la Loire sont des centres commerciaux très actifs. A Paris les bouchers, les boulangers, les maîtres de l'alimentation constituent avec les artisans foulons, serruriers, joailliers et tant d'autres des corporations protégées qui finissent par devenir une bourgeoisie. Ces «bourgeois» obtiennent des seigneurs des garanties judiciaires, fiscales, policières et se constituent en « communes », dans beaucoup de villes du royaume.

La commune n'est pas toujours reconnue à la suite d'une action pacifique. Il y a des révoltes des bourgeois contre les seigneurs, à Laon par exemple en 1112, à Reims un peu plus tard. Dans le Nord, les communes des Flandres acquièrent assez vite une large autonomie. Elles sont moins libres quand le pouvoir royal est plus proche ou, comme en Normandie, face au pouvoir ducal. Il n'y a pas dans tout le royaume l'équivalent de la constitution pacifique des « consulats » des pays de langue d'oc. Dans le Nord, la liberté des villes doit souvent être conquise par la force, c'est-à-dire par la révolte des habitants contre les princes.

LES PROGRÈS SPIRITUELS.

Toute l'évolution de l'Église de France poussait le monde seigneurial à la croisade, à la réconciliation générale des chrétiens. Le pape Urbain II avait lui-même prêché à Clermont la Première croisade. Certes le roi de France Philippe Ier n'y avait pas pris part, mais il avait délégué son frère, Hugues de Vermandois. Quand les princes et les seigneurs s'aperçurent qu'il y avait de la gloire et des terres à conquérir en Orient, ils participèrent massivement. A Vézelay, en 1146, saint Bernard avait prêché la Deuxième croisade. Le roi Louis VII avait pris la croix. Les croisés n'avaient guère réussi dans leur entreprise? Il n'importe. La preuve était faite que la foi nouvelle pouvait entraîner toute la chevalerie française dans la croisade.

Un renouvellement de la foi en profondeur suivait de près, en effet, le mouvement de Cluny. Robert de Molesme, abbé de Cîteaux, appliquait intégralement la règle de saint Benoît et la doctrine de saint Augustin pour obtenir une vie religieuse encore plus pure, encore plus dépouillée. La nouvelle règle, « cistercienne », se répandait dans toute la chrétienté à partir de l'abbaye de Cîteaux. La pauvreté des moines devenait absolue. Les monastères accueillaient les frères roturiers, les « convers », et mettaient à l'honneur les travaux manuels. Ils construisaient de belles abbayes gothiques, de vraies « prières de pierre », sans chapiteaux ornés, sans « images ».

Abbé de Clairvaux, saint Bernard prenait en main les destinées de la Congrégation et lui donnait dans le monde un prestige immense. Ce mouvement correspondait à la construction des cathédrales, qui sortaient de terre en Ile-de-France. A Paris la nef de Notre-Dame devait être achevée en 1180. La foi nouvelle avait ainsi son cadre de pierre, majestueux, dépouillé, où les lignes verticales dominaient, éclairées par les immenses vitraux et les lumières mouvantes des « rosaces ».

La civilisation gagnait enfin les cours, petites et grandes, des pays du Nord. L' « amour courtois », les premiers « romans » de chevalerie, les chansons de geste, s'adressaient à des cœurs que cent ans d'action religieuse avaient rendus perméables à la pitié comme à la piété, aux sentiments complexes et délicats de l'estime, de l'admiration, de l'amitié amoureuse et non plus de la folle passion. Une mentalité nouvelle se faisait jour dans les châteaux, dont les maîtres étaient souvent absents après les départs en croisade. Les femmes, avec les poètes et les nouveaux clercs, rendaient la société plus douce, plus accessible à la communication des idées. Celles-ci, comme les biens, circulaient à loisir en Europe.

La France de 1180 avait subi plus qu'aucun autre pays cette influence nouvelle de la religion. L'amitié des Capétiens et des papes, l'activité du clergé de France, la participation des seigneurs aux premières croisades donnaient à la monarchie un lustre que menaçait cependant, à l'avènement de Philippe Auguste, la puissance anglo-angevine. Les Capétiens avaient ramené chez eux l'ordre et la prospérité. Ils n'avaient pas maté leurs puissants vassaux.

Le duel du Capétien et du Plantagenêt.

UNE MONARCHIE ENTREPRENANTE.

Plus de la moitié du territoire français était, en 1180, absorbée par un nouvel Empire, celui d'Henri Plantagenêt. Il avait hérité, en 1151, de l'Anjou et de la Touraine, du Maine et de la Normandie. Il disposait des biens de sa femme, Aliénor d'Aquitaine, depuis 1152. En 1153 il était reconnu en Angleterre comme héritier du trône et couronné roi l'année d'après. Régnant jusqu'en 1189, Henri II dominait toute la moitié ouest de la France, du pays de Caux aux Pyrénées. Il avait acquis l'Auvergne, la Bretagne, le Poitou et le Limousin. A la barbe du Capétien, il se taillait un empire en France.

Réduit à son étroit domaine, Philippe II, successeur de Louis VII, semblait fort démuni devant son puissant rival. Pourtant il s'employait, par une politique de mariages, d'acquisitions et d'annexions, à étendre au Nord son domaine royal aux dépens du comte des Flandres. Rusé et patient, Philippe réussissait à lui arracher l'Artois, héritage de sa femme Isabelle de Hainaut, nièce du comte des Flandres. Puis il lui faisait la guerre, entreprenait la conquête du Vermandois riche en blé, et du pays d'Amiens. Il reprenait quelques positions aux comtes de Champagne. Restait à se mesurer aux Anglo-Angevins.

Philippe II fut d'abord servi, dans sa tâche, par la rivalité entre le roi Henri II Plantagenêt et son fils Richard. Soutenant Richard qui lui rendit hommage, Philippe lança une expédition pour enlever à Henri le Berry et l'Auvergne (1188). Il envahit ensuite, aidé par Richard, la vallée de la Loire. Henri II fut vaincu et tué.

Devenu roi, Richard dit « Cœur-de-Lion », s'embarquait avec son complice Philippe II dit «Auguste» pour la Troisième croisade (1190). Ils ne tardèrent pas à devenir, sous le soleil d'Orient, les pires ennemis. Richard était jaloux des succès guerriers de Philippe devant Saint-Jean-d'Acre. La succession du royaume de Jérusalem les brouilla définitivement. Philippe décida de rentrer plus vite en France (décembre 1191) pendant que Richard, qui n'avait pas eu son comptant de gloire, s'attardait en Palestine. Il devait pourtant réembarquer quelques mois plus tard. Mal lui en prit : il fut rejeté par la tempête sur les côtes dalmates et capturé par un duc d'Autriche, qui le mit entre les mains de l'empereur d'Allemagne, Henri IV.

Pour Philippe, c'était une aubaine. Il s'entendit avec le frère de Richard, Jean, qui lui céda ses places fortes de Normandie. Il promit une forte somme à l'empereur pour qu'il retînt plus longtemps Richard en captivité. Mais celui-ci réussissait à se faire libérer en 1194. Il allait aussitôt préparer la guerre.

LA VICTOIRE DE BOUVINES.

Richard fit d'abord construire, sur la Seine, le formidable « Château-Gaillard », clé de la Normandie, pour barrer le passage à son adversaire. Il lança ensuite des expéditions en Berry, en Touraine, en Limousin, où il avait constamment l'avantage. Mais il devait trouver la mort au siège de Chalus, en Limousin, alors qu'il voulait châtier un vassal récalcitrant.

Jean, son successeur, fut accommodant avec Philippe. Il conclut avec lui la paix du Goulet qui donnait à la France le Vexin normand, le pays d'Évreux, des possessions en Auvergne et en Berry (1200). Blanche de Castille, la nièce de Jean, devait épouser le fils de Philippe, Louis, héritier du trône de France. Était-ce la paix ?

L'ambition de Philippe allait plus loin : il aidait Arthur, neveu de Richard Cœur-de-Lion, contre le roi Jean, comme il avait jadis aidé Jean contre Richard, et Richard lui-même contre Henri II. Jean prit peur : le comte d'Angoulême venait de promettre sa fille à Hugues de Lusignan, comte de la Marche. Si ce mariage se réalisait, les possessions normandes des Anglais risquaient d'être coupées de leurs riches terres d'Aquitaine : la Marche et le comté d'Angoulême, réunis, menaçaient la cohésion de l'Empire angevin. Il ne fallait à aucun prix abandonner le « seuil de Poitou ».

Jean fit aussitôt savoir au comte d'Angoulême qu'il désirait lui-même épouser sa fille. Le comte fut bien obligé d'accepter. Lusignan de la Marche, furieux, fit appel au roi de France son suzerain. C'était pour Philippe II une occasion rêvée d'intervenir.

Il décida de « traduire en Cour de France », suivant l'usage féodal, son vassal d'Angleterre, et de le priver de ses possessions françaises, qu'il attribuait à Arthur. Celui-ci devenait ainsi le vassal du roi de France pour la Bretagne, l'Anjou, le Maine et la Touraine, ainsi que le Poitou si convoité. Philippe se réservait la Normandie, plus proche du domaine royal, plus facile à contrôler.

Ces belles acquisitions ou dévolutions n'existaient que sur le papier. Il fallait les réaliser. Philippe se chargeait de conquérir la Normandie. Arthur devait faire le reste.

Mais Jean battait l'armée d'Arthur et faisait celui-ci prisonnier. On devait le retrouver, étranglé, dans la tour de Rouen. Le roi de France avait perdu son jeune allié.

Philippe exploitait politiquement ce crime. Il rassemblait ses vassaux, leur montrait le caractère criminel et scandaleux de la domination anglaise sur les terres françaises. Il accablait Jean qui restait sans réaction. Instable de caractère, quasiment malade mental, le roi d'Angleterre laissait faire son rival. Philippe enlevait bientôt une à une toutes les places normandes et notamment le redoutable Château-Gaillard, en 1204. Puis il faisait la conquête de l'Anjou, du Maine, de la Touraine et même de la Bretagne. Jean signait une trêve en 1206 : il ne gardait en France que la Guyenne.

Le duel de Philippe Auguste et de Jean sans Terre devait trouver son dénouement définitif quelques années plus tard, en 1214. Jean sans Terre, préparant sa revanche, avait trouvé en Europe des princes que la gloire de Philippe empêchait de dormir : Otton Ier, empereur du Saint Empire romain germanique, le comte de Boulogne et le comte des Flandres. La guerre éclatait de nouveau.

Les Anglais de Jean sans Terre étaient facilement mis en fuite. Mais Philippe Auguste devait cette fois faire face à une armée nombreuse sur la frontière du Nord. La bataille s'engagea à Bouvines, en juillet 1214. Philippe, un moment menacé par un fort parti de fantassins allemands, contraignit Otton à quitter le champ de bataille.

Philippe Auguste l'emportait alors vraiment : son fils Louis avait débandé les Anglais, qu'il poursuivait jusqu'à Londres. Il occupait sans difficulté la ville. Les Allemands, rentrés chez eux, reconnaissaient les conquêtes du roi de France. Le comte de Flandres Ferrand, fait prisonnier, était ramené à Paris comme jadis Vercingétorix à Rome. Il ornait le triomphe du roi. Enfermé au Louvre, il dut abandonner la domination de ses États au Capétien. Philippe songea un moment à se faire couronner roi d'Angleterre. Il était appelé outre-Manche par les barons révoltés contre Jean sans Terre. Mais à la mort de celui-ci, en 1216, le pape Innocent III intervint pour que la couronne d'Angleterre revînt à Henri III, fils de Jean.

La France de Philippe Auguste.

Les progrès et les victoires du Capétien avaient eu raison de l'Empire angevin. Un royaume de France bien administré, pourvu de bonnes finances et d'une solide armée, s'installait sur le continent européen, balançant la puissance du Saint Empire. Philippe concluait un troisième mariage avec Agnès de Méran, dont il eut un fils. Son fils aîné du premier lit, le pâle Louis, n'eut pas besoin d'être couronné du vivant de son père. La monarchie capétienne était désormais assez forte pour pouvoir se passer de cette cérémonie.

LE RÈGNE DE L'ABONDANCE.

Le royaume de France, qui s'était annexé les plaines du Nord, débouchait désormais, vers l'Ouest, sur les plantureuses terres normandes abandonnées par les Anglais. Il avait une large façade sur la Manche et son commerce maritime. Les bateaux marchands naviguaient sans cesse sur la Loire et la Seine. Entre Paris, qui s'entourait d'une solide enceinte, et les Flandres riches en textiles, des relations régulières se nouaient.

Le roi Philippe multipliait les privilèges en faveur des marchands et des bourgeois. Il favorisait les affranchissements communaux, au lieu de les contrarier : Poissy, Chaumont, Pontoise par exemple, dont les bourgeois devinrent des « francs-bourgeois ».

Le développement du commerce international encourageait le mouvement d'urbanisation le long des grands axes : la route de Paris vers les Flandres et vers Rouen d'une part, les routes du Midi, issues de Marseille, de Saint-Gilles, d'Arles et de Beaucaire, qui remontaient la vallée du Rhône, de la Saône et de la Seine, convergeant vers Paris, d'autre part. Le territoire français permettait ainsi la liaison des Flandres à l'Italie, et devenait une succession de lieux d'échanges. Partout les produits orientaux, les cuirs d'Espagne, les armes, les épices, s'échangeaient contre les draps de Flandres et les peaux du Nord, ou contre les produits de l'artisanat parisien, déjà fort actif.

L'abondance des signes monétaires venus d'Orient et du monde musulman provoquait un renchérissement de tous les prix, notamment des prix agricoles, et une dépréciation des rentes en argent payées par les paysans à leurs seigneurs. Ces rentes, fixées une fois pour toutes, n'étaient pas en effet réévaluées. Les paysans bénéficiaient donc de la hausse des produits agricoles. Leur condition s'améliorait lentement. Pour trouver l'argent nécessaire à la satisfaction de leurs besoins, les seigneurs avaient plus que jamais tendance à convertir en nouvelles rentes en argent les anciennes redevances en nature. Les paysans acceptaient ces contrats. Ils étaient gagnants à la longue et s'intégraient eux-mêmes, en vendant à la ville les produits de la terre, au circuit de l'argent. Certains d'entre eux parvenaient déjà à « mettre de l'argent de côté », et la vieille habitude française de la thésaurisation de l'or provient peut-être de ces premiers paysans riches, les « coqs de village » du règne heureux de Philippe Auguste. Le roi encourageait les paysans dans leur effort, comme il encourageait les bourgeois des villes désireux de s'affranchir de la tutelle des seigneurs. Ainsi la monarchie s'affirmait-elle en face du monde féodal qui l'avait longtemps étouffée. Le roi encourageait les marchands et les marchands soutenaient le roi, particulièrement ceux de Paris.

UN ROI ADMINISTRATEUR.

L'enrichissement général profitait rapidement à la monarchie, La cour des premiers Capétiens comprenait un certain nombre d'officiers aux fonctions assez indistinctes. Certains d'entre eux cependant étaient parvenus à jouer un rôle politique, le *sénéchal* par exemple, maître de l'armée et du domaine, ou encore le *chancelier*.

Philippe Auguste se méfiait de ces « grands officiers » et ne désignait plus de successeurs à ceux qui disparaissaient. Il fit exception en 1223 quand il nomma un nouveau chancelier. Mais c'était en faveur d'un serviteur dévoué, le frère Guérin. Il n'avait d'ailleurs pas exactement le titre de « chancelier », mais, plus modestement, de « garde du sceau royal ». La charge de sénéchal était répartie entre plusieurs officiers, de moindre importance, le *connétable* par exemple ou le *bouteiller*. Les services domestiques étaient confiés aux membres de « l'Hôtel du Roi ».

Le roi rendait la justice dans son « Parlement ». Philippe avait décidé d'exclure de la justice les grands seigneurs, qui étaient cependant membres de droit du Parlement, s'ils n'étaient pas directement concernés par les causes évoquées. La justice du roi, qu'il tenait à se réserver, était rendue par des « conseillers » connaissant à fond le droit. Le Parlement se fixait à Paris, dans l'île de la Cité. Il pouvait juger en appel toutes les causes du royaume, y compris celles des tribunaux des grandes seigneuries vassales. Le Trésor royal était abrité dans le donjon du Temple et la Cour du roi s'y rendait une fois l'an pour contrôler la comptabilité de tous les officiers : il faut voir dans cette institution l'embryon de l'actuelle Cour des comptes, à compétence financière et budgétaire.

L'administration locale était confiée à de nouveaux officiers créés sous le règne de Philippe Auguste, les *baillis*. Ceux-ci surveillaient les prévôts du roi, officiers du domaine qui prenaient en charge la levée de l'impôt, dont ils tiraient de bons bénéfices. Ils s'installaient dans les provinces, pour y représenter le roi. Bientôt les bailliages deviendraient de véritables circonscriptions administratives. Ils devaient contribuer à fixer les territoires conquis aux dépens de l'Angleterre, dans les provinces du Centre et de l'Est. Il était essentiel qu'ils soient étroitement rattachés à la Couronne. Les baillis étaient des nobles choisis dans la petite société féodale du Nord. Ils étaient nommés et payés par le roi, qui pouvait les révoquer. L'institution des baillis marquait la première volonté des rois de l'Ile-de-France de construire un royaume centralisé.

Les baillis étaient véritablement le roi présent dans ses provinces. Ils avaient des pouvoirs de finance et de justice. Le bailliage était une juridiction d'appel pour les causes jugées dans les tribunaux seigneuriaux. Ainsi la justice du roi pouvait-elle prétendre coiffer, sinon se substituer, à la justice des seigneurs. Quand un plaignant n'était pas satisfait de la justice ducale ou comtale, il n'était pas obligé de se rendre à Paris pour faire appel. Il lui suffisait d'aller voir le bailli.

Le roi de France avait trouvé des serviteurs zélés, dans la petite noblesse de son domaine. Encore fallait-il les payer. Les officiers civils, les armées, la police et la justice coûtaient cher. Le roi levait un impôt sur les successions nobles (droit de relief) en tant que suzerain. Il se mit à taxer l'Église, les riches communautés juives, et à lever, sur la population, des impôts spéciaux, les tailles ou les aides, chaque fois que la guerre menaçait. Les revenus étaient rassemblés au Trésor royal, gardés dans le donjon du Temple, à Paris. Le roi s'était enfin donné les moyens de sa politique.

LA CONQUÊTE DES TERRES DU MIDI.

L'hérésie cathare, qui gagnait depuis cinquante ans les sujets du comte de Toulouse, fut pour le roi de France l'occasion d'une intervention décisive qui devait porter les barons du Nord vers les riches terres du Midi, et permettre leur rattachement au royaume.

Les Cathares (en grec, « catharos » veut dire « pur ») étaient partisans d'une véritable purification des mœurs, de la foi, des croyances religieuses elles-mêmes. Jugeant l'Église romaine dissolue et sa doctrine coupable, les Cathares tenaient que le salut de l'homme est dans l'ascétisme, seul capable de le délivrer du mal, car le mal est le monde entier, avec toutes ses tentations. Rares sont ceux qui peuvent échapper à son emprise, les portes du Paradis sont réservées aux justes, à ceux qui ont suivi les préceptes de la vie ascétique. Ceux-là ont été guidés par les « parfaits », rares élus ayant reçu de leur vivant le « consolamentum », un sacrement qui fait entrer l'esprit du bien dans l'âme des fidèles. Les « parfaits » sont des bourgeois, des nobles, parfois des prêtres et même des villageois. Ils organisent à leur manière les communautés de fidèles, créant partout des diocèses cathares, qui ignorent les évêques du pape.

Il y avait de ces diocèses à Albi, à Toulouse, à Carcassonne. On appelait Albigeois les Cathares, parce que la ville d'Albi était pour eux un centre spirituel. Les Cathares tenaient des conciles et restaient en liaison constante de communauté à communauté. Certains parfaits, comme Guilabert de Castres, évêque de Toulouse, jouissaient d'un très grand prestige. Convaincus que Dieu, l'esprit du Bien, n'avait pu créer le mal, les Cathares attribuaient le mal à l'esprit mauvais, personnifié par Satan. Ils tombaient ainsi en état d'hérésie, allant contre le dogme chrétien, qui veut que Dieu soit à l'origine de tout.

Le pape Innocent III tenta d'abord de convaincre les hérétiques. Saint Bernard et les moines cisterciens furent dépêchés sur les lieux. Saint Dominique, plus tard, aidé par l'évêque romain de Toulouse, Foulque, tenta à son tour de lutter contre l'hérésie. Pour les femmes cathares converties, il fonda un couvent. Il organisa l'ordre des frères prêcheurs, qui portaient une sorte de pèlerine noire à capuchon. Ces « frères noirs » faisaient vœu de pauvreté et se consacraient à l'enseignement. Plus de soixante de ces couvents avaient été créés à la mort de Dominique, en 1221. Ces initiatives n'avaient cependant pas ébranlé l'Église cathare, protégée par le comte de Toulouse, Raimond VI. Le légat du pape, Pierre de Castelnau, lui reprochait vivement de soutenir l'hérésie, et le fit excommunier.

Aussitôt le peuple s'en prit au légat du pape. Il fut assassiné en 1208. Le pape se devait de réagir.

Il « exposa en proie » les terres du comte de Toulouse. N'importe quel agresseur pouvait de bon droit s'en emparer. Elles étaient déclarées de bonne prise. Le pape invitait en même temps à la croisade le roi de France, dont il connaissait l'avidité en matière de conquêtes, et les seigneurs du Nord.

Philippe n'eut garde de se risquer dans cette entreprise. Il aimait les expéditions militaires contre des bandes armées de chevaliers. Il lui répugnait de donner assaut à toute une population hostile. Il en profita cependant pour réaffirmer sa suzeraineté sur le comté « exposé en proie ». Des barons et des chevaliers du Nord, attirés par les terres du Midi et par l'attrait du pillage, se rendirent à l'appel lancé à Lyon par l'abbé de Cîteaux, Arnaud Amalric.

En 1209, Béziers était assiégée, prise et pillée. Ses habitants étaient exterminés. Les hommes du Nord agissaient de même dans toutes les villes dont ils donnaient l'assaut. Au siège de Carcassonne, Simon de Monfort se distingua par sa férocité. Il devint le chef des « croisés » qui assiégeaient les châteaux les uns après les autres. Ils portèrent bientôt la guerre sous les murs de Toulouse.

Les princes du Midi devinrent alors solidaires dans la résistance contre les barons pillards. Le roi Pierre II d'Aragon se porta au secours de Raimond VI. La rencontre eut lieu à Muret, non loin de Toulouse : les gens de langue d'oc furent écrasés. En 1215 Simon de Monfort faisait son entrée dans la capitale des Cathares. Aussitôt le pape lui remettait les biens du comte de Toulouse excommunié.

Voilà Monfort devenu grand seigneur ! Il n'hésite pas à piller et à voler tout ce qu'il peut dans la ville et ses environs. Mais il craint de tenir un si puissant fief sans en référer au roi de France, dont le fils Louis a participé à la croisade. Simon le Pillard fait hommage à Philippe Auguste, qui se garde bien de paraître en Languedoc.

Du reste, les Languedociens ne tardèrent pas à se révolter en masse contre leurs nouveaux occupants. Monfort, qui tentait de résister, fut tué enfin sous les murs de Toulouse. Son fils Amaury s'enferma dans Carcassonne, d'où il demanda les secours du roi de France. Il promettait, en échange, de renoncer à l'héritage de son père. Une fois de plus, Philippe Auguste refusa, très nettement. Il ne voulait à aucun prix d'une aventure languedocienne. Il ne pouvait pas prendre le risque de laisser le royaume à la merci de nouvelles entreprises anglaises.

C'est Louis VIII, son successeur, qui devait recueillir les terres du Midi, sans pour autant prendre de risques graves. Imitant la prudence de Philippe Auguste, il attendit que le jeune Raimond VII fût dûment excommunié (1225) et rassembla ses vassaux pour leur proposer une expédition. C'est avec leur accord qu'il prit la route du Midi, par la vallée du Rhône. Maître d'Avignon, il gagna, par Arles et Tarascon, les villes du Languedoc qui firent, l'une après l'autre, leur soumission.

Le voyage ne réussit pas à Louis VIII. Malade, il dut abandonner le siège de Toulouse et mourut sur le chemin du retour. Son sénéchal, Humbert de Beaujeu, restait sur place et ravageait le comté, obligeant Raimond VII à faire la paix.

C'était une paix draconienne : Raimond conservait le Toulousain et l'Albigeois, mais il donnait en dot à sa fille, promise au frère du roi Alphonse de Poitiers, l'Agenais, le Rouergue et le Quercy. Si la fiancée n'avait pas d'héritiers directs, ses biens reviendraient au roi. Les seigneuries ecclésiastiques s'emparaient des biens du marquisat de Provence et le roi de France devenait possesseur de ses propres conquêtes : les pays de Beaucaire et de Carcassonne. Raimond VII jurait de poursuivre les Cathares et de défendre l'Église romaine. En 1229, il faisait amende honorable à Notre-Dame de Paris, pieds nus et revêtu seulement d'une chemise blanche.

A partir de 1223, les dominicains eurent les mains libres pour développer dans le comté leur action répressive grâce aux tribunaux de l'Inquisition, qui dressèrent partout des bûchers. La résistance princière une fois éteinte, restait à éliminer la résistance populaire qui se poursuivit jusqu'au bûcher géant de Montségur en 1244. Devant tant d'horreurs, l'hérésie s'éteignait définitivement, ainsi que l'indépendance des pays de langue d'oc.

Quand Raimond VII mourut, en 1249, sa fille Jeanne n'avait pas eu d'enfants. Les biens de Toulouse revinrent alors au roi de France. Avec l'acquisition des terres du Midi, l'œuvre de Philippe Auguste était achevée : le royaume capétien constituait une puissance européenne de premier ordre. La petite France du Nord avait imposé sa loi aux riches seigneuries du Midi.

Les deux visages de saint Louis.

LE SAINT ROI.

Roi en 1226 après la mort prématurée de Louis VIII, Louis IX, dit saint Louis, héritier d'un domaine royal mieux rassemblé et surtout mieux géré, ne gardait en bien propre, des conquêtes de ses prédécesseurs, que la Normandie. Le reste dépendait de ses vassaux. Il est vrai que le roi de France, qui « ne rendait hommage à personne », était désormais respecté des vassaux petits ou grands. Il était redouté à Londres, considéré à Rome, envié dans l'Empire d'Allemagne.

Louis IX n'avait que onze ans à son avènement. Ses oncles disposaient de riches apanages : Philippe Hurepel avait le comté de Boulogne, Robert possédait l'Artois, Jean l'Anjou et le Maine, Alphonse le Poitou et l'Auvergne. La reine Blanche de Castille, très pieuse, exerçait la régence.

Il lui fallut beaucoup d'énergie pour dominer les princes et les barons qui, dès l'avènement de Louis IX, s'étaient regroupés derrière le comte de Boulogne et refusaient de reconnaître l'autorité de Blanche. Il déplaisait à ces seigneurs d'être gouvernés par une femme.

Blanche les découragea l'un après l'autre de leur résistance obstinée ; elle sut lutter quand il le fallait, défaire le comte de Champagne, le duc de Bretagne, Pierre Mauclerc, qui s'était allié contre elle aux Anglais. Elle fit épouser par Louis IX la fille aînée du comte de Provence, Marguerite.

Louis IX, à sa majorité, se garda d'écarter du pouvoir une femme qui avait montré des capacités aussi manifestes. Blanche resta aux affaires pendant que le roi allait mater lui-même, en 1241, la révolte du comte de la Marche qui avait, lui aussi, demandé l'aide du roi d'Angleterre. Louis IX défit à Saintes une armée envoyée par Henri III d'Angleterre.

Mal guéri encore d'une fièvre paludéenne contractée dans l'Ouest, Louis revint à Paris pour annoncer à sa mère qu'il partait pour la croisade. L'objectif était de délivrer Jérusalem, tombée aux mains des Turcs (1244). L'armée du roi gagnait Aigues-Mortes et s'embarquait pour l'Orient.

Les résultats de cette Septième croisade furent désastreux : Louis, visant l'Égypte, avait débarqué son armée devant Damiette, dont il s'était emparé en 1249. Il avait dû attendre la décrue du Nil pour marcher sur Le Caire, bien protégé par la forteresse de la Mansourah. L'armée des Croisés, pendant le siège, avait été décimée par le typhus. Les musulmans, pour leur part, résistaient furieusement. Louis avait dû mettre bas les armes. Ils avaient accepté de le laisser rentrer en France contre la remise de Damiette et 500 000 livres de rançon.

La croisade n'était cependant pas un échec total : au lieu de rejoindre les côtes françaises, Louis IX était allé en Syrie. Il avait remis de l'ordre dans les principautés chrétiennes. S'il n'avait pas réussi à reprendre Jérusalem, il avait assuré un certain avenir aux « royaumes francs » d'Orient.

En 1252, Blanche de Castille mourait. Louis IX était enfin un vrai roi de France, auréolé du prestige de la croisade et d'un renom de sainteté. N'avait-il pas échappé au typhus, soignant et guérissant ses compagnons ? Il passait pour être fort pieux, travaillant de longues heures à l'étude des textes sacrés. Pratiquant les vertus ascétiques, capable de longs jeûnes, il était aussi renommé pour son humilité et pour sa charité. On l'avait vu à l'Hôtel-Dieu laver les pieds des pauvres. Il distribuait des vivres aux malades, rendait visite aux lépreux. Comme ses ancêtres, il avait la réputation de « guérir les écrouelles ». Pour les aveugles, il avait créé l'hôpital des Quinze-Vingts. Partout, dans le domaine royal, s'élevaient des églises, de belles abbayes comme celle de Royaumont. A Paris, dans l'île de la Cité, il faisait construire la Sainte-Chapelle.

LE GANT DE FER.

Charitable, le roi n'était point faible. Conseillé par des hommes fort sages comme Eudes, archevêque de Rouen, ou Robert de Sorbon, il n'admettait aucun esprit de révolte chez ses vassaux, fussent-ils ses propres frères. Il n'apportait son aide aux évêques que s'ils étaient victimes des abus de la papauté, qui prétendait distribuer des bénéfices à des étrangers ou lever des impôts en France par l'intermédiaire du clergé.

Épris de justice, le roi rappelait à l'ordre les grands seigneurs qui manquaient à leur devoir. Il ne dédaignait pas de rendre lui-même la justice, comme en témoigne abondamment son chroniqueur, le sire de Joinville :

> « Maintes fois, dit-il, il arriva qu'en été il allait s'asseoir au bois de Vincennes, et s'adossait à un chêne, et il nous faisait asseoir autour de lui. Et tous ceux qui avaient affaire venaient lui parler, sans s'embarrasser d'huissiers ou d'autres... »

De fait, sous son règne, la justice tendait à s'imposer aux justiciables, la justice du roi, par-delà les justices seigneuriales. Si le roi tenait lui-même à se saisir des causes, c'était pour en déposséder les seigneurs, pour marquer son droit éminent en matière de justice. Louis IX prit l'habitude de rassembler à la Cour des spécialistes du droit, comme le faisait déjà Philippe Auguste. Ces premiers « parlementaires » reçurent en 1260 par ordonnance royale vocation pour juger les causes en appel, au nom du roi.

Justicier, le roi était aussi législateur. Ses « ordonnances » faisaient régner la vertu. Louis IX interdisait la prostitution non réglementée, le jeu, le blasphème, le port d'armes aux nobles et les guerres particulières. La justice selon le droit devait remplacer le « jugement de Dieu ». Le roi veillait personnellement à l'honnêteté dans la frappe des monnaies et demandait des comptes sur leur gestion aux baillis et sénéchaux, par l'intermédiaire de ses officiers.

Ce sens de la justice et de la bonne administration valut au roi une réputation d'intégrité et de bonté. Elle fut beaucoup contestée, en son temps, par tous ceux qui furent les victimes de sa politique intransigeante en matière de foi. L'intolérance de Louis IX le conduisait à encourager les tribunaux de l'Inquisition, non seulement en pays cathare, mais dans toutes les régions où il estimait nécessaire de renforcer le sentiment religieux. Après 1233, l'Inquisition mit partout en place ses bûchers. Un Cathare converti, Robert le Bougre, fit régner la terreur dans les campagnes du Nord et du Centre. Les juifs furent parmi les premières victimes de la passion prosélytique du roi. Il leur interdit de pratiquer le prêt à gros intérêt. Il fit des *autodafés* de leurs livres sacrés et les contraignit à porter sur leurs vêtements, en signe distinctif, une «rouelle » de couleur jaune. Cette intransigeance favorisait toutes les exactions et tous les abus.

S'il tenait à faire respecter la foi chrétienne, le roi s'appliquait, à l'extérieur comme à l'intérieur, à faire régner la paix. Dans le Midi, il réglait le problème du comté de Toulouse en s'entendant directement avec le roi d'Aragon. Il lui fit de larges concessions, jusqu'à fiancer son fils Philippe avec sa fille Isabelle. Louis IX renonçait à sa suzeraineté sur le Roussillon et le comté de Barcelone. Par contre le roi d'Aragon renonçait définitivement au comté de Toulouse, si Montpellier restait dans sa mouvance.

Louis IX conclut une paix inspirée du même esprit de concession, avec Henri III Plantagenêt. Celui-ci gardait la Guyenne, recevait le Limousin, le Périgord et le Quercy. Louis, en échange, faisait reconnaître ses droits sur la Normandie, l'Anjou et le Poitou. Henri se déclarait vassal de Louis pour la Guyenne.

Devenu roi de Sicile, Charles d'Anjou, frère de Louis IX, entraîna le roi dans une nouvelle croisade. Il voulait reconquérir Jérusalem, bien sûr, mais d'abord s'assurer des conquêtes substantielles en Méditerranée occidentale. Louis IX s'embarqua avec ses chevaliers pour Tunis en 1270. L'armée fut aussitôt décimée par la peste. Louis IX devait mourir sous les murs de Tunis. Il fut considéré comme un saint, et canonisé en 1297, vingt-sept ans seulement après sa mort.

LE PRESTIGE SPIRITUEL DE LA MONARCHIE CAPÉTIENNE : UNIVERSITÉS ET CATHÉDRALES.

Saint Louis laissait un royaume dont le prestige spirituel égalait la puissance politique. L'Université de Paris s'était beaucoup développée sous son règne. Ses « écoles » attiraient des étudiants de toute l'Europe. Libérée de la tutelle des évêques, l'Université était protégée par le « chancelier » contre la police du roi. En 1231, elle recevait une existence juridique. Elle avait acquis son indépendance à la suite d'une longue lutte contre la police, et d'une grève de deux ans. Sa charte d'indépendance fut établie par le pape lui-même. Elle avait la charge, et le droit, de fixer le contenu et les formes de l'enseignement, les modalités d'acquisition des grades. Le pape était son autorité de tutelle. L'Université se composait de quatre « facultés » dont la faculté des « arts » qui réunissait les débutants. L'enseignement se distribuait un peu partout, les maîtres n'ayant pas de locaux réguliers. Des institutions charitables appelées « collèges » se construisaient peu à peu, pour abriter les étudiants : par exemple le célèbre collège de Robert de Sorbon, aumônier du roi, familièrement appelé « Sorbonne ».

Les étudiants parisiens étaient constamment agités. Ils contestaient la tutelle du pape, comme ils rejetaient celle du roi. Les maîtres séculiers accueillaient fort mal les enseignants du clergé régulier, particulièrement les dominicains, qui étaient soutenus par le pape. L'Université connaissait des rixes ; elle était souvent en grève.

Maîtres et étudiants se disaient las d'un enseignement trop exclusivement théologique. Ils voulaient lire et commenter les œuvres d'Aristote, celles du philosophe arabe Averroès. L'Église réagissait avec violence, condamnait les livres impies, se lançait à la reconquête du public étudiant. Albert le Grand et Thomas d'Aquin, dominicains tous les deux, entreprenaient le commentaire d'Aristote. Ils réconciliaient dans leur pensée la raison grecque et la foi chrétienne. Leur effort était bientôt payé de retour. Les étudiants les reconnaissaient pour maîtres et leur prestige en Europe devenait immense ; jamais ils ne furent plus écoutés que lorsqu'ils furent victimes des attaques du haut clergé. La méfiance de la hiérarchie traditionnelle à leur égard les rendait crédibles.

Toute université n'est pas que de Paris. On enseignait déjà le droit à Angers, à Orléans, et la médecine à Montpellier. Mais dès l'époque de saint Louis, Paris était, selon le mot du pape Alexandre IV, « l'arbre de vie » qui attirait les meilleurs étudiants, et parfois les meilleurs maîtres venus de l'étranger.

L'âge de saint Louis, dans toute la France, est celui des grandes cathédrales gothiques, commencées, il est vrai, dès la fin du XIIe siècle. Sens et Bourges, Reims et Chartres, Amiens et Beauvais témoignent d'un temps où le renouveau de la foi, secondé par les encouragements du pouvoir et les facilités offertes par l'enrichissement, fit dresser vers le ciel ces « prières de pierre » de l'âge classique du « Moyen Age ». La beauté des vitraux, la finesse des ogives, le renouveau de la statuaire qui se manifestait lyriquement sur les façades, avec les « jugements derniers » et les « couronnements de la Vierge », tout cet ensemble ornemental, dont la beauté culmine, selon Malraux, dans le « sourire de Reims », définissait un art gothique français. La France de saint Louis apparaissait ainsi comme un des foyers de civilisation les plus ardents de l'Europe occidentale.

Philippe le Bel, « organisateur » de la monarchie.

Après saint Louis, Philippe le Bel : un autre « grand » Capétien. Son père Philippe III, qui avait régné seulement quinze ans (1270-1285), avait été assez heureux pour récupérer l'apanage d'Alphonse de Poitiers. Il avait marié le futur Philippe IV avec l'héritière du comté de Champagne. Philippe était le fils cadet du roi. A la mort de son aîné, il hérita à la fois de la couronne de France et du comté de Champagne. Avec un prestige international intact, Philippe IV trouvait à son avènement un domaine royal très élargi.

LA RICHESSE DU ROYAUME.

L'économie française était en pleine prospérité. Le pays n'avait pas connu de grande guerre depuis Bouvines. La paix intérieure avait d'heureux résultats. Les Français étaient plus nombreux, probablement quinze millions à l'avènement de Philippe IV. Les campagnes étaient plus peuplées, mais aussi les villes.

L'attrait des marchés urbains avait donné un coup de fouet à la production agricole, et tenté les surplus de population des campagnes. Nombreux étaient les serfs qui achetaient leur affranchissement pour venir vivre à la ville. Les grands mouvements de défrichement, les entreprises de colonisation des terres incultes avaient certes occupé de la main-d'œuvre, mais ils se ralentissaient avec le temps. Seule continuait à s'accroître spectaculairement la population urbaine.

Au XIII⁰ siècle, Bordeaux, Toulouse, Arras avaient plus de 30 000 habitants. Paris dépassait le chiffre de 100 000, et peut-être atteignait-il 200 000. Beaucoup de bourgs ruraux s'étaient agrandis, formant des petites villes d'environ 5 000 habitants. De nombreux clochers datant du XIII⁰ siècle témoignent de cette période d'urbanisation des campagnes.

Les annexions et les héritages rendaient désormais le roi de France présent dans toutes les régions d'importance économique : les textiles du Nord, les foires de Champagne, le sel de l'Atlantique et du Languedoc lui permettaient de prélever sur les échanges des droits de plus en plus lourds, qui augmentaient d'autant les recettes et les moyens d'action de la monarchie.

Tout progrès a ses points noirs : l'enrichissement trop rapide des villes les mettait à la merci des mauvaises récoltes. Quand l'agriculture connaissait la sécheresse, la grêle ou le gel tardif, les villes sous-alimentées éprouvaient de terribles famines : celles de Paris en 1315 et 1317 par exemple.

Les villes d'importance commerciale connurent également des difficultés quand les foires terrestres furent désertées en France au profit des ports, ou quand les routes du commerce empruntèrent plus volontiers le parcours des cols alpins et de la voie rhénane. En fin de siècle, les bourgs de France, en Champagne ou dans le domaine royal, eurent du mal à faire face à la crise. Il y eut des révoltes urbaines : à Provins, les bourgeois et les tisserands refusèrent, faute de ressources, toute augmentation nouvelle des taxes.

Et cependant, en dépit des passages difficiles, la richesse du royaume était considérable. Les riches n'avaient jamais été aussi riches. Ils affichaient dans les villes du Nord, comme dans celles du Midi, le luxe le plus tapageur. Les bourgeoises de Paris rivalisaient en élégance avec les dames de la Cour. Les femmes de Narbonne, de Marseille ou de Bordeaux n'avaient rien à envier, dans leurs atours, aux riches patriciennes d'Italie. A l'italienne précisément, de véritables dynasties bourgeoises se constituaient dans les villes de France : les Boinebroke à Douai étaient, à l'origine, des marchands fabriquant des tissus de laine. Ils avaient acheté de vastes terres, engagé de nombreux ouvriers dans leurs ateliers. Ils rayonnaient dans toute la région, où ils faisaient figure de seigneurs. Ce type de marchands n'était pas rare dans toutes les villes d'importance commerciale. Ils constituaient une solide bourgeoisie d'entreprise.

Il arrivait souvent que cette bourgeoisie fût aux prises, à la ville comme dans les campagnes, avec les classes moins favorisées, que trop de misère révoltait. A Provins, à Gand, à Douai, à Arras, il y eut de ces émeutes d'ouvriers révoltés contre leurs maîtres. Les paysans eux-mêmes constituèrent des bandes armées, refusant de payer l'impôt du roi ou les droits seigneuriaux. Les temps avaient changé depuis le début du règne de saint Louis : à l'optimisme extraordinaire des XIe et XIIe siècles se substituait déjà l'inquiétude d'un monde à croissance trop rapide devant les problèmes que pose l'enrichissement : la surpopulation, l'accroissement de l'activité économique, la famine monétaire et la hausse des prix, les conflits sociaux dans les villes et dans les campagnes.

L'ORGANISATION DE L'ÉTAT.

Mais l'État veillait. La monarchie restait forte dans un royaume aux limites considérablement accrues. Saint Louis était « l'oint du seigneur » et le suzerain suprême de tous les féodaux du royaume. Philippe le Bel voulait être quelque chose de plus : l'héritier des empereurs de Rome, le créateur d'un État pourvu d'une administration égalitaire, dont les règles fussent les mêmes pour tous. Le roi était ainsi plus un souverain qu'un suzerain. Nobles ou roturiers devaient manifester le même respect de la loi.

Pour que la loi fût respectée, encore fallait-il qu'elle fût connue de tous, donc écrite, incontestable. Le roi, pour faire rédiger des textes, s'entoura de conseillers, les fameux « légistes royaux », tous bourgeois ou nobles de petite noblesse. Ils avaient étudié longtemps le droit écrit, le droit romain. Ils allaient travailler à codifier le droit, valable pour l'ensemble des territoires de la monarchie. Pierre Flote, Guillaume de Nogaret, Guillaume de Plaisians, Enguerrand de Marigny étaient les conseillers habituels du roi.

Ils allaient doter la France d'une très solide administration.

A la Cour était établi le « Conseil royal ». Certains de ses organes allaient se différencier, devenir indépendants. Par exemple la section judiciaire du Conseil s'en détachait pour devenir le « Parlement », divisé en quatre « chambres » (Grand-Chambre, chambre des Enquêtes, chambre des Requêtes et auditoire de droit écrit). Ce Parlement jugeait en appel les causes qui lui venaient de province. Lui-même se rendait à l'occasion en province pour y rendre solennellement la justice, en Normandie par exemple.

Du Conseil royal se distinguait aussi la chambre des Comptes, organisée en 1320, installée dans l'île de la Cité, comme le Parlement. Fixé d'abord au Temple, le Trésor royal gagnait le Louvre. Le Palais royal abritait aussi la Chancellerie, gardienne du sceau, et l'administration de la monnaie.

Le roi nommait toujours en province les baillis, appelés dans le Midi sénéchaux. Au niveau de toutes les administrations, centrales, locales et régionales, le roi prenait grand soin de brasser les titulaires de postes en les choisissant dans des régions et des milieux très différents. Beaucoup venaient du Midi, comme Nogaret, originaire de Marsillargues. Il y avait parmi eux des clercs et des laïcs, des nobles et des bourgeois.

Pour consulter ses sujets, le roi prit l'habitude de convoquer leurs représentants en des assemblées qui allaient devenir les « États généraux du royaume ». En 1302, plus tard en 1308, le roi consulta le peuple avant de lever de nouveaux impôts. Les représentants issus du clergé, de la noblesse et de la bourgeoisie des villes étaient présents. Ces assemblées ne limitaient en rien le pouvoir du roi. Elles étaient réunies, à sa demande, pour donner à ses décisions une audience et une valeur universelles.

La faiblesse majeure du royaume tenait en effet à son organisation militaire insuffisante, trop proche des temps féodaux. Les vassaux ne devaient le service du roi que quarante jours par an. Les milices urbaines donnaient des contingents peu nombreux et mal utilisés. Le roi n'avait pas les moyens de se payer une armée régulière parce que son système fiscal était injuste et désordonné. Ne pouvant se contenter des ressources du domaine, il ordonnait des taxes exceptionnelles — les aides et tailles —, forcément impopulaires, mal réparties, levées à la hâte et insuffisantes dans leur rendement.

PHILIPPE LE BEL ET L'ARGENT.

Philippe le Bel avait donc constamment besoin d'argent, faute d'avoir, pour ses finances, une alimentation réglée et régulière. Il en avait besoin surtout pour reprendre la guerre. Des actes de piraterie opposaient sur les côtes françaises les Français aux Anglais qui leur disputaient le commerce. Philippe dut envahir la Guyenne, mais il ne voulait pas d'une longue guerre avec les Plantagenêts. Il préféra s'entendre avec eux, leur rendre la Guyenne, nouer des alliances matrimoniales.

Philippe IV, en dépit de son horreur de la guerre, dut cependant intervenir contre son vassal, le comte des Flandres, en pleine révolte. Celui-ci avait pris, contre le roi de France, le parti des Anglais qui étaient ses bons clients pour les tissus et ses bons fournisseurs pour les laines. La chevalerie française fut battue à Courtrai par la solide infanterie flamande. Philippe dut réunir une nouvelle expédition qui lui rendit la maîtrise des Flandres (1304) sans assurer son autorité sur les bourgeois et les ouvriers du textile.

Les guerres obligeaient Philippe IV à lever des taxes sur le clergé, les « décimes ». Le pape Boniface VII était fort mécontent de voir les revenus de l'Église lui échapper. Il avait, lui aussi, besoin d'argent. Quand un conflit éclata à propos de l'évêque de Pamiers — un ami des Anglais que Philippe le Bel avait traduit en justice —, le pape annonça la convocation d'un concile de tous les évêques de France hors de France.

Philippe risquait sa couronne. C'est alors qu'il décida de réunir en 1302 les premiers États généraux pour faire approuver sa politique. Les évêques le suivirent, par « gallicanisme » et pour ne pas dépendre du pape plus que du roi. Ils accusèrent le pape d'hérésie et de simonie.

> « Il a dit, affirmèrent-ils, qu'il aimerait mieux être chien que français. »

Ils demandèrent la réunion, contre le pape, d'un concile général de l'Église. Le pape refusa de s'y rendre. Philippe le Bel envoya Guillaume de Nogaret pour arrêter le pape. Aidé par la puissante famille des Colonna, Guillaume de Nogaret mit la main sur le pontife dans la ville d'Agnani. Le pape mourut peu après. Son successeur, Clément V, reconnut aussitôt le bon droit du roi de France.

Maître de l'Église, le roi songea à accroître sensiblement ses ressources à ses dépens. Il ne parvenait pas à résoudre son problème financier, malgré les expédients qu'il imaginait. La crise de l'argent et des échanges gagnait en effet toute l'Europe. Le roi devait trouver des ressources pour payer l'armée et l'administration. Il tenta d'établir des impôts directs : le peuple des villes refusa même les impôts indirects. En 1295, Paris se souleva en masse contre l'impôt.

Autre expédient : les marchands étrangers. Philippe taxa très lourdement les juifs et « Lombards » qui pratiquaient le commerce de l'argent. C'était tuer la poule aux œufs d'or. Les Lombards quittèrent le royaume. Le roi fit des manipulations sur les monnaies, rognant les quantités d'or et d'argent fondues dans les pièces. Ces dévaluations déguisées étaient dures pour les pauvres et indisposaient les marchands étrangers qui perdaient confiance dans les monnaies françaises.

Le roi décida de frapper un coup décisif, et de prendre l'argent où il se trouvait : il s'attaqua de front au puissant ordre des Templiers, qui se livrait, depuis son repli d'Orient, à des opérations financières d'importance internationale, gardant dans ses coffres des fonds privés, facilitant les transferts de capitaux d'un pays à l'autre.

Philippe les fit accuser de trafics et de sorcellerie. Cinquante-deux d'entre eux furent brûlés, dont leur grand maître, Jacques de Molay (1314). Les réserves de leurs coffres furent saisies, ainsi que les revenus de leurs biens. Philippe le Bel devait mourir la même année que Jacques de Molay sa victime.

A la mort du roi, la France était pacifiée, bien administrée. La monarchie jouissait d'un domaine encore agrandi. Pourtant les signes de crise étaient déjà perceptibles. Ils allaient accabler les successeurs de Philippe et de ses conseillers.

Les progrès de la centralisation monarchique avaient en effet beaucoup mécontenté les princes vassaux et tous les barons du royaume. Louis X le Hutin dut faire pendre au gibet de Montfaucon le serviteur fidèle de son père, Enguerrand de Marigny. La pression des nobles était telle que le jeune roi n'avait pu leur résister. Il leur avait abandonné le « conseiller ».

Les nobles n'étaient pas les seuls mécontents : les nouveaux impôts avaient dressé la bourgeoisie unanime contre le pouvoir. Inquiète du marasme des affaires, elle accusait le roi, avec ses taxes, d'empêcher la reprise. Quant au peuple, il souffrait à la fois des impôts et des manipulations de la monnaie, quand il n'était pas la victime malheureuse des famines. Il n'avait donc pas d'enthousiasme pour la dynastie.

Philippe V le Long et Charles IV le Bel régnèrent trop peu de temps pour pouvoir rétablir la situation. En 1328 deux héritiers se disputaient le trône de France : le roi d'Angleterre Édouard III, qui avait épousé la sœur de Philippe le Bel — et Philippe de Valois, descendant collatéral du dernier des Capétiens, Charles IV, mort sans héritier mâle. Contre les prétentions du roi d'Angleterre, les barons de France choisirent Philippe de Valois. L'instauration de la nouvelle dynastie devait provoquer, du fait de la revendication anglaise, cent ans de guerre entre les deux royaumes.

CHAPITRE 5

La Guerre de Cent ans

Les deux points chauds en Europe, au début du XIVe siècle, sont les plus riches régions économiques du continent : la Guyenne ou Aquitaine, région des vins de Bordeaux, du sel et des relations maritimes avec l'Espagne — la Flandre et ses industries textiles, qui dispose de l'argent des Italiens et de la laine des campagnes anglaises. Le roi de France domine la Flandre et le roi d'Angleterre la Guyenne.

Mais Londres a de si étroites relations avec les bourgeois des Flandres qu'elle ne peut pas admettre la tutelle française, et l'Aquitaine fait si évidemment partie de la France que le roi de Paris peut difficilement renoncer à la rattacher à sa couronne.

Édouard III a prêté, pour l'Aquitaine, l'hommage au nouveau roi de France, Philippe VI de Valois. En 1328, il n'y a pas risque de conflit. Dix ans plus tard, on est au bord de la guerre. Que s'est-il passé ?

L'écrasement des Français.

COMMENT ON PART EN GUERRE.

Il ne se passe pas de journée sans piqûre d'épingle, querelle mineure, entre les deux monarchies : conflits de marins pour les pêcheries, incidents de marchands ; les querelles de préséance ne demandent qu'à s'envenimer. A l'évidence, les deux souverains étaient bientôt prêts à se disputer le fief de Guyenne, les armes à la main.

En 1337 Philippe se crut assez fort pour prendre le risque. Depuis plusieurs années, il multipliait les coups de main en Aquitaine, éprouvant la résistance de l'adversaire. Il allait même jusqu'à soutenir, contre le roi d'Angleterre, les menées des Écossais. Édouard riposta aussitôt : il envoya son défi et revendiqua le trône de France.

C'était folie, en apparence, que de braver le roi de France : Édouard avait trois millions de sujets, quatre ou cinq fois moins que le Valois qui pouvait rassembler quinze mille hommes de guerre. La puissance anglaise était limitée géographiquement au Sud de l'Angleterre. Robert Bruce régnait en Écosse, l'Irlande était indépendante. Le pays de Galles venait à peine d'être conquis. L'Angleterre elle-même avait une richesse agricole et maritime, elle n'avait ni industrie ni grand commerce.

Mais Édouard avait pour amis tous les ennemis de la France : les Flamands, d'abord, que Philippe VI venait d'écraser à Cassel en 1328. Le peuple des Flandres se révoltait contre la dureté de l'administration royale, contre les exactions du fisc, les entraves au commerce. Philippe VI avait chassé du comté Robert d'Artois qui avait trouvé tout naturellement refuge à la Cour de Londres. Menacés par l'Angleterre de ne plus être approvisionnés en laines, les bourgeois des Flandres s'étaient donné un chef en la personne de Jacques Artevelde, marchand drapier de Gand et capitaine général de cette ville. Artevelde avait mené la révolte générale. Le comte français nommé par Philippe VI avait été chassé. Les Flamands avaient reconnu le roi d'Angleterre comme suzerain.

Après la Guyenne et les Flandres, un troisième point chaud devait se manifester en Bretagne : en 1341, le duc mourait sans héritier direct. Un prétendant, Charles de Châtillon-Blois, était soutenu par le roi de France ; le roi d'Angleterre poussait au trône ducal Jean de Monfort.

Monfort, prenant les devants, s'emparait par la force de la Bretagne. Il en était bientôt chassé par Châtillon, avec l'aide de soldats français. Un troisième front était ouvert. En 1342, le roi d'Angleterre, ulcéré, dépêchait une expédition en Bretagne pour défendre celui qui lui avait prêté l'hommage vassalique.

LES GRANDS DÉSASTRES DE LA CHEVALERIE FRANÇAISE.

Édouard d'Angleterre se sentait d'autant plus à l'aise qu'il venait de remporter, au Nord, un important avantage. Certes, après avoir mobilisé un certain nombre de princes allemands (dont Louis de Bavière) il n'avait pas réussi à s'emparer de la Thiérache. Mais il avait dispersé et brûlé, dans le port de l'Écluse en 1340, une flotte franco-castillanne qui s'apprêtait à envahir l'Angleterre. C'est que le Valois avait trouvé des amis en Espagne et qu'il pouvait compter sur l'appui du pape.

Édouard s'était fait saluer du titre de « roi de la mer » après l'Écluse. Il disposait de son côté, sur le continent, de l'aide inconditionnelle des Flamands. Il avait désormais la maîtrise de la Manche et une bonne base de départ pour les chevauchées en France.

A grand-peine, Philippe VI avait-il obtenu de nouveaux crédits pour renforcer son armée. Il était réduit à la défensive et il avait épuisé ses disponibilités en hommes et en argent. Ne venait-il pas d'acheter Montpellier et d'affirmer ses droits sur le Dauphiné ?

C'est alors que fut connue à Paris la nouvelle du premier « désastre ». A Crécy, en 1346, les archers gallois et la piétaille flamande avaient eu raison de la lourde chevalerie française. Les compagnons du roi avaient été massacrés par centaines. Édouard avait assiégé et pris Calais, dont il avait humilié les bourgeois. Les Anglais devaient y rester deux siècles.

Un désastre ne vient jamais seul : bien plus meurtrière que l'infanterie anglaise, la peste noire s'abattit sur le royaume. Elle faisait des milliers de victimes, dont le roi Philippe VI. Grâce à l'entremise du pape, une trêve interrompait pour sept ans l'inexpiable conflit franco-anglais. La peste noire ne connaissait ni bannières ni frontières ; elle avait passé la Manche, répandant la mort à Londres. Ni les Français ni les Anglais n'avaient les moyens d'en découdre.

En France, Jean II le Bon avait succédé à Philippe VI. A partir de 1355, il préparait de nouveau la guerre. Le Midi avait subi cette année-là une redoutable « chevauchée » du Prince Noir. Édouard III lui-même avait débarqué à Calais, mais, faute d'adversaire, il avait dû repasser la Manche.

Le roi de France n'avait pas d'argent. Pour en obtenir, il dut convoquer les États généraux de langue d'oil, et admettre un certain contrôle des fonds, promettre enfin le retour à une monnaie saine. Quand il fut prêt à châtier le Prince Noir qui ravageait de nouveau le Midi, il n'avait pu mobiliser qu'une troupe de chevaliers. Il s'était brouillé avec le roi de Navarre Charles le Mauvais, descendant par son père de Philippe le Hardi et par sa mère de Philippe IV le Bel. Sans l'aide de Navarre, qui briguait le trône de France, Jean le Bon faisait piètre figure contre les archers anglais aguerris et décidés à en finir : près de Poitiers, en 1356, la cavalerie royale était décimée.

Jean était prisonnier des Anglais. Le dauphin Charles, duc de Normandie, était nommé régent du royaume. Pour libérer le roi, il fallait trouver l'argent de la rançon. Le dauphin réunit une fois encore les États généraux. L'évêque de Laon, Robert Le Coq, se fit l'écho de la lassitude de l'opinion générale du royaume contre la guerre. Soutenu par Étienne Marcel, prévôt des marchands de Paris, il demanda le contrôle permanent par les États des finances du royaume.

Le dauphin dut céder. Une violente révolte avait éclaté dans le pays de Beauvais : cette grande « jacquerie » protestait contre la guerre, les nobles et les impôts. Le dauphin quitta Paris, pour réunir à Compiègne d'autres États généraux, et lever une armée. Laissé seul dans Paris en révolte, Étienne Marcel tente de prendre la tête de la Jacquerie, accueille dans la capitale le roi de Navarre Charles le Mauvais. Mais Navarre n'accepte pas l'alliance des bourgeois et des « Jacques ». Sensible aux craintes de la noblesse, il les écrase avec son armée, cependant qu'un capitaine anglais délivre les troupes du régent assiégé par les Jacques dans Meaux. Ainsi la solidarité de la noblesse se reforme devant un danger social incontrôlé.

Étienne Marcel est bientôt assiégé dans Paris par les troupes royales. Il demande le secours des Flamands, puis ouvre les portes de la capitale aux Anglais tout proches. Cette trahison indigne le peuple qui se soulève contre lui, chasse les Anglais et finalement l'assassine en juillet 1368. Force reste à la monarchie.

Le dauphin est trop faible pour ne pas chercher à faire la paix avec l'Angleterre. Les négociations sont lentes et difficiles, mais elles aboutissent néanmoins parce que l'Angleterre est aussi lasse d'une guerre sans fin. En 1380 le traité de Calais confirme les préliminaires de Brétigny : Jean II sera libéré contre une lourde rançon.

Édouard III renonce à la couronne de France, mais il reçoit le Poitou, le Saintonge, l'Angoumois, le Limousin, le Périgord, l'Agenais, le Quercy et le Rouergue. Charles le Mauvais recevait un fief en Normandie, il était ainsi payé de ses « services ». Le roi d'Angleterre était dispensé de tout hommage pour ses biens en France.

La paix était désastreuse : rentré en France, le roi Jean était incapable de payer sa rançon. Pour libérer les otages gardés par les Anglais, il rentrait à Londres, et mourait en prison, en 1364. Le régent, Charles V le Sage, lui succédait. Il avait déjà une rude expérience des affaires.

Il la mit aussitôt à profit : en 1361, Philippe de Rouvre, duc de Bourgogne, mourait sans héritier. Il descendait des Capétiens. Jean le Bon, suzerain du duché, l'avait attribué à son fils, Philippe. Charles V maria donc Philippe, devenu duc, à l'héritière du comte de Flandres pour en chasser les Anglais, et imposer de nouveau la tutelle française.

LES SUCCÈS DE CHARLES LE SAGE.

Encore fallait-il avoir les moyens militaires de cette politique féodale. Charles V eut la chance d'avoir un capitaine de valeur : le connétable Bertrand du Guesclin, ancien chef de bande qui s'était fait remarquer dans une série de coups de main heureux contre l'occupant anglais. Sur ordre du roi, du Guesclin attaqua Charles le Mauvais en Normandie. Il le poursuivit de château en château avant de le battre définitivement à Cocherel en 1364. Le roi de Navarre, par le traité d'Avignon, renonçait à ses possessions normandes.

La politique royale eut un autre succès : en Bretagne, Monfort l'avait emporté définitivement sur Châtillon. Le roi de France changea dès lors de politique. Il reconnut Monfort comme duc de Bretagne mais lui imposa l'hommage. Le duc s'engageait à chasser de son territoire tous les soldats anglais. Le roi de France n'aurait plus à intervenir en Bretagne.

La France était ravagée depuis Poitiers par des bandes de soldats en chômage qui pillaient et rançonnaient les campagnes, en l'absence de toute autorité royale. Pour éloigner du royaume ces « grandes compagnies », du Guesclin eut l'idée de les engager au service d'un prétendant au trône de Castille, Henri de Trastamare. Les brigands passèrent les Pyrénées, débarrassant ainsi le royaume.

Charles V dut bientôt reprendre la guerre anglaise. Les armées du Prince Noir continuaient leurs raids dans le Midi, poussant jusqu'à Montpellier et Béziers.

Du Guesclin retourna contre les Anglais leur tactique : ils étaient devenus, avec le Prince Noir, des « chevaliers » chevauchant en groupe. Le connétable leur fit une guerre d'embuscades et de replis successifs, une guerre de piétons. Il sut les obliger à livrer bataille sur le terrain qu'il avait lui-même choisi. En 1370, après plusieurs campagnes épuisantes, les Anglais exténués furent battus par du Guesclin à Pontvallain.

Il reprit ensuite l'une après l'autre toutes les forteresses anglaises en France. L'armée d'occupation n'était pas assez nombreuse pour pouvoir tenir tête partout. La tactique de du Guesclin fut couronnée de succès : les Anglais perdirent peu à peu, faute de moyens pour les défendre, les provinces qu'ils avaient acquises par le traité de Brétigny. En 1380, ils ne possédaient sur le territoire français que cinq villes fortifiées : Calais, Bordeaux, Cherbourg, Brest et Bayonne.

Même si les Anglais gardaient les portes de la mer, l'unité française avait été patiemment reconstituée. Mais la tactique de la « terre brûlée », appliquée par du Guesclin, avait ruiné les campagnes déjà durement frappées par la peste, les révoltes et les famines. La France avait fourni un effort financier qui dépassait ses capacités. Il en était de même pour l'Angleterre. Une première phase de la guerre de Cent ans s'achevait avec la mort de ses principaux acteurs : Édouard III, en 1377, le Prince Noir, Charles V et du Guesclin, en 1380.

A cette date, les conflits sociaux et politiques menaçaient dans les deux royaumes : ils étaient acculés à la trêve. Et cependant les causes fondamentales du conflit n'avaient pas disparu : les Anglais restaient présents sur les côtes de France, et les Français dans les Flandres.

La plus petite France : d'Azincourt à Bourges.

Les sages conseillers de Charles V surent éviter à Charles VI les problèmes de la reconstruction et l'affrontement des diverses classes du royaume. Marchands et paysans reprenaient courage après le retour de la paix. La production renaissait de ses cendres, les circuits commerciaux se ranimaient.

A l'extérieur, le roi s'était trouvé des amis en Allemagne, et l'empereur Charles IV lui-même s'était rendu à Paris en visite officielle. La France restait alliée à la Castille. Elle semblait prête à décourager par ses alliances toute nouvelle agression.

Sa prospérité retrouvée était pourtant de nature à tenter l'Angleterre. A Paris les fêtes succédaient aux fêtes. Pour recevoir Charles IV on avait déployé un faste inouï : au cours d'un festin, un véritable vaisseau, porté par des figurants, représentait le départ en croisade. Des acteurs en costume jouaient le rôle de Godefroi de Bouillon et de Pierre l'Ermite. Les nations européennes réconciliées allaient-elles repartir, selon le vœu de l'Église, pour l'Orient ?

De nouveau l'heure du drame allait sonner, au cadran de la nouvelle horloge du Palais que le roi venait de réaliser dans l'île de la Cité. En Angleterre le parti de la guerre — celui des Lancastre — venait de l'emporter sur la précédente dynastie, qui voulait maintenir la trêve. Richard II avait été déposé. Il serait bientôt assassiné par Henri de Lancastre, couronné roi sous le nom de Henri IV en 1399. Son successeur Henri V, roi en 1413, saurait, en bon héritier des Plantagenêt, retrouver la route du continent.

En France, depuis 1392, le roi est fou. Passant dans la forêt du Mans, il a brusquement chargé à coups d'épée son entourage. Il passe par des phases de prostration et par des crises de démence. On renvoie ses conseillers, les « marmousets », et les princes s'emparent du pouvoir, se disputant les bénéfices.

ARMAGNACS ET BOURGUIGNONS : LA FRANCE COUPÉE EN DEUX.

Le duc d'Orléans est le plus ambitieux. Mais les autres sont bien décidés à lui disputer le pouvoir : Louis d'Anjou rêve de conquérir l'Italie, dans le style des preux chevaliers. Jean de Berry a de gros besoins d'argent pour ses femmes, ses chasses et ses châteaux ; quant au puissant duc de Bourgogne, Philippe le Hardi, il veut unir ses forces et ses terres aux possessions flamandes de sa femme en annexant les régions intermédiaires.

Orléans entre rapidement en conflit avec Bourgogne. Le premier est l'ami du pape schismatique d'Avignon et l'ennemi des Anglais. Le second ne veut pas, à cause de ses possessions flamandes, de conflit avec Londres, et il est l'ami du pape de Rome... Tous les seigneurs de France embrassent le parti des Bourgogne ou celui des Orléans.

Le 23 novembre 1407, en plein Paris, le duc d'Orléans est assassiné par les soins du jeune duc de Bourgogne, Jean sans Peur. Pas un Parisien ne proteste. Tous sont partisans de Bourgogne, par haine des Orléans. On voit des moines faire dans leurs prêches l'apologie de l'assassinat. Les bouchers, qui sont les plus sûrs partisans de Bourgogne, répandent la terreur. Ils constituent de véritables bandes d'hommes de main, parcourent les rues sous la direction de leur « capitaine », Simon Caboche. Ils tuent les amis d'Orléans, occupent le Palais royal, vident les prisons, libérant les coupe-gorge et les tire-laine. C'est, en 1413, la « dictature des abattoirs ».

Bourgogne n'a pas pour lui que les bouchers. Les universitaires sont de son parti et le petit peuple suit. L'emblème de Bourgogne est le rabot, celui d'Orléans le bâton. Après le meurtre d'Orléans, le rabot domine le bâton. Jean sans Peur obtient le pardon de la Cour. La reine Isabeau de Bavière est intervenue en faveur de l'assassin.

La croix de Saint-André et le chaperon vert des Bourgogne tiennent les rues de Paris. Le dauphin Louis est placé sous leur garde. C'est alors que la cause des Orléans trouve des défenseurs. Le comte d'Armagnac, beau-père du duc assassiné, prend la tête des opposants. Il s'allie à deux puissants princes, le duc de Berry et le duc de Bourbon. Les seigneurs du Midi rallient l'écharpe blanche et l'ortie des Armagnacs. Ils campent à Pontoise, aux portes de Paris.

Dans la capitale, la colère gronde contre Jean sans Peur, qui n'a pu tenir ses promesses démagogiques. L'ordonnance « cabochienne », faite pour satisfaire la populace, ne peut promettre que des réformes. Le peuple n'obtient pas de satisfactions substantielles.

Les pillages des « Caboche » et les excès de la rue inquiètent les bourgeois qui négocient avec le parti des Armagnacs, c'est-à-dire celui d'Orléans. Jean sans Peur doit bientôt quitter Paris précipitamment et laisser la place à son adversaire. Une trêve est conclue en 1414. Les deux partis songent à négocier l'alliance anglaise, chacun de leur côté, pour être sûrs de l'emporter. La passion féodale domine le sentiment national. C'est la guerre civile qui ouvre les portes de France, de nouveau, à la guerre anglaise.

LA CHEVAUCHÉE D'HENRI V.

En 1415, l'Angleterre d'Henri V a reconstitué ses forces. Le roi a pu réduire les oppositions populaires. Il a lancé des expéditions punitives contre les vassaux ou les Gallois insoumis. Habile négociateur, Henri, très au courant de la situation intérieure française, a fait monter les enchères entre Armagnacs et Bourguignons. Il se méfie de Bourgogne, dont l'Empire, par les Flandres, peut menacer les intérêts anglais. Le parti du dauphin et des Armagnacs est plus faible, plus ductile.

Au départ de la négociation, Henri V revendique la main de Catherine, fille de Charles VI. Il demande aussi la Normandie et l'héritage français des Plantagenêt, la suzeraineté sur les Flandres et la Bretagne. Même pour abattre Bourgogne, les Armagnacs ne sont pas prêts à faire de telles concessions. Henri V perd sa partie de cartes. Il devra faire parler les armes.

Il débarque en Normandie en août 1415. De Honfleur, il gagne, vers le Nord, la Picardie. Il s'entend en secret avec les Bourguignons, qui restent neutres. C'est à l'armée française que le roi Henri V livre bataille, à Azincourt.

Comme jadis à Crécy, la chevalerie est décimée par les traits meurtriers des archers anglais, bien embusqués derrière des palissades. Les seigneurs d'Azincourt n'ont pas retenu la leçon de du Guesclin. Ils ont chargé comme aux croisades. En quelques heures, la partie s'est jouée. Le roi d'Angleterre s'est ouvert la route de Paris.

Versatile, la population parisienne revient alors à ses amours bourguignonnes. Les Armagnacs sont traqués, massacrés, mis en fuite. Ils passent la Loire avec le dauphin Charles, qu'ils emmènent dans leurs bagages. Jean sans Peur rejoint Paris avant les Anglais. Va-t-il enfin les combattre?

Il ne peut négocier sans l'autorité du dauphin. Il lui propose une rencontre, au pont de Montereau. Les Armagnacs lui tendent une embuscade. Il est assassiné, le 20 septembre 1419. Les Orléans sont vengés. Mais Paris s'ouvre aux Anglais.

Ils se gardent bien d'y entrer. Henri V est un roi prudent. Il est satisfait de l'attentat de Montereau, qui lui procure l'alliance du successeur de Jean sans Peur, Philippe le Bon. Il rentre en Angleterre, pour éviter de reconstituer, contre ses armées, l'unité française.

Quand il repasse la Manche en 1417, à la tête d'une armée, c'est dans un but précis : reconquérir la Normandie. Il sait que le dauphin Charles, lieutenant général du royaume, est un chef sans troupes. Sa propre mère, Isabeau, s'est enfuie chez les Bourguignons. Elle va jusqu'à déclarer publiquement que le dauphin n'est pas le fils du roi. Quand le roi d'Angleterre a emporté une à une toutes les places de Normandie, quand il a contraint les habitants de Rouen, après un long siège, à lui ouvrir les portes de leur ville, il sait qu'il est maître de la situation en France : par les Bourguignons, il obtient que le roi et la reine désavouent le dauphin Charles et le dépossèdent du trône. On lui donne la main de Catherine, la fille de Charles VI. Il est reconnu comme héritier de la couronne de France. C'est le traité de Troyes (24 mai 1420).

LES TROIS FRANCE.

La double monarchie risquait de s'installer des deux côtés de la Manche. C'était de nouveau le rêve réalisé de Guillaume le Conquérant. Le traité fut bien reçu par l'Université et le Parlement de Paris. On réunit une assemblée des États, qui l'approuva. Paris préférait tout au retour des pillards gascons d'Armagnac. Elle accueillit fort bien le roi Henri V qui s'installa au Louvre après son mariage, le roi fou résidant dans l'hôtel Saint-Pol.

Les deux rois devaient trouver une fin presque simultanée : Henri mourut en août 1422 et Charles VI deux mois plus tard. La double couronne tombait entre les mains de l'héritier d'Henri V, un bébé d'un an prénommé comme son père Henri, qui serait élevé par le duc de Bedford, son oncle, proclamé régent.

Il y avait désormais trois France : celle des Anglais, de la Guyenne à Calais, qui comprenait la Normandie, le Vexin, le Maine, la Picardie, la Champagne, l'Ile-de-France. La France bourguignonne, qui comprenait, outre le duché, le comté de Nevers, la Flandre et l'Artois au Nord, bientôt la Frise et le Brabant, cédés par Jacqueline de Bavière. La troisième France, celle du dauphin Charles, était limitée à un royaume croupion, autour de Bourges.

Il est vrai que les Orléans, les Bourbons et les seigneurs du Sud restaient fidèles à Charles, par haine des Anglais. Jean, comte de Dunois, demi-frère du duc d'Orléans Charles, prisonnier en Angleterre, s'était mis au service de Charles VII. Les comtes de Foix et d'Armagnac étaient ses partisans. Il avait rallié le Languedoc et le

Lyonnais. Le renfort des chefs de bandes gascons, comme La Hire ou Amaury de Séverac, était certes précieux pour la petite armée du dauphin.

Charles avait tout juste vingt ans en 1422. Serait-il roi un jour ? Ardente à défendre sa cause, la France du Centre et du Midi n'en doutait certes pas. Mais pour faire du rêve une réalité, il fallait chasser les Anglais et battre les Bourguignons. C'était beaucoup pour le « petit roi de Bourges ».

La reconquête du royaume.

LES MALHEURS DE LA GUERRE.

La guerre n'avait pas entraîné une mobilisation d'effectifs considérable. Les plus grandes expéditions anglaises ne comprenaient pas plus de dix mille hommes. Elles n'étaient dommageables à la population civile que sur l'axe de leur parcours. Des quantités de villages français ne virent jamais un Anglais.

Mais il arrivait qu'une armée anglaise se donnât pour but de faire la conquête de provinces entières. La guerre était alors très meurtrière, car elle impliquait le siège des villes et la mise à sac des campagnes avoisinantes. Tout l'Ouest de la France, la Normandie surtout, fut soumis à rude épreuve. Les ravages des bandes de brigands appelés routiers et même des armées royales, qui pratiquaient depuis du Guesclin la tactique de la « terre brûlée », avaient épuisé les campagnes. Le fisc royal et celui des princes ponctionnaient depuis le début des hostilités les bourgeois des villes. L'insécurité des communications, avec la guerre civile, posait le problème de l'approvisionnement des populations urbaines. La guerre entraînait donc, pour la plupart des Français, un cortège de misères et de calamités, même s'ils n'étaient pas enrôlés en masse dans les armées royales ou seigneuriales.

Naturellement, la guerre et l'insécurité aggravaient la crise économique européenne, sensible dès la fin du XIIIe siècle : les marchands italiens empruntaient de moins en moins les routes de terre, hésitaient à approvisionner les villes de l'intérieur. Le commerce et l'industrie en ressentaient durement les effets. Les grandes foires étaient abandonnées. Les drapiers du Nord faisaient faillite. Les mauvaises récoltes provoquaient la disette dans les villes, faute de secours en vivres venus de plus loin.

La peste noire avait fait des ravages, dans tous les pays européens, pendant tout le XIVᵉ siècle. Venue mystérieusement d'Asie, elle s'était répandue d'abord dans le Midi, avant de multiplier les victimes à Marseille, à Avignon, puis dans le nord-ouest du continent. Elle atteignit son maximum vers le milieu du siècle. Mais elle reparut vivement en 1375, en 1380, en 1399, en 1431. La peste faisait infiniment plus de victimes que la guerre : la population d'une ville comme Albi baissait de moitié. Même la Bourgogne était touchée, ainsi que Paris et Londres : on estime à un sur trois la proportion des Français atteints par la peste.

La guerre et la peste avaient fait disparaître des villes et des campagnes les bras nécessaires pour la survie du pays. Les prix augmentaient en proportion de la rareté des denrées, les monnaies perdaient leur valeur. Les seigneurs avaient libéré les paysans des corvées et redevances en nature, au moment où l'argent se dépréciait sensiblement. Les laboureurs étaient décimés par la peste, et les consommateurs plus encore.

Une telle succession de calamités ne pouvait manquer d'avoir des effets spectaculaires dans certaines régions du Nord-Ouest : révoltes de villages, abandons de villages, confiscation de terres appartenant aux seigneurs, répressions sanglantes et aveugles... Les nobles étaient devenus très durs en raison de la baisse sensible de leurs revenus, et des inquiétudes suscitées par la grande jacquerie. Ils mataient les révoltes avec la dernière sévérité.

Aussi la tentation d'abandonner les campagnes était forte pour les paysans. Dans certains villages, l'ensemble de la population avait disparu : les décès, les abandons, le départ des survivants dans quelque bande de routiers. De la campagne, l'agitation sociale avait gagné les villes, où les bourgeois, frappés dans leurs ressources, refusaient l'impôt royal ou seigneurial. Il y eut des révoltes de bourgeois à Montpellier, à Orléans, à Reims, à Rouen, à Gand. De 1413 à 1418, Paris avait connu une agitation presque quotidienne. A plusieurs reprises, les princes avaient dû intervenir dans les villes pour réprimer les émeutes ou les troubles.

LE ROI DE FRANCE DÉMUNI.

Les mouvements sociaux, à la ville comme à la campagne, empêchaient les rois d'établir un système d'impôts régulier, qui leur eût donné les moyens de lever des armées professionnelles, et de faire sérieusement la guerre. Le roi ne pouvait trouver de ressources que dans des expédients : manipulations monétaires, taxes exceptionnelles. Les impôts sur le sel, les aides étaient très impopulaires et demandaient la mise en place d'une administration lourde. L'agitation due à la guerre permettait à la population d'obtenir facilement du roi ou des princes démagogues la suppression de ces impôts. Ils étaient donc irréguliers, peu rentables, tantôt renforcés, tantôt supprimés selon la conjoncture et les besoins pressants dus à la guerre. A plusieurs reprises, le roi avait dû s'engager à justifier de ses dépenses devant les États généraux, qui, en quelque sorte, consentaient à la levée des impôts. Même s'il est vrai que, par ce biais, les États n'avaient pas obtenu, ni même cherché vraiment à obtenir, la mise en tutelle de la monarchie, celle-ci avait dû mettre à mainte occasion tout son poids dans la balance pour obtenir l'approbation des États. Une perte d'autorité se manifestait à l'évidence.

Le problème fiscal n'était pas le seul qui affaiblît la monarchie. Les limites à l'autorité du roi n'étaient pas seulement dans la résistance ou la réticence de ses sujets, mais bien dans l'incapacité où il se trouvait de faire respecter sa loi, d'imposer ses officiers et ses agents fiscaux dans les territoires distribués aux princes apanagés. La régression de l'autorité royale était dans ce domaine inquiétante. Le « royaume » se composait, avant même l'invasion anglaise, de puissants fiefs reconstitués, dont les princes exerçaient sur leur territoire des droits régaliens de justice, police et finances. Pas plus chez Bourbon que chez Bourgogne, le roi de France n'était vraiment roi. Il n'y avait pas d'État.

L'implantation de l'autorité anglaise et bourguignonne sur de vastes territoires français aboutissait à la coexistence de plusieurs systèmes administratifs, quel que fût le désir des Anglais de changer le moins possible les habitudes sociales des « indigènes ». Au début du XVe siècle, l'état du royaume n'était donc pas seulement compromis par la défaite et l'invasion, il était déséquilibré par les troubles sociaux, les disettes, les désordres, l'incapacité des agents royaux. La prolongation de la guerre anglaise risquait d'avoir pour conséquence l'éclatement de la France, l'échec de l'œuvre patiente et continue des Capétiens rassembleurs de terres et centralisateurs.

JEANNE D'ARC ET LE SENTIMENT NATIONAL.

La reprise du mouvement unitaire ne vint pas de l'Ile-de-France occupée par l'étranger, mais du Midi libre sous l'action d'une héroïne nationale qui avait vu le jour aux confins du comté de Champagne.

Les États de Languedoc, si rebelles aux seigneurs du Nord, votèrent des subsides pour le roi de Bourges, avant même qu'ils connussent l'existence de la « pucelle ». Charles VII put ainsi lever une armée. Tous les États provinciaux du Midi répondirent à son appel. Le Dauphin, qui avait conservé sa Cour, son Conseil et son Parlement, put faire fonctionner la monarchie. Par haine des Anglais, les seigneurs et les notables du Midi lui avaient apporté leur aide.

Les occupants anglais connaissaient, de leur côté, des difficultés dans les territoires qu'ils contrôlaient assez mal. La population devait être tenue constamment en surveillance, mais les Anglais aussi manquaient d'hommes et de ressources. A Paris, en Normandie, et même dans les Flandres, on avait accueilli favorablement les Anglais parce qu'ils promettaient l'ordre et le retour à la prospérité. Ils ne purent offrir que la continuation de la guerre, la famine et les taxes.

Des troubles éclatèrent partout, même en Normandie, où les révoltes furent violentes à Rouen, à Caen, contre l'occupant. Les habitants de Rouen étaient allés jusqu'à demander le secours du Dauphin.

Les Anglais réagirent avec vigueur. A Rouen les meneurs furent exécutés. Ils multiplièrent dans les villes insurgées les actes de répression terroriste. Mais les effectifs manquaient pour maintenir l'ordre. Il fallait rechercher une décision définitive, abattre le roi de Bourges. Le duc de Bedford réunit une armée sous les murs d'Orléans.

Le Dauphin se sentait perdu. De caractère faible, hésitant, il était incapable de rallier les énergies et de lancer un mouvement puissant de reconquête. Il eut la chance d'avoir la visite de Jeanne.

La petite paysanne venue de Donrémy avait entendu des voix célestes qui lui donnaient une mission : voir le Dauphin et le faire couronner roi à Reims. Elle avait dû convaincre le seigneur de son village, très perplexe, pour qu'il lui fournît une escorte. Elle avait dû surmonter les préventions et les intrigues de la Cour pour parvenir à voir le petit Dauphin.

Quand elle parut devant Orléans, à la tête d'une petite armée commandée par Dunois, elle releva tout de suite le courage des assiégés, elle déconcerta les Anglais. Orléans fut délivrée le 8 mai. Elle prit aussitôt le chemin de Reims avec le Dauphin. Le 17 juillet 1429, Charles VII recevait l'huile sainte du sacre.

Acte politique décisif : désormais les Français du Nord ne pouvaient ignorer qu'ils avaient de nouveau un roi. La cérémonie hissait le faible et « gentil Dauphin » sur le pavois. De toute la France occupée, ceux qui avaient des raisons de se plaindre levaient les yeux vers le nouveau souverain, miraculeusement guidé par la « pucelle ». La foi de Jeanne s'était communiquée à la nation. N'avait-elle pas reçu de Dieu mission de « bouter l'Anglais hors de France » ? La libération du territoire n'était plus désormais seulement une affaire de princes se disputant des fiefs, elle devenait le devoir d'un pays rassemblé dans un sentiment mystique par une envoyée de Dieu.

En ces temps de profondes croyances populaires, où les esprits, frappés par des séries de catastrophes, étaient à la recherche de nouvelles raisons de croire, le message de Jeanne fut entendu dans tous les villages. Les Anglais réagirent sur le même terrain : Jeanne, une sainte ? Une sorcière plutôt ! et la propagande anglaise courut de bouche à oreille, colportée par les moines et les abbés. Car le clergé du Nord était en grande partie dévoué à l'occupant. Jeanne est-elle invincible ? Les Anglais font la preuve du contraire : quand elle tente de reprendre Paris, elle échoue totalement, parce que le peuple lui est hostile.

Les Bourguignons, autant que les Anglais, avaient des raisons de détester Jeanne. N'allait-elle pas renverser l'opinion au bénéfice de Charles VII ? Ils montèrent un coup de main heureux : elle tomba en leur pouvoir. Ils la livrèrent aussitôt aux Anglais.

Ceux-ci conçurent une vaste opération politique. Il fallait discréditer, à travers Jeanne, le dauphin Charles, petit roi pour rire. Il fallait le désacraliser.

On réunit, sous la bannière anglaise, le ban et l'arrière-ban de l'Église et de l'Université. On fit à Jeanne un procès de sorcellerie. On choisit des juges français. On assura une large publicité des débats. Les meilleurs esprits de la théologie universitaire se rendirent à Rouen pour la condamner. Elle y fut brûlée vive, le 30 mai 1431. Comme une sorcière.

Les nouvelles circulaient vite, au Moyen Age. Les victoires de

Jeanne avaient réveillé, contre l'occupant anglais, le sentiment national. Son martyre allait faciliter la réconciliation des Français.

Ni le duc de Bedford ni Charles VII n'avaient les moyens de continuer la guerre. Les populations, affaiblies, décimées, rançonnées, ne pouvaient plus consentir d'effort financier supplémentaire. Le duc de Bourgogne lui-même, dont les villes étaient intactes, était las de l'état de guerre, coûteux pour son trésor. Il songeait à en sortir d'une manière avantageuse.

Philippe le Bon s'adressa d'abord aux deux belligérants, proposant, en somme, ses bons offices pour rétablir la paix. Ils firent la sourde oreille. Il offrit alors la paix au roi de France seul. Celui-ci sauta sur l'occasion. L'alliance avec Bourgogne lui coûta cher : il dut lâcher sa bonne ville d'Auxerre, Boulogne-sur-Mer et des places sur la Somme. Mais Philippe le Bon passait l'éponge sur le crime de Montereau. C'était la réconciliation des deux France : Armagnac embrassait Bourgogne.

Après ce traité d'Arras (1435) la reprise de Paris fut facile. Le parti bourguignon y avait toujours été fort. Lassés de l'occupation anglaise, les Parisiens accueillirent en libérateurs les soldats du connétable de Richemont. Les Anglais restaient à Pontoise. Mais le roi de Bourges récupérait, grâce à Bourgogne, sa capitale.

CENT ANS DE MALHEURS.

Des difficultés intérieures incitèrent les Lancastre à demander une trêve au roi de France. De 1444 à 1449, les combats cessèrent de part et d'autre. Charles VII en profita pour rétablir l'ordre dans son royaume et pour constituer une très solide armée. Quand les Anglais reprirent la guerre en attaquant Fougères, Charles put dégager d'un coup toute la Normandie. La fortune avait changé de camp.

En 1449, les Français faisaient leur entrée dans Rouen, la ville où Jeanne avait connu son martyre. L'année d'après, pris par une sorte de dynamique de la victoire, ils écrasaient l'armée anglaise à Formigny.

C'était au tour des Anglais d'être profondément divisés. En Angleterre, la guerre des Deux-Roses faisait rage : York et Lancastre s'affrontaient. Ils étaient incapables de penser à autre chose qu'à leur lutte inexpiable. Charles VII en profita pour reprendre la Guyenne, qui avait connu trois siècles d'occupation anglaise. La tâche était difficile, car des liens économiques solides s'étaient tissés entre Bordeaux et Londres. La bourgeoisie bordelaise était anglophile, comme l'Église. Bordeaux une fois prise, les habitants se révoltèrent contre les Français, appelant les Anglais au secours. Une petite armée commandée par Talbot reprit un moment la ville. Mais en 1453 les Français revinrent en force. A Castillon, les deux armées se rencontrèrent. Les Français avaient changé depuis Azincourt. Bien armés de couleuvrines, bien commandés par des chefs qui n'avaient cure des combats de chevalerie, ils vinrent facilement à bout de l'armée anglaise. Talbot fut tué au combat.

La Guerre de Cent ans se terminait, faute de combattants. Les Anglais n'avaient pas signé la paix. Ils se promettaient bien de revenir. Ils n'avaient pas renoncé à leurs droits sur la riche Guyenne, sur la verte Normandie. Mais ils étaient chassés. Pour la France, c'était la paix : l'occupant avait repassé la Manche. Il n'avait gardé en France que Calais.

Il restait à reconstruire. Charles VII, pour débarrasser le royaume de tous les irréguliers, mercenaires des trois grandes armées en congé de guerre, songea à les intégrer dans son armée. Ces « écorcheurs » parcouraient les campagnes, pillant et rançonnant, prenaient les châteaux qu'ils occupaient. Ils furent incorporés dans l'armée royale, avec de bonnes soldes. Ceux qui refusèrent furent attaqués et décimés par leurs anciens camarades.

La guerre avait beaucoup affecté les régions de l'Ouest. Les chevauchées du Prince Noir avaient laissé dans tout le Midi une impression de désastre. L'Ile-de-France, la Picardie et la Normandie avaient été sans cesse à l'épreuve. On calcule que la Normandie a dû perdre un tiers de sa population en cent ans. De nombreuses paroisses ont été abandonnées, la terre est retournée à la friche. Des villes entières ont été ruinées. Jamais l'histoire de Paris ne fut plus calamiteuse. On voyait, dit-on, des loups rôder autour des remparts. La ville avait connu sans cesse l'occupation, les émeutes, les sièges et les révoltes. La population de Reims avait diminué de moitié. Des villes jadis très riches comme Provins étaient ruinées, désertées de leurs commerçants ou artisans. Plus de navires dans les ports : les Italiens ne se risquaient pas dans la zone des combats : Montpellier, Rouen étaient en difficulté. Bordeaux allait connaître une longue décadence.

LES PROFITEURS DE LA GUERRE.

La ruine du royaume n'était pourtant pas universelle. Seules les régions qui avaient affronté les combats et l'occupation avaient vraiment souffert. Le Centre, l'Est, le Midi étaient beaucoup moins touchés et la Bretagne, cette «Suisse de la guerre de Cent ans», était restée largement à l'écart. De nouveaux courants d'échanges s'étaient créés, à partir de villes qui jusqu'alors ne brillaient pas par leur activité économique. La Cour du roi installée à Bourges avait créé une demande de produits précieux, venus d'Orient. La fortune de Jacques Cœur, habile commerçant de Bourges, tint à la satisfaction de ce besoin. Il eut l'idée d'armer des navires à Marseille et dans les ports du Languedoc, pour aller chercher les produits que les Italiens ne voulaient plus livrer. Les bénéfices réalisés par Jacques Cœur lui permirent d'ouvrir des ateliers textiles, des banques, des comptoirs. Il entra en relations avec les Bretons pour le blé, avec les Italiens pour les produits d'Orient. Il ouvrit des mines de plomb et d'argent dans le Lyonnais. Il reconstitua à son profit les routes du sillon rhodanien, qui, par le territoire bourguignon, se prolongeaient au Nord jusque dans les Flandres.

L'exemple de Jacques Cœur n'est pas unique : à Tours, les Jean Bourré et les Pierre Bérard étaient de puissants chefs d'entreprise, comparables aux plus grands bourgeois de Lyon ou de Marseille. La guerre avait ruiné le royaume, mais profité à certains hommes d'affaires, ceux qui avaient pu créer des liaisons nouvelles, de première nécessité pour la reprise. Les Italiens restaient présents à Lyon, où les Médicis de Florence avaient ouvert un comptoir. Ils étaient aussi présents dans les Flandres. Il fallait rouvrir les circuits économiques en allant au-devant d'eux.

Les ports de la Méditerranée reprirent les premiers leur activité, en raison de cette disponibilité des Italiens, dès la paix revenue. La vivacité de la reprise facilita d'ailleurs l'accès aux affaires de cette nouvelle bourgeoisie d'entreprise, qui avait largement avancé au roi et aux princes les fonds nécessaires aux campagnes de la fin de la guerre. Désormais la Couronne devrait compter avec elle.

Jamais le pouvoir royal n'avait été plus nettement distinct de celui des princes apanagés. Un moment unis contre les Anglais, ces deux pouvoirs s'affrontèrent, aussitôt la victoire acquise. Déjà, sous le règne de Charles VII, les bourgeois qui conseillaient le roi, comme Jean de Bueil ou Guillaume Juvénal des Ursins, luttaient pied à pied contre les empiétements seigneuriaux, rétablissant partout où ils le pouvaient les officiers du roi. Avec le connétable de Richemont, Dunois, Pierre de Brézé et Guillaume d'Estouteville, Charles VII avait su créer une équipe de gouvernement. Il appartenait à Louis XI de continuer dans cette direction l'œuvre de son père, et, les Anglais une fois chassés, de rétablir vraiment le roi en son royaume.

Louis XI, le rassembleur de terres.

LE « ROI BOURGEOIS ».

Roi bourgeois, sans prestige et sans apparence chevaleresque, Louis XI avait un physique dont il sut faire une personnalité. Le menton pointu, la silhouette voûtée, l'œil vif, tour à tour perfide et cruel, ou patelin et velouté, la démarche sautillante, mal assurée, la mise modeste, à la limite du ridicule, avec un curieux chapeau pointu à longue visière, tout indiquait un souverain qui régnerait à sa manière, et non dans le style des « rois chevaliers ».

Louis XI est le véritable liquidateur de la guerre de Cent ans, dans la mesure où il sut faire rendre gorge aussi au Bourguignon. L'alliance de Bourgogne avait coûté le maximum à Charles VII. Pour obtenir l'alliance des princes, le roi avait dû confirmer et accroître leurs privilèges. Il appartenait à Louis XI de restaurer le pouvoir du roi.

Pour se donner les moyens de sa politique, Louis XI songea d'abord à remettre en ordre l'administration. Conscient de ses devoirs de monarque absolu, il savait que de bons officiers, dévoués et sûrs, sont les meilleures armes du pouvoir. Louis XI commença par épurer ceux des magistrats qui s'étaient montrés trop anglophiles. Il devait recoller les morceaux d'une administration partagée entre le royaume de Bourges, la Bourgogne et les territoires occupés par les Anglais. Le roi voulait réunir le maximum de pouvoirs sur sa personne. Il réduisit son Conseil à un rôle honorifique ou consultatif. Il choisit ses conseillers parmi ses amis fidèles, qu'ils fussent ou non des nobles. Il leur demandait seulement d'être compétents. Philippe de Commynes y côtoyait le bourgeois Jean Bourré, très versé dans les questions financières. Le roi de France n'a que faire des titres et des vanités. Il veut des conseillers qui conseillent, et non des seigneurs qui ordonnent. Il veut être le maître.

Par contre, dans les provinces, il lui faut des gouverneurs qui gouvernent, et rudement. L'ordre est à restaurer. Il y avait bien une cinquantaine de baillis et de sénéchaux nommés par les précédents règnes. Mais ils étaient vieux, et souvent discrédités. Louis XI en nomme quatre-vingts. Il crée onze gouvernements militaires pour tenir en main les provinces. La réforme de 1445 instaure une armée permanente de 8 000 cavaliers (les compagnies de « grande Ordonnance ») et de 10 000 « francs archers » fournis par les paroisses. Les frères Bureau organisent une puissante artillerie royale avec bombardes et couleuvrines. Le roi peut être craint sans demander secours aux seigneurs et aux chevaliers. La guerre devient son affaire personnelle.

Il doit cette indépendance à l'instauration d'une fiscalité régulière. L'évolution vers l'impôt permanent s'était déjà dessinée sous Charles VII. En 1439 on avait créé l' « aide » pour l'entretien de l'armée royale. Le roi levait lui-même l'impôt (aides et taille) avec ses propres officiers, sans passer par les seigneurs. Louis XI complétait le système en organisant l'impôt sur le sel ou gabelle.

Le roi n'avait plus besoin, désormais, de convoquer les États de France ou de Languedoc pour lever ses impôts. Après 1439, les États ne furent plus réunis dans ce but. Une *cour des Aides* était créée pour le contrôle de la fiscalité. Elle divisait la France en quatre grandes « généralités », elles-mêmes divisées en « élections ». La levée des impôts se faisait, sous la surveillance de la Cour, dans le cadre de ces circonscriptions.

La complexité des affaires de justice obligea le roi à la décentraliser. Un Parlement fut créé à Toulouse, d'autres à Bordeaux, Dijon et Grenoble. Louis XI traita fort cavalièrement le Parlement de Paris. Il brisait toute velléité d'indépendance et nommait parlementaire qui il voulait. Il multipliait les créations ou les reconnaissances en province pour diminuer d'autant le ressort du Parlement de Paris, qu'il redoutait. Il reconnut ainsi l' « Échiquier » de Rouen et le Parlement de Montpellier.

LOUIS XI CONTRE BOURGOGNE.

Bien servi par ses officiers, disposant de finances saines, d'une justice dévouée et d'une armée régulière, Louis XI pouvait partir à la reconquête de son royaume. Les seigneurs, même au temps de Charles VII, s'étaient montrés indisciplinés, révoltés parfois. La « grande praguerie » de 1440 et 1441 avait dressé contre Charles VII le duc de Bourbon, Dunois et le dauphin Louis. L'armée du roi avait brisé la révolte.

Devenu roi, le dauphin Louis avait agi comme son père à l'égard des princes apanagés. En 1465 la « ligue du bien public » avait regroupé contre lui le duc de Berry, le duc de Bretagne et Dunois. Le duc de Bourgogne soutenait l'entreprise. Louis XI fut assez heureux pour l'emporter à Montlhéry. Il comprit ce jour-là que, pour être véritablement roi de France, il fallait abattre Bourgogne.

Ce n'était pas une mince affaire : à la fin de la guerre de Cent ans, la Bourgogne était la plus riche partie de la France. Elle avait été épargnée par la guerre, sinon par la peste. Elle était sillonnée par les routes commerciales Méditerranée-mer du Nord. Les foires de Châlons avaient remplacé celles de Provins et le duché était prospère. Il disposait d'une administration efficace, avec un conseil ducal, une Cour des comptes, des officiers et une armée régulière. Riche mécène, le duc construisait palais et châteaux. Il donnait de grandes fêtes, recevait en souverain.

Prince français, le duc Philippe se souciait d'influencer le roi, qu'il considérait comme son souverain. Charles le Téméraire, qui lui succéda en 1467, n'avait pas cette optique : c'était un prince lotharingien qui voulait constituer un État indépendant, sans rapport avec le royaume.

La situation devint d'autant plus tendue que Charles le Téméraire épousait bientôt la sœur d'Édouard IV, roi d'Angleterre. La vieille alliance Angleterre-Bourgogne risquait de se renouer contre la France.

Louis XI ne pouvait prendre de front le puissant duc de Bourgogne. Il commença ses grandes manœuvres diplomatiques dans les Flandres, s'efforçant d'y susciter des révoltes contre son rival. Il y réussit trop bien. Charles se mit bientôt sur pied de guerre. Il fit une rapide campagne, réduisit les révoltes et contraignit le roi Louis à faire un humiliant voyage à Liège. Prisonnier à Péronne, il avait dû assister, impuissant, au dur châtiment des Liégeois qui s'étaient révoltés sur son conseil.

Les ducs de Bourgogne avaient toujours convoité la Champagne, qui était sur le chemin de leurs possessions des Flandres. Charles le Téméraire soutint sur le comté la revendication de son ami Charles de Berry. Louis XI intervint, et réussit à désintéresser le duc de Berry, qui fut installé en Guyenne. C'était une défaite pour le duc de Bourgogne. Au même moment, Édouard IV perdait son trône.

Il le retrouvait peu après, ainsi que l'alliance bourguignonne. Charles le Téméraire était déçu de ne pas avoir reçu de l'empereur d'Allemagne le titre de roi de Bourgogne. L'empereur ne lui pardonnait pas d'avoir fait main basse sur l'Alsace. Il chercha une compensation vers l'Ouest, et réussit à convaincre Édouard IV d'envahir le Nord de la France. La guerre de Cent ans allait-elle recommencer ? Louis XI préféra négocier. Il acheta le retrait des Anglais, qui reprirent la mer après avoir signé le traité de Picquigny (1475).

Charles le Téméraire connut alors des difficultés. Les Alsaciens se révoltèrent. Les Suisses envahirent la Franche-Comté. Charles dut occuper la Lorraine et mettre le siège devant Nancy. Le duc René de Lorraine défendit fermement la ville. Charles fut tué sous les remparts et son cadavre fut (dit-on) mangé par les loups.

Louis XI était providentiellement débarrassé d'un coûteux adversaire. Il exploita aussitôt son avantage. Il envahit la Bourgogne et fit le projet de marier son fils avec Marie, fille de Charles le Téméraire. Ses calculs furent déjoués et Marie épousa Maximilien de Habsbourg, fils de l'empereur du Saint-Empire. Désormais l'adversaire principal de la France n'était plus outre-Manche, mais outre-Rhin.

Une fois de plus, Louis XI négociait la paix. A Arras, en 1482, il renonçait à l'héritage flamand du Téméraire. Mais il s'emparait du duché de Bourgogne et de la Picardie. Il prévoyait, grâce au mariage du dauphin avec la fille de Marie et de Maximilien, le rattachement à la France de l'Artois et de la Franche-Comté.

Grand « rassembleur de terres », Louis XI ne se bornait pas à revendiquer l'héritage bourguignon. Il récupérait, chemin faisant, quelques apanages : celui du duc d'Alençon à la mort du prince ; celui des Armagnacs, quand le prince fut tué en 1473 à Lectoure. Louis XI mariait sa fille Jeanne à Louis d'Orléans et son autre fille Anne à Pierre de Beaujeu, héritier des Bourbons. Le roi René d'Anjou, comte de Provence et comte du Maine, léguait à sa mort tous ses biens au roi de France (1481). Patiemment, presque silencieusement, Louis XI dessinait ainsi les contours de la France actuelle.

Seuls quelques territoires restaient en marge : la Bretagne par exemple et les provinces de l'Est.

La fin de la guerre de Cent ans était effective après Picquigny, mais bien plus encore à la mort de Charles le Téméraire. Louis XI avait reconstitué son royaume par le jeu des conquêtes et des héritages, sur des bases, en somme, féodales, mais dans un esprit très moderne : il reviendrait à ses successeurs de construire un État sur les bases de l'unité ainsi jetées.

CHAPITRE 6

L'aventure italienne

Après Louis XI, le « roi bourgeois », la France connut une série de « rois chevaliers ». L'aventure italienne était pour eux plus qu'une chevauchée. Ils découvraient au-delà des Alpes un monde entièrement neuf, une nouvelle manière de vivre, dans une grande profusion de richesses. La douceur, l'allégresse des villes miraculeuses du Quattrocento inspiraient aux rudes seigneurs français un rêve qui n'avait rien d'héroïque. Ils n'allaient pas en Italie pour y gagner des batailles, mais parce qu'ils étaient touchés par l'extraordinaire mirage de la Renaissance.

Le mirage transalpin.

L'EUROPE NOUVELLE.

En Italie, tout était différent : pas seulement le décor urbain, mais aussi les formes du pouvoir ; une puissance nouvelle s'était constituée dans les villes, autour des banquiers, des armateurs, des entrepreneurs. Les princes de Florence, de Sienne ou de Ferrare, les doges de Venise n'étaient plus des seigneurs mais des banquiers ou de vaillants capitaines pour qui la guerre était à la fois une industrie et l'un des beaux-arts.

Les Médicis dominaient l'Europe par la banque, bien plus sûrement que les rois du Nord-Ouest par les armes. En un siècle où l'or et l'argent manquaient cruellement, les hommes d'argent devenaient véritablement rois. Et si les Fugger prêtaient de l'argent à l'empereur d'Allemagne, les villes italiennes, plus évoluées, avaient directement donné le pouvoir à leurs banquiers.

Ceux-ci ne s'embarrassaient pas de risques inutiles. Puisque l'Ouest de l'Europe n'était que batailles, ils avaient créé de nouvelles liaisons commerciales avec l'Allemagne riche en mines, et par l'Allemagne, avec les Flandres. Les routes alpines devenaient encombrées, et la puissance des Habsbourg montait en même temps que celle des Médicis.

Et cependant ni l'Allemagne ni l'Italie n'avaient encore d'efficacité politique. L'empereur allemand régnait sur une multitude de royaumes, de principautés, de villes libres, de seigneuries. Les villes et leurs rivalités divisaient l'Italie. Il était logique, dès lors, que le royaume de France, devenu fort et cohérent sous Louis XI, fût attiré par la richesse des États d'Europe centrale, qui ne pouvaient lui opposer de résistance militaire sérieuse. La prodigieuse fortune des Italiens était à portée de cheval. Il y avait de quoi tenter les « Barbares du Nord ».

En Italie vivait le pape, et les Barbares étaient chrétiens. Mais le pape n'avait guère les moyens de les inciter à la sagesse. A la fin du XIVe siècle, il y avait en Europe trois papes concurrents : celui de Rome, celui d'Avignon et celui de Pise. Même si le Concile de Constance avait mis fin au schisme d'Occident, le respect pour le pape de Rome n'était pas infini. Pour l'Église de France et l'Université de Paris, le Concile était supérieur au pape.

Quant au roi de France, il tirait tous les avantages de cette situation conflictuelle : puisque son Église ne voulait pas du pape, il fallait qu'elle lui fût soumise. Par la « Pragmatique Sanction de Bourges » de 1438, le roi se réservait d'exercer son influence sur le choix des évêques, en principe élus par les chapitres. Le roi et l'Église de France étaient d'accord sur une chose : ils ne voulaient pas reconnaître l'autorité absolue du pape. L'universalité romaine était un mythe : le pape était un seigneur italien comme les autres.

Et comment résister aux prestiges de l'Italie ? Les voyageurs français connaissaient la splendeur des villes construites en marbre de toutes les couleurs, avec leurs places prestigieuses, leurs palais dignes de l'Orient et leurs églises à coupoles d'or. Ils étaient émerveillés par cette civilisation urbaine dont l'Occident ne donnait qu'une image assez pâle. L'Italie était bien connue des artistes d'Occident, qui avaient créé des liens avec les maîtres italiens, en particulier par l'intermédiaire de la cour de Bourgogne : Aix-en-

Provence, Moulins, Avignon étaient, comme Dijon, des centres d'art et de diffusion de l'art italien ou flamand. Le Hollandais Claus Sluter sculptait les tombeaux des ducs de Bourgogne. Van Eyck et Van der Weyden rencontraient à la cour des artistes italiens. L'art devenait international et toutes les cours avaient leurs maîtres : Jean Fouquet dans les pays de la Loire, le Maître de Moulins à la cour des Bourbons ; Enguerrand Charonton à Avignon et Nicolas Froment à Aix. Mais pour tous ces peintres, français ou hollandais, les maîtres des maîtres étaient les Italiens.

La même curiosité passionnée pour l'Italie se manifestait chez tous ceux que l'on appelait déjà, à la fin du XVe siècle, les « humanistes ». Ils recherchaient dans les textes anciens, romains et grecs, les sources de la sagesse, de la science et de la foi. Les premiers ateliers d'imprimerie s'étaient installés en 1470 à la Sorbonne. Ils gagnaient toutes les provinces, et Lyon notamment. Guillaume Fichet, Lefèvre d'Étaples et d'autres « humanistes » découvraient, épuraient, traduisaient, imprimaient les textes des Anciens. Ce puissant mouvement de recherche allait dans le sens du progrès, et orientait tout naturellement les chercheurs vers l'Italie, qui abritait dans ses cours princières les plus grands savants grecs et orientaux.

La science, la beauté, le luxe, la puissance de l'argent, autant de mobiles pour les héritiers prodigues du sage Louis XI : puisque tout venait d'Italie, il fallait remonter le fleuve jusqu'à la source, et boire à la fontaine de jouvence.

LA CHEVAUCHÉE NAPOLITAINE.

Au moment où les Espagnols étaient sur le point de découvrir l'Amérique, les Français, eux, découvraient Naples.

Cette découverte n'était mineure qu'en apparence. Elle allait rapporter à la France plus d'un bienfait. Elle était le fait de l'héritier de Louis XI, le roi Charles VIII.

Celui-ci venait d'épouser Anne de Bretagne, et de rattacher le duché au royaume. Mais il n'entendait pas se conduire en roi bourgeois. Il voulait frapper l'imagination de ses contemporains par le prestige de ses exploits, la beauté de ses chevaux, la vaillance de ses tournois. C'était un roi chevalier qui aurait trop lu les « romans de chevalerie », ces romans policiers de l'époque.

Songeait-il à l'Italie ? On peut penser que cet « Amadis de Gaule » voulait plutôt gagner par l'Italie l'Orient lointain de ses ancêtres, qui étaient entrés à Jérusalem. Pour lui, le chemin des croisades passait par Naples.

Pourquoi Naples ? Il en avait entendu parler par son père, qui avait hérité, sur Naples, des droits des Angevins. Un bâtard d'Aragon, Ferdinand, régnait péniblement sur le royaume. On n'aurait aucun mal à l'en chasser. Il n'était aimé de personne, pas même du pape.

A sa cour, Charles VIII avait reçu d'étranges émissaires venus d'Italie du Nord, qui préparaient l'entrée en scène des Français. Ces envoyés de Ludovic le More demandaient l'alliance des Français, comme jadis Arioviste celle de Jules César. Ludovic était un bâtard usurpateur, maître du duché de Milan. Avant même de franchir les Alpes, le pauvre roi Charles était la victime des « combinazzione » péninsulaires.

Il devait, en plus, se dépêtrer de ses problèmes européens. Pour épouser Anne de Bretagne, il avait fait doublement injure à Maximilien d'Autriche. Celui-ci devait lui-même épouser Anne, et il avait fiancé sa fille au roi de France ! Sans attendre la noce, Louis XI s'était hâté d'occuper les biens de la jeune promise de Charles, Marguerite, l'Artois et la Franche-Comté. Il y avait rupture de contrat.

Maximilien reprit lui-même les territoires contestés. Il s'allia aux Anglais qui débarquèrent à Boulogne. Au-delà des Pyrénées, une alliance était conclue avec le roi Ferdinand d'Aragon. La France était victime d'une coalition.

Heureusement, le roi Charles VIII avait tout l'argent de Louis XI. Il put acheter tout le monde : les Anglais, qui reçurent 750 000 écus d'or au traité d'Étaples (1492), Aragon, qui récupéra le Roussillon et la Cerdagne, un moment occupés par Louis XI, tout en recevant 200 000 écus. Par le traité de Senlis, Maximilien reprenait l'Artois et la Franche-Comté, avec, en prime, le Charolais. Charles VIII avait tout cédé.

Ruiné, mais non découragé, le roi empruntait de l'argent aux banquiers lyonnais pour monter son expédition. Il s'alliait aux Génois qui lui procuraient des navires. Dès 1494, le duc d'Orléans préparait tout à Gênes. Il mettait en déroute, à Rapallo, une armée napolitaine envoyée à sa rencontre. Le gros de ses troupes, avec son artillerie, sa cavalerie groupée en « compagnies d'ordonnance » fondait bientôt sur l'Italie, prenant au passage toutes les places fortes.

A l'approche des Français, la carte politique de l'Italie se modifiait à toute vitesse : longtemps dominée par Florence, Pise se révoltait. Les Médicis abandonnaient leur capitale où régnait, par la terreur, le moine inspiré Savonarole, qui voulait établir une « dictature de la vertu ». Le pape Alexandre VI Borgia, accusé de tous les crimes par Savonarole, disparaissait.

Les Français poursuivaient sans obstacles sérieux une belle chevauchée. Charles VIII faisait son entrée à Naples, se proclamant « roi de France, de Naples et de Constantinople ». Il était, dit Brantôme,

> « vêtu en habit impérial, d'un grand manteau d'écarlate avec son grand collet renversé, fourré de fines hermines mouchetées, tenant la pomme d'or ronde et orbiculaire en sa main droite et en la senestre son grand sceptre impérial... et tout le peuple, d'une voix, le criait empereur très auguste ».

Cette gloire n'était pas durable. Le pape, Venise, Milan, Maximilien, les rois d'Aragon et de Castille se réunissaient dans les Apennins. La retraite vers la France était coupée : Charles VIII était prisonnier dans le Sud de la péninsule.

C'était compter sans la « furia francese » : les chevaliers rangés sur deux files s'ouvrirent le passage à Fornoue. La population napolitaine massacra les quelques Français qui étaient restés sur place. Mais le gros de l'armée était sauvé : ainsi s'achevait la première aventure italienne des rois de France.

L'Italie, centre des guerres européennes.

LES MÉSAVENTURES DE LOUIS XII.

Charles VIII mourut en 1498, alors qu'il préparait fébrilement sa revanche. Son cousin et successeur, Louis d'Orléans, avait épousé sa veuve Anne de Bretagne et sa passion napolitaine. Il avait aussi quelques revendications sur le Milanais. Héritier des Visconti, il faisait valoir ses droits sur le duché, contre l'usurpateur Ludovic le

More. Louis XII préparait aussitôt une nouvelle expédition italienne.

Il n'était plus question cette fois d'une croisade. Les Français voulaient faire la conquête de l'Italie, comme les Anglais avaient voulu faire la conquête de la France de l'Ouest. Dès lors le conflit devenait européen. L'empereur allemand était le suzerain de Ludovic Sforza, dit le More. Les Suisses soutenaient Sforza, pour ne pas avoir les Français des deux côtés des Alpes. Ferdinand d'Aragon, qui avait des prétentions d'hégémonie en Méditerranée occidentale, entrait dans la querelle pour défendre Naples : de belles batailles se préparaient.

Louis XII avait quelques alliés : les Vénitiens, qui devaient lui permettre de battre le More, leur ennemi, et de prendre Milan. Le More donna le siège à sa propre ville, la reprit, la reperdit. Il fut fait prisonnier finalement à Ferrare, et déporté en France. Louis XII restait maître du Milanais.

Pour prendre Naples, il signa un accord avec le roi d'Aragon. Ils feraient ensemble la conquête, et se la partageraient. Ainsi fut fait. Mais les vainqueurs se disputèrent le butin. Les Français eurent le dessous : voilà la domination espagnole installée à Naples pour plusieurs siècles.

Naples ne portait pas bonheur aux rois de France. Restait Milan. Louis XII était, en Lombardie, au cœur de l'imbroglio italien, jeu favori du pape Jules II. Le roi de France négligeait son royaume, où beaucoup commençaient à lui reprocher son goût immodéré pour l'aventure. Jules II se servit de lui pour faire la guerre aux Vénitiens et constitua, aussitôt vainqueur, une ligue contre les Français, avec Venise, les Suisses et les Espagnols.

Louis XII, ulcéré, voulut faire déposer Jules II et réunit dans ce but un concile à Pise. Jules II réunit un autre concile au Latran et déclara les Français schismatiques. Tous les évêques de l'Europe chrétienne, sauf les Français, vinrent au Latran. C'était un camouflet pour Louis XII.

Il l'emporta cependant, grâce à l'admirable Gaston de Foix, qui battit l'armée des coalisés à Ravenne en 1512. Mais Gaston mourut à la bataille, et les Français ne purent se maintenir en Italie du Nord. Les coalisés franchirent les frontières. De nouveau les Anglais et les Impériaux campaient dans les plaines du Nord ; les Suisses passaient le Jura, les Aragonais les Pyrénées. Louis XII dut se hâter d'accepter en 1514 la paix proposée par le nouveau pape Léon X. Il renonçait au Milanais, qu'il cédait à Maximilien d'Autriche. Il payait la retraite des Anglais et acceptait la domination du roi d'Aragon sur la Navarre. Comme Charles VIII, Louis XII avait tout lâché. A sa mort, en 1515, l'aventure italienne connaissait un nouvel échec, fort grave : cette fois les Français avaient subi l'invasion sur toutes leurs frontières.

FRANÇOIS Iᵉʳ ET CHARLES QUINT.

Nouveau roi de France, François Iᵉʳ n'était pas homme à renoncer aux grandes chevauchées. Dès l'été de 1515, il réunit une grande armée, bien pourvue d'artillerie, et se jeta sur les Suisses.

Vaincus à Marignan, ils signèrent avec lui la « paix perpétuelle » de 1516, qui permettait au roi de France d'engager dans ses troupes la redoutable infanterie des Cantons, contre de bonnes soldes.

Maître du Milanais, ami des Vénitiens, François Iᵉʳ s'entendit avec le pape : d'après le Concordat de 1516, les évêques de France étaient désignés par le pape, en accord avec le roi. Il n'y aurait plus de friction entre le pape et l'Église de France. Le roi s'en portait garant.

François Iᵉʳ profita de la mort de Ferdinand d'Aragon, survenue la même année, pour s'entendre avec les Espagnols : contre l'abandon de la Navarre, ceux-ci acceptaient de marier le jeune roi d'Espagne avec la fille de François, Louise de France (traité de Noyon). Les guerres d'Italie étaient-elles terminées ?

Le jeune héritier des maisons d'Autriche, de Castille, de Bourgogne et d'Aragon s'appelait Charles Quint. Il allait fausser les règles du jeu européen. Désormais une colossale puissance, celle des Habsbourg, disputait à la France l'hégémonie européenne. La question d'Italie était bien dépassée : il s'agissait de savoir qui dominerait les routes du commerce, les mines et les ports qui faisaient désormais la richesse des nations. De 1519 à 1559, les deux maisons de France et d'Autriche devaient se livrer un duel sans merci.

Ce duel commence en 1517 quand Maximilien, de son vivant, ouvre la succession à l'Empire : François Iᵉʳ est candidat, avec le roi d'Angleterre Henri VIII, le jeune Charles Quint, et un autre prince allemand, Frédéric de Saxe. La couronne impériale s'achète et les banquiers les plus riches du monde soutiennent les enchères des princes. Jacob Fugger met toute sa puissance dans la balance : pour 800 000 florins, il obtient l'élection du Habsbourg, non sans avoir obligé les banquiers italiens de Lyon, de Florence et de Gênes à couper leurs crédits au roi de France.

Voilà Charles Quint maître d'un immense empire : il a l'Espagne et ses possessions américaines, l'Italie et la Sicile espagnoles, l'Autriche, le Luxembourg et les territoires rhénans. Il a les Pays-Bas, l'Artois, la Franche-Comté et le Charolais. Son frère Ferdinand est roi de Bohême et de Hongrie.

François Ier a moins de terres et moins d'hommes. Mais son royaume est rassemblé, unifié, bien administré. Louis XI a débarrassé la couronne de l'opposition des grands féodaux. Les Français ont pris l'habitude de payer régulièrement l'impôt, qui n'a pas été augmenté sous Charles VIII et Louis XII. La monarchie a des ressources fixes, donc du crédit. Elle peut emprunter aux banquiers, organiser son budget en faisant des prévisions de recettes. Après le Concordat de 1516, François Ier dispose des biens de l'Église, même s'il a reconnu au pape l'investiture spirituelle. La distribution des bénéfices ecclésiastiques (les deux cinquièmes des biens fonciers du royaume) est un atout considérable pour la politique royale. Les grands seigneurs deviennent volontiers courtisans, pour obtenir les précieux bénéfices.

Le roi est bien servi dans ses provinces grâce aux gouverneurs, lieutenants généraux, baillis et sénéchaux. L'ordonnance de Villers-Cotterêts en 1539 oblige tous les tribunaux du royaume à utiliser le français dans la rédaction des actes et pendant les débats. Le roi doit lutter contre certains particularismes, en Bretagne notamment. Il doit parfois affronter les parlementaires, toujours soucieux d'empiéter sur le pouvoir monarchique. Mais la seule opposition sérieuse qu'il ait connue pendant son règne fut celle du connétable de Bourbon, grand seigneur en rébellion qui avait fait appel contre son roi, à son suzerain l'empereur allemand dans un procès qui l'opposait à la reine mère. Bourbon une fois vaincu, son apanage disparut avec lui et ses biens revinrent à la couronne. Comme l'écrivait l'ambassadeur de Venise :

> « Les Français ont remis entièrement leur liberté et leur volonté entre les mains du roi. »

Bien assuré de son royaume dont la richesse s'accroissait chaque jour, François Ier se croyait en mesure d'accepter le duel que lui proposait Charles Quint. Dès 1519, chacun d'entre eux rechercha de son côté, pour être sûr de l'emporter, l'alliance du roi d'Angleterre Henri VIII. François Ier le reçut fastueusement au « camp du drap d'or » en 1520. Mais c'est finalement du côté de Charles Quint que l'Angleterre devait rechercher des satisfactions.

La guerre reprit, sur tous les fronts : en Espagne, aux Pays-Bas, en Italie surtout, où Charles Quint envahit le Milanais et rétablit à Milan l'héritier des Sforza. Alliés des Impériaux, les Anglais envahissaient une fois de plus l'Artois. François Ier se hâta d'aller défendre le Milanais, mais il fut vaincu et fait prisonnier à Pavie en 1525, pendant que le connétable de Bourbon, à la tête d'une armée espagnole et allemande, menaçait Marseille.

Le roi de France était prisonnier. Heureusement, en Europe orientale, les Turcs attaquaient. Charles Quint dut chercher la paix à l'Ouest. Il demanda à François Ier de renoncer au duché de Bourgogne et à ses héritages italiens. Le roi signa, pour être libre. Aussitôt rentré en France, il réunit les États de Bourgogne. Ceux-ci déclarèrent qu'ils voulaient rester français. Pour isoler l'empereur, François Ier réunit, dans la « ligue de Cognac », Venise, Florence, le pape et Milan. Mais il n'obtint pas de succès militaires. Il dut signer en 1529 le traité de Cambrai, qui était, il est vrai, plus avantageux pour la France : elle gardait la Bourgogne.

François Ier, qui avait renoncé à l'Italie, avait épousé Éléonore, la sœur de l'empereur. La France devait connaître sept ans de paix. Mais le roi n'avait pas renoncé au Milanais. Il profita des troubles religieux en Allemagne, qui gênaient l'empereur, pour soutenir les villes et les petites principautés luthériennes. Il fit alliance avec les Turcs, au grand scandale de l'Église, envoya un ambassadeur à la Porte d'Or, s'assura du concours de la marine ottomane.

Cette active diplomatie ne permit pas à François Ier de reconquérir le Milanais (il échoua de nouveau en 1535) mais elle lui assura dix ans de paix avec les Impériaux. En 1540 Charles Quint était solennellement reçu à Paris.

La guerre reprit en 1542 parce que Charles Quint avait donné le Milanais à son fils Philippe. C'était plus que le roi de France n'en pouvait supporter. Il passa de nouveau les Alpes, et les Impériaux entrèrent dans les plaines du Nord, aidés de nouveau par les Anglais. François Ier les contint de son mieux et signa une paix blanche à Crépy en 1544. A sa mort, en 1547, le roi de France n'avait pas renoncé à l'Italie. Il laissait le souvenir d'un roi fastueux et chevaleresque, généreux dans la victoire et courageux dans la défaite, infatigable héros d'une « aventure » qui avait fini par devenir un conflit perpétuel pour l'hégémonie en Europe.

HENRI II, LE DERNIER DES ROIS CHEVALIERS.

Héritier de François Ier, Henri II avait pris comme conseiller Montmorency, vieux compagnon de son père dans les guerres contre les Impériaux. Montmorency connaissait trop ses adversaires pour ne pas rechercher la paix. Il voulait s'entendre avec son vieil ennemi, et laisser tomber le mirage italien.

Mais le connétable, maréchal de France, duc de Montmorency était, par ses origines, un tout petit seigneur en face des Guise, qui constituaient sous Henri II une puissance à la Cour, en particulier par l'entremise de la maîtresse du roi, la belle Diane de Poitiers. Sous Henri II, la Cour de France avec les intrigues et les assassinats ressemblait à une cour italienne. Charles de Guise, cardinal de Lorraine, était un grand seigneur avisé qui avait accumulé les bénéfices et soutenait l'ordre nouveau, créé par le pape, la « Compagnie de Jésus ». Son frère François de Guise était un des meilleurs généraux français. Faisant figure de défenseurs de la foi et d'amis du pape, les Guise poussaient le roi à se lancer de nouveau dans l'aventure italienne. La reine Catherine de Médicis et ses amis italiens, les *fuorisciti*, soutenaient également la politique d'intervention.

Henri II n'était pas pressé. Il voulait remettre de l'ordre dans son royaume, affaibli par tant d'années de guerre. Il réalisa des réformes décisives : la création des *présidiaux*, par exemple, tribunaux intermédiaires entre les bailliages et les Parlements. Il sut trouver beaucoup d'argent en vendant les charges de parlementaires et d'officiers aux bourgeois. Il réprima les révoltes qui avaient éclaté dans certaines provinces périphériques contre la fiscalité, en Guyenne notamment. Il obtint du roi d'Angleterre Édouard VI le rachat de Boulogne pour 400 000 écus.

Même si le roi rêvait d'une intervention en Italie, les Impériaux ne lui en laissèrent pas le temps : ils concentraient leurs troupes sur le Rhin. Prenant les devants, Henri II saisit les trois évêchés, Metz, Toul et Verdun, et mit la frontière en état de défense. Il fut battu par le duc de Savoie à Saint-Quentin en 1557. Le maréchal de Montmorency était fait prisonnier. La route de Paris était ouverte.

Charles Quint eut le bon esprit de mourir au moment de sa victoire. Philippe II, son successeur, retint le bras du duc de Savoie. Paris était sauvé.

Rameutés par les Guise, les Français voulurent alors poursuivre les Impériaux qui faisaient retraite. Ils prirent le Luxembourg, ainsi que Dunkerque et Calais en 1558. La paix signée en 1559 à Cateau-Cambrésis donnait à la France les villes de la Somme et les trois évêchés, qui fermaient sa frontière du côté de l'Allemagne. Elle renonçait une fois de plus à ses prétentions italiennes, à la Savoie et à la Corse, donnée aux Génois. Le roi d'Espagne épousait la fille de Henri II et le duc de Savoie la fille de François Ier, Marguerite de France. Pendant les fêtes du mariage, le roi donna un grand tournoi. Il fut blessé à mort.

Ainsi se terminait tragiquement l'aventure italienne : jamais plus un roi de France ne réussirait de percée sérieuse, au-delà des Alpes. La lutte entre la France et l'Empire était désormais circonscrite aux provinces de l'Est.

La France à la fin des guerres d'Italie.

DES GUERRES POUR RIEN?

Les Français avaient-ils tout perdu en Italie? Pendant quatre règnes successifs, d'opiniâtres interventions, des sommes fabuleuses dépensées en pure perte, des intrigues interminables sans résultats notables, les fameuses « guerres d'Italie » doivent-elles s'inscrire dans la rubrique désastreuse des querelles successorales entre princes, qui ensanglantaient l'Europe depuis le début de la guerre de Cent ans?

Ce long duel sans vainqueur ni vaincu avait en fait très vite pris son vrai visage : une lutte acharnée pour la domination de l'Europe entre un pays rassemblé, fort de sa supériorité morale de royaume endurci aux luttes nationales, et un immense Empire germano-espagnol, qui bénéficiait de l'alliance non désintéressée des Anglais.

En réalité, le profit n'est pas mince, en dehors de l'avantage certain que constituaient, pour la France, les sécurités prises sur la frontière du Nord-Est. Depuis la fin de la guerre de Cent ans, la France prenait sur l'Angleterre un avantage politique décisif. Désormais, grâce aux guerres d'Italie, la France était une puissance continentale qui s'était montrée capable d'affronter pratiquement seule l'Empire de Charles Quint, et de lui tenir tête à plusieurs reprises victorieusement. Si la lutte se terminait faute de combattants, cela indiquait suffisamment que la France avait résisté au choc, qu'elle était devenue, en Europe, une puissance à part entière.

LA GUERRE, L'AMÉRIQUE ET L'ARGENT.

Le profit essentiel de l'aventure italienne était économique : sous Louis XII déjà, mais surtout sous François Ier, il était clair que la guerre était une affaire importante. Il fallait entretenir et payer une infanterie nombreuse, acheter l'artillerie et la construire, recruter de bons capitaines, des hommes dont la guerre était le métier, et non plus seulement des chevaliers, ces héros désintéressés d'un autre temps. La guerre posait trop de problèmes financiers pour être livrée à des amateurs. Elle exigeait des professionnels.

Pour subvenir aux besoins des armées, les rois devaient avoir une politique financière. Un pays politiquement plus fort avait donc un avantage décisif sur un immense Empire qui ne parvenait pas à lever régulièrement des impôts sur ses sujets. Les impôts supposaient l'élimination par le roi des privilégiés et l'unification des États du royaume. Les emprunts, auxquels les rois devaient souvent recourir, supposaient la coopération de grands banquiers, et non plus de prêteurs anonymes, d'usuriers de cour. La guerre des professionnels demandait des professionnels de la banque.

Les rois désormais traitaient avec les banquiers de puissance à puissance. Les ducs ni les comtes n'avaient fait Charles Quint empereur, mais l'or des Fugger. Sans les Fugger et les Médicis, aucune guerre n'était possible en Europe. Pour les banquiers, parfaitement conscients de leur pouvoir, la guerre était l'un des moyens les plus sûrs de faire fructifier des capitaux à des taux d'intérêts incomparables, et surtout de développer l'industrie. Ces capitaux, les banquiers les trouvaient dans les affaires de commerce, de navigation, de mines et d'industries. L'Europe centrale révélait ses richesses minières, en or notamment. Quand l'argent manquait sur les marchés, les banquiers utilisaient des techniques nouvelles, comme la *lettre de change,* pour faire face aux engagements internationaux sans se livrer à des manipulations monétaires. La rareté de l'argent faisait la fortune de ceux qui disposaient de vastes réserves, et qui dominaient ainsi les taux d'intérêt. Un entrepreneur comme Jacques Cœur, à l'origine commerçant, devait vite devenir un banquier.

A partir de 1530, ce problème de la famine monétaire ne se posait plus en Europe. L'Espagne avait trouvé l'Amérique, avec ses mines d'or et d'argent qui semblaient inépuisables. Les *maravedis* du roi d'Espagne passaient joyeusement dans les bourses françaises, autrichiennes, flamandes et italiennes. Les prix grimpaient en flèche, stimulant la production. Les redevances fixes des terres cultivées se dépréciaient, ruinant la noblesse, mais soulageant d'autant les paysans. L'afflux de l'argent servait le monde de l'entreprise et du travail, même si les salaires montaient moins vite que les prix. Il précipitait en Europe le mouvement d'affranchissement de la nouvelle société contre la société féodale. Les petits nobles en étaient réduits à écrire des traités d'agriculture pour apprendre à leurs semblables comment cultiver ou faire cultiver eux-mêmes les terres qui leur restaient.

La normalisation des rapports avec l'Amérique donnait au mouvement économique un influx puissant. Les Français, faute d'avoir été présents à la découverte, s'efforçaient de participer à la mise en valeur. Les marins basques, rochelais, normands et bretons se lançaient à leur tour vers l'Ouest. Avec les Anglais et les Hollandais ils s'installaient dans les îles, dirigeant les plantations, quand ils ne pratiquaient pas la course en mer, aux dépens des bateaux lourdement chargés des rois d'Espagne et du Portugal. Ces corsaires français et anglais n'avaient pas l'appui de leurs souverains. Mais ceux-ci ne détestaient pas de voir les corsaires rapporter leurs butins dans les ports de leurs pays. La France avait ses colons, ses corsaires, et même quelques explorateurs, comme Jacques Cartier, découvreur du Saint-Laurent, ou Jean Ango, armateur de Dieppe qui reconnut, après Madagascar et Sumatra, les côtes du Brésil.

Il faut bien dire cependant que si l'or d'Amérique profitait à toute l'Europe, il renforçait d'abord la puissance de Charles Quint. Les routes commerciales traditionnelles, par contre, profitaient plutôt à la France, dans la mesure où elle dominait, par Lyon, les marchés italiens. Au carrefour des routes de Bourgogne vers la Méditerranée, de Suisse vers l'Atlantique, de France vers l'Italie, Lyon, deuxième ville française, avait les foires les plus riches d'Europe. Elles se tenaient quatre fois l'an et réunissaient les plus riches marchands allemands, suisses, italiens et espagnols. Les étrangers habitaient Lyon en permanence. Groupés en « quartiers » ils avaient fait construire palais et églises, ils importaient régulièrement leurs produits nationaux : les armes, les horloges et les outils pour les Allemands, les produits d'Orient pour les Italiens. La banque lyonnaise profitait de ce trafic ininterrompu. Les Suisses, les Allemands et les Italiens suivaient l'exemple des Médicis, qui avaient installé un comptoir à Lyon. Ils pratiquaient le prêt à intérêt à des taux de 15 %, en dépit des interdictions de l'Église. Lyon comptait, au XVIe siècle, les plus riches banquiers du royaume, ceux qui prêtaient directement de l'argent au roi, le récupérant ensuite sur les impôts.

Si l'argent vient à Lyon du fait de la proximité de l'Italie et de l'intensification des échanges qui résulte des guerres, une des sources essentielles de l'enrichissement de la France est dans l'industrie ; au XVIe siècle, les industries traditionnelles se modernisent, et notamment les textiles. Des industries nouvelles se créent, la métallurgie (les fabriques d'artillerie par exemple), les chantiers navals, les imprimeries. Les techniques de l'imprimerie et de la métallurgie viennent d'Allemagne, celles des textiles nouveaux, comme la soierie, viennent d'Italie. Les guerres ont été pour ces industries nouvelles des facteurs incontestables de développement. Le roi avait d'ailleurs accordé des privilèges aux fabricants pour qu'ils puissent créer les manufactures nécessaires à la production des armes et des munitions, aux constructions de navires. Les « gens mécaniques » étaient de plus en plus nombreux et leur réputation était loin d'être bonne. Ils ne pouvaient obtenir, ces nouveaux riches, de fonctions dans les villes, ils étaient éliminés des gouvernements des « métiers », que dominait l'artisanat traditionnel. Sans la protection royale, ces nouvelles industries auraient eu du mal à voir le jour.

LE DÉGEL DES RAPPORTS SOCIAUX.

Le XVIe siècle connut constamment des troubles sociaux : dans les villes d'abord, où les nouvelles industries avaient créé une classe redoutable, celle des « ouvriers ». Des révoltes éclataient déjà contre les patrons, dans l'imprimerie à Lyon, notamment. Mais les troubles éclataient aussi dans les campagnes, en raison de la stagnation des salaires agricoles, qui ne suivaient pas la hausse du coût de la vie. Le paysan riche, celui qui avait les moyens d'engranger les récoltes et de vendre au bon moment, profitait de la situation. Le petit seigneur et le petit paysan étaient l'un comme l'autre des victimes : ils formaient des troupes de mécontents mobilisables pour de nouvelles guerres, les plus meurtrières de toutes, celles qui allaient ensanglanter la fin du siècle, les guerres de religion.

Les profiteurs du nouveau système économique étaient, à l'évidence, les bourgeois. Non pas les parlementaires, ni les vieux maîtres des anciennes corporations, mais les bourgeois de banque, de négoce ou d'industrie. La promotion des banquiers était éclatante. L'argent devenait roi, même dans les cours. Une Médicis était reine de France. Les marchands italiens, qui vivaient déjà comme des princes dans leur pays, lançaient la mode à Paris où ils étaient reçus dans les meilleures maisons. Qu'une faveur de cour les anoblisse, et les voilà grands seigneurs, roulant carrosse, ouvrant palais, entretenant une cour d'artistes et de poètes.

Les Italiens n'étaient pas les seuls à bénéficier de la promotion sociale offerte par la Cour de France. Les Français aussi en profitaient largement. Quand ils n'étaient pas anoblis au titre de services rendus dans le gouvernement ou le Conseil royal, ou pour services rendus au roi lui-même ou aux importants personnages de la Cour, les bourgeois pouvaient, à leur convenance, acheter les offices portant anoblissement (dans la justice royale par exemple) ou encore des terres nobles. Le but des bourgeois était d'acheter des offices pour leurs fils et de marier leurs filles à des nobles. Les questions de dots et d'héritages prenaient ainsi une importance qui ferait la joie des auteurs comiques du siècle suivant.

Tous les moyens de promotion étaient bons, à condition qu'on eût de l'argent. Il en fallait pour s'anoblir, pour acheter de la terre et un « manoir », pour traiter dignement, et parfois fastueusement, les gens de mérite dont dépendaient une carrière et quelquefois une fortune. Les bourgeois n'avaient donc pas seulement besoin de s'anoblir, mais aussi de se cultiver, afin de pouvoir accéder à un monde qui n'était pas, au départ, le leur.

LA NOUVELLE CULTURE.

Les bourgeois s'instruisaient de tout leur pouvoir, et assuraient la fortune des maisons d'édition et des imprimeries, en achetant force livres. Ils disposaient chez eux de collections bien reliées d'auteurs latins et grecs, et même de certains auteurs français. Au cours du XVIᵉ siècle, les œuvres de Rabelais, par exemple, devaient compter quarante-deux éditions de mille à deux mille ouvrages. Les bourgeois, et pas seulement les nobles éclairés, lisaient Rabelais. Ils lisaient aussi Érasme, et les humanistes français. Ils constituaient un public de choix pour le nouveau mouvement de recherche des textes anciens appelé « humanisme ».

Grâce à l'imprimerie, le rayonnement de la pensée échappait aux seules universités. Partout en Europe de grands éditeurs avaient pignon sur rue. Ils s'appelaient Alde Manucce, de Venise ; Estienne, de Paris ; Jean de Wingle ou Sébastien Gryphe, de Lyon. Ces éditeurs étaient d'étonnants animateurs de culture. Ils rassemblaient autour d'eux les écrivains, les humanistes et les poètes. Ils diffusaient le savoir entre tous les savants d'Europe, établissant entre eux des contacts permanents. Grâce aux savants grecs réfugiés en Italie, on découvrait à ce moment les grands auteurs de l'Antiquité dans leurs textes authentiques. Les éditeurs assuraient, avec les savants, cette œuvre de restauration.

Les éditeurs français exploitaient et prolongeaient le mouvement né en Italie : la « philologie » si prisée par le bourgeois Montaigne avait été créée par Laurentius Valla. Le Vénitien Barbaro avait renouvelé la lecture d'Aristote, comme le Florentin Marsile Ficin celle de Platon. Les manuscrits des grands auteurs latins avaient été publiés en France par Guillaume Fichet, qui les avait retrouvés en Italie. En 1507, pour la première fois, les Français imprimaient des textes en grec ancien.

Est-ce à Paris qu'Érasme, moine hollandais, prit connaissance, à travers les maîtres italiens, de l'ampleur de la Renaissance littéraire ? Érasme était, comme beaucoup de bourgeois de son temps, un grand voyageur. Il allait de Hollande à Paris, de Paris à Venise ou à Genève. Il écrivait en latin, pour être lu partout, et c'est en Italie qu'il avait d'abord connu la gloire en publiant à Venise en 1508 ses *Adages*. Il est vrai que l'*Éloge de la Folie* devait être publié à Paris, en 1511. Le pape Léon X et François Ier se disputaient alors Érasme, qu'Henri VIII attirait à Londres. Mais Érasme ne se fixait nulle part. Il publiait dans toute l'Europe ses articles, ouvrages, traités, éditions critiques. Il était un des « princes » de la Renaissance : reçu partout, partout fêté. Les bourgeois qui voulaient paraître dans le monde se devaient de connaître la pensée d'Érasme.

Il fallait en connaître bien d'autres, qui intéressaient vivement la cour. Lefèvre d'Étaples, commentateur d'Aristote, Guillaume Budé, un des fondateurs de la philologie, étaient les familiers du roi. François Ier avait demandé à Guillaume Budé de fonder, en 1529, le collège des Lecteurs royaux, futur Collège de France. Le roi n'aimait pas la Sorbonne, où les gens d'Église cultivaient les fausses sciences de la théologie. Ouvert aux humanistes, le nouveau Collège répandait la culture nouvelle, s'ouvrait aux enseignements étrangers. Il eut tout de suite un vif succès.

La culture était à la mode. François Ier eut sur l'édition des œuvres antiques une influence personnelle non négligeable. Il fit traduire et éditer Thucydide et Xénophon par Claude de Seyssel. Il demanda à Amyot de traduire Plutarque, à Hugues Salel, Homère. A l'exemple du roi, les grands seigneurs et les riches bourgeois devenaient des mécènes. Ils rassemblaient et commanditaient les « humanistes » : Jean du Bellay, cardinal, protégeait et nourrissait Rabelais.

Cette « nouvelle culture », venue en grande partie d'Italie, faisait fleurir sur les bords de Seine les beautés d'une langue nouvelle, le français, qui devenait enfin littéraire. L'édition, la vulgarisation des bons auteurs touchaient aussi les nouveaux auteurs français, qui étaient souvent des bourgeois écrivant pour des bourgeois, et non des étrangers travaillant pour des princes. Rabelais, dans sa guerre contre les « sorbonnagres », était le porte-drapeau d'une école pour laquelle la littérature donnait les clés d'un monde nouveau. Il y avait plus de découvertes dans le *Pantagruel* que dans le voyage à Naples de Charles VIII. *Pantagruel* affirmait son besoin de culture vivante, son immense appétit de connaissances, sa volonté de connaître les lois de raison, telles qu'elles avaient été transmises par l'Antiquité. Le jeune Pantagruel devait apprendre, non seulement les langues latine et grecque, « mais aussi l'assyrienne et la chaldaïque » parce qu'il devait s'efforcer d'embrasser — et avec lui les hommes de la « Renaissance » — la totalité du savoir humain. Si la Sorbonne — c'est-à-dire l'Église — s'opposait à la découverte, il fallait changer la Sorbonne. Le médecin Rabelais disséquait les corps que l'on volait pour lui, la nuit, dans les cimetières, parce que l'Église interdisait les dissections. L'écrivain Rabelais voulait disséquer aussi Platon, Aristote et tous les auteurs sulfureux de l'Antiquité, et surtout ceux qui étaient tenus enfermés dans la Bastille de Saint-Thomas.

Chez Montaigne comme chez Rabelais, l'amour des auteurs anciens était une manière de libérer l'homme de leur temps, de le faire revenir aux sources du savoir, le « gai savoir ». Les *Essais* de Montaigne manifestaient ce respect pour le langage, pour la langue, qui est en même temps pensée et action, parce qu'elle libère la pensée. Le souci du langage, le soin apporté au langage se retrouvaient dans la poésie comme dans la prose : un poète lyonnais d'une grande sensibilité, Maurice Scève, écrivait en 1544 *Délie*. Un Lyonnais ne pouvait ignorer Pétrarque, et Maurice Scève, dans sa subtile préciosité, était une sorte de Pétrarque lyonnais. La lecture de Platon par les poètes, chez les riches banquiers devenus mécènes, était comparable, à Lyon, au XVIe siècle, à ce qu'elle avait pu être à Florence à la fin du XVe. Les poètes, et pas seulement les banquiers, avaient franchi les Alpes.

C'est par le biais de la poésie que la langue française fit au XVIe siècle des progrès décisifs. Elle était une langue vulgaire, rehaussée de quelques œuvres littéraires estimables. Elle devint, à l'exemple de l'italien, une langue littéraire. Du Bellay publia en 1549 la *Défense et Illustration de la Langue française*. Tous les poètes de la Pléiade affirmaient bientôt leur intention de créer une langue française comparable au latin, au grec, à l'italien. Ils produisirent dans cette nouvelle langue, encombrée d'emprunts nombreux aux langues anciennes, à Dante et à Pétrarque, un grand nombre d'œuvres d'inégale valeur, mais qui constituèrent incontestablement une littérature.

UN DÉCOR POUR LA VIE.

Restait à renouveler l'art : l'influence de l'Italie fut aussi dominante dans tous les domaines de l'art. La France, comme Florence au temps de Brunelleschi, était lasse des « maçons allemands » bâtisseurs de cathédrales. Aurait-elle son Brunelleschi ?

Il est paradoxalement plus difficile d'implanter dans un pays un art architectural qu'une littérature. Ce qui avait frappé les « rudes chevaucheurs » de Charles VIII en Italie, c'était le luxe de la civilisation urbaine, les places et les églises de marbre richement décorées, les palais aux nombreuses fenêtres, aux escaliers extravagants. Le style italien s'accommodait très mal des traditions françaises d'austérité en architecture, et encore moins de la vie sociale à la française. Les princes italiens construisaient leurs palais au cœur des villes, à proximité des centres d'affaires. Le palais était un élément parmi d'autres du décor de la vie. Les princes français, au contraire, vivaient depuis des siècles dans de vastes retraites campagnardes. Leurs « châteaux », entourés de bois, de chasses, de villages de paysans, étaient toujours à l'écart des villes. C'étaient des édifices militaires faits pour la défense, ou la surveillance. Les bourgeois, quand ils levaient les yeux vers l'horizon, voyaient le château du maître, massif et vigilant.

En France les architectes italiens purent construire, à l'italienne, un certain nombre de palais dans les villes du grand négoce. Lyon avait un quartier italien, dont le palais Gadagne est encore l'ornement. Le Louvre eut une aile italienne. Il y avait de nombreux palais italiens dans Paris, mais aussi à Rouen, à Dijon, et naturellement à Avignon et dans les villes du Midi.

Toutefois l'apport créatif de la Renaissance italienne fut surtout sensible dans les châteaux, parce qu'il n'y avait pas, en France, une bourgeoisie urbaine assez riche pour modifier rapidement le décor urbain. Au reste cette bourgeoisie elle-même rêvait d'acheter ou de faire construire des châteaux à l'italienne dans des sites isolés, comme les grands seigneurs et le roi. Les châteaux de la Loire constituaient alors un modèle, par leurs éléments de luxe et de décoration. Chambord, Azay-le-Rideau, Chenonceaux, Fontainebleau et Saint-Germain dans la région parisienne étaient de conception française et de décoration italienne, sensible surtout dans les escaliers, les fenêtres, les plafonds. Les ouvrages de Vitruve ne furent publiés en France qu'en 1547. Alors seulement les architectes français commencèrent à utiliser, dans les églises notamment, les éléments empruntés à l'antique, les colonnes et les entablements, les voûtes à caissons et les frontons. Pierre Lescot, à la façade du Louvre, multipliait les colonnes et Philibert Delorme édifiait, dans une tradition très italienne, le tombeau de François Ier.

Les châteaux de la Renaissance gardaient les puissantes tours circulaires du Moyen Age et surtout les toits très pentus en ardoises, hérités du passé, et conformes aux exigences d'un climat pluvieux. L'influence italienne était beaucoup plus manifeste chez les sculpteurs et les peintres que chez les architectes, qui devaient tenir compte des goûts traditionnels de leur clientèle. A Paris, Jean Goujon faisait redécouvrir le nu antique, il multipliait les statues de Diane et de Vénus, il construisait au cœur de la capitale, non loin du Louvre, l'admirable fontaine des Innocents, où les nymphes et les génies rivalisaient de grâce. Pierre Bontemps et Germain Pilon ornaient les tombeaux de François Ier et d'Henri II, sacrifiant aussi à la mode italienne.

Il y avait, certes, des peintres français traditionalistes, et l'école des portraitistes (Clouet) donnait encore de belles œuvres. Mais les rois attiraient de plus en plus dans leurs châteaux les peintres dont ils avaient admiré les chefs-d'œuvre en Italie : Ils avaient souvent acheté personnellement des toiles. François Ier avait acquis la *Joconde* de Léonard. Il avait aussi acheté le peintre, qui devait passer la fin de sa vie à la cour. A Fontainebleau peignaient Primatice et Rosso. Benvenuto Cellini, le Florentin, sculptait pour François Ier la *Nymphe* de Fontainebleau, destinée au château d'Anet. Beaucoup de ses œuvres d'orfèvrerie, commandées par le roi, sont actuellement conservées au Louvre.

Le mérite des Italiens avait été de donner à l'artiste, grâce au mécénat, une sorte de statut social. Au lieu d'être considéré comme un humble artisan, il était reçu dans les cours, encensé, payé très cher pour ses œuvres par les riches bourgeois. Ainsi pourraient se développer des écoles originales de peinture, et se manifester les talents. La résistance, la persistance d'un certain goût français en peinture aussi bien qu'en architecture attestent que l'influence italienne est plus un stimulant, une mode, qu'une véritable colonisation. Jamais Paris ne devait ressembler à Florence, mais les artistes français allaient vivre à la cour des rois et des princes sur le même pied qu'un Botticelli à la cour de Laurent de Médicis.

La découverte de la civilisation florissante, foisonnante, des villes italiennes changeait également les mœurs des gens de cour et de la bourgeoisie. La mode se répandit des vêtements coûteux, raffinés, des coiffures très élaborées, des équipages et des mobiliers. Les progrès les plus manifestes étaient ceux qui accomplissaient insensiblement dans les relations humaines, devenues plus douces, plus policées, mieux réglées. L'édition, les enseignements nouveaux, la floraison des milieux littéraires et artistiques faisaient de la culture une exigence pour la vie sociale. Les élites de la noblesse et de la bourgeoisie, celles qui parlaient la langue nouvelle inventée par les poètes découvraient, avec l'Italie, la douceur de vivre. Dans les livres édités par les humanistes, elles trouveraient aussi, avec les délices de l'Antiquité grecque, les poisons de la réforme allemande.

DEUXIÈME PARTIE

D'Henri IV
à Napoléon

CHAPITRE 7

Les convulsions religieuses

En peu d'occasions dans son histoire, la France se vit coupée en deux, déchirée en deux clans ennemis, prêts à s'exterminer. Il y avait eu les Cathares, et la croisade de Simon de Montfort. Mais le catharisme ne divisait pas les comtés, les villes et les familles. Il était circonscrit à une région. Les guerres de Religion devaient réaliser le premier grand affrontement national, le choc traumatisant des deux France qui se produirait à nouveau pendant la Révolution française, puis, longtemps plus tard, pendant l'occupation allemande.

La réforme était une idée neuve, au siècle de la Renaissance. C'était sans doute la seule idée du siècle qui ne dût rien aux Italiens. Elle trouvait ses racines, en France, dans le dégoût profond qu'inspirait l'Église, dans un désir de pureté, mais aussi dans la volonté, de la part des protestants, de constituer un État nouveau, fort et libre, un État qui ne dût rien au pape, ni au roi d'Espagne, ni aux banquiers de Florence.

L'Église éclate.

L'AVANT-GARDE DES HUMANISTES.

L'engagement des papes dans la politique européenne se traduisit par des exigences fiscales accrues, au moment où le roi lui-même installait une fiscalité régulière. Les impôts du pape provoquaient un mécontentement croissant des fidèles et du clergé de France.

Le clergé régulier était particulièrement troublé. Le moine Savonarole, à Florence, n'accusait-il pas le pape de tous les maux, et avec le pape l'ensemble de la société religieuse ou civile ? L'échec de l'Église masquait l'échec, bien plus grave, du christianisme dans la société des pécheurs. Le monachisme, comme le catharisme, demandait un retour à la pureté. Les fresques de Fra Angelico au couvent de San Marco contrastaient, dans leur touchante simplicité, avec les œuvres des peintres de la société d'abondance, les Uccello, les Ghirlandaio, qui étalaient sur les murs des cloîtres ou des chapelles privées leur vision optimiste d'un monde revenu à une sorte de paganisme mystique, à un platonisme qui n'avait plus rien de chrétien.

La mode italienne n'avait pas fait oublier, en France, l'exigence de pureté des maîtres du XVᵉ siècle, les peintres de la « danse macabre » de La Chaise-Dieu. La sensation de la fin d'un monde — celui où les évêques allaient en enfer avant les larrons — s'accompagnait de l'attente d'une religion nouvelle, dans une nouvelle société. Les « humanistes », qui se penchaient sur les œuvres de l'Antiquité, mais aussi sur les Saints Évangiles, pouvaient contribuer, en restaurant les textes, à restaurer la foi.

La connaissance du grec et de l'hébreu permettait en effet de retrouver les textes sacrés bien au-delà de leur transcription latine très déformante. La « Vulgate », version romaine de la Bible, la rendait méconnaissable. Il fallait entreprendre de véritables fouilles philologiques pour la retrouver dans sa vérité première. Lefèvre d'Étaples et Érasme allaient s'en charger. Mais ils allaient bien plus loin. En 1509, dans l'*Éloge de la Folie*, Érasme dénonçait les exactions des gens d'Église, attaquait directement les responsables, le pape et les évêques. Il fallait chasser de l'Église les « princes » qui la couvraient de honte par leurs « coupables dérèglements ».

Avec l'imprimerie, dans le petit monde européen des lettrés de la Renaissance, les nouvelles idées faisaient vite leur chemin. D'autant que les traducteurs ne manquaient pas d'imaginer, avec des textes tout neufs, une Église plus pure, débarrassée des « œuvres » et de la magie des sacrements.

Un évêque de Meaux, Guillaume Briçonnet, touché par la grâce, attirait dans son diocèse Lefèvre d'Étaples et quelques-uns de ses amis, Guillaume Farel notamment. Soutenu par la sœur du roi, Marguerite d'Angoulême, l'évêque réalisait les réformes les plus hardies : il supprimait dans ses églises les statues et images des saints, réduisait le culte de la Vierge Marie à des proportions modestes, faisait dire les prières en français et envoyait ses prêtres prêcher l'Évangile dans les campagnes. Les résultats dépassèrent les espérances : on vit les fidèles de l'évêque manifester sur le parvis de la cathédrale de Meaux. Ils exigeaient la destruction immédiate et totale de toutes les « idoles ». Ils affichaient sur les portes de la cathédrale un « placard » où le pape, appelé « antéchrist », était mis en accusation.

Ainsi à Meaux, en 1524, un petit groupe de Français entrait publiquement en dissidence, son évêque en tête.

L'ARRIVÉE DE MARTIN LUTHER.

A cette date, la révolution luthérienne avait envahi l'Allemagne. Comme les « ardents » de Meaux, les paysans allemands brisaient les idoles au nom de la foi nouvelle. Seule compte la foi, disait Luther, les « œuvres » sont inutiles. Les bourgeois n'ont pas le paradis plus vite que les autres. Dès 1520, ces doctrines de Luther étaient connues à Paris et répandues sous le manteau.

Condamné cette année-là à Rome, Luther fut « déclaré hérétique, maudit et excommunié du pape Léon X et de l'Université de Paris ». Comme nous l'apprend le *Journal d'un Bourgeois de Paris*, il avait écrit « plusieurs livres qui furent imprimés et publiés par toutes les villes d'Allemagne et par tout le royaume de France ».

La *Lettre au pape* de Martin Luther date de 1518. C'est en 1518 que l'évêque Briçonnet s'était installé à Meaux. On peut penser que les idées luthériennes ont rapidement cheminé à travers toute la France, parce qu'elles tombaient sur un terrain favorable, ces nombreuses sociétés de pensée qui s'étaient constituées autour des éditeurs et imprimeurs et des membres éclairés du clergé.

Bientôt les prédicateurs français prolongeaient l'œuvre de Luther. Ils répandaient la doctrine évangélique dans de nombreuses régions : la Picardie, la Normandie, la région parisienne. Les grandes villes, Lyon, Bourges, avaient comme Paris et Meaux leurs cercles d'évangélistes. Partout les « images », les peintures et statues représentant la Vierge et les saints étaient déchirées et détruites. On pouvait voir à la façade de nombreuses églises de Brie des saints décapités ou des Vierges dont la tête avait été martelée. Les réformés chantaient partout des psaumes, et des cantiques qui leur servaient de signes de ralliement.

Ils devinrent vite très prudents, car la répression de l'Église ne se fit pas attendre. Quand on arrêtait des réformés, on leur coupait la langue, avant de les exécuter, pour qu'ils ne puissent pas chanter dans leurs supplices. Les imprimeries devaient tirer clandestinement les ouvrages séditieux. A Lyon notamment, on tirait les livres et libelles que les colporteurs répandaient partout. Cette littérature alerte, violente, était écrite en français, elle était à la portée de tous. Les petits pamphlets ou « libelles » avaient, comme les chansons, une sève souvent populaire qui leur permettait de gagner aussitôt un vaste public.

Une première persécution dispersa le groupe de Meaux dès 1525. Lefèvre et Farel avaient dû fuir à Strasbourg. L'évêque Briçonnet avait cessé toute action. Le groupe de Meaux était mal vu des bourgeois parisiens, qui y voyaient une agitation intellectuelle :

> « On disait qu'un nommé Fabry, note le *Journal d'un Bourgeois de Paris* pour l'année 1525 — et ce Fabry est sans doute Lefèvre —, prêtre étudiant, était cause avec d'autres de cette mauvaise situation, prétendant entre autres choses qu'il ne fallait avoir dans les églises aucune image, ni prendre de l'eau bénite pour effacer les péchés, ni prier pour les trépassés, puisque incontinent après le trépas ils vont en enfer ou en paradis et qu'il n'y aurait aucun purgatoire. »

Dans son aspect misérable ou scandaleux, le trafic des indulgences avait de quoi choquer ou indigner, même s'il avait les suffrages des petits bourgeois en quête de paradis. Aussi bien les évangélistes ne manquaient-ils pas de sympathies, même à la Cour. François Iᵉʳ leur manifestait beaucoup de bienveillance. Il avait choisi Lefèvre d'Étaples comme précepteur des enfants royaux. Les luthériens profitaient de ce climat pour déployer leur propagande, en dépit des rigueurs des gens d'Église, qui condamnaient les faiblesses du roi.

Le mouvement comptait des sympathisants chez certains évêques, ceux qui avaient lu Érasme. Les dames de la Cour et les bourgeois cultivés aimaient les idées de Luther. Mais bientôt le mouvement gagnait le véritable terrain de la révolte : celui des pauvres avec les curés de campagne, les étudiants et leurs maîtres, les moines mendiants et leur public populaire. Contre la Sorbonne orthodoxe, le Collège royal (ou collège de France) ne comptait que des hérétiques. Les plus sensibles aux idées nouvelles étaient les artisans des milieux urbains, les ouvriers d'imprimerie à Lyon par exemple. A Meaux les cardeurs de laine, à Rouen les artisans des textiles constituaient un public avide de changements dans l'Église et dans la foi.

En 1534, un scandale éclate : sur les murs de Paris, de Tours et de Blois sont affichés des « placards » où l'on dénonce « les insupportables abus de la messe papale ». Le roi trouve un de ces placards sur la porte de sa chambre. Cette fois, il est obligé de sévir : les bûchers s'allument dans toute la France.

L'ENTRÉE EN SCÈNE DE JEAN CALVIN.

Contre la persécution, un inconnu proteste. Il écrit un livre, publié en 1536 : l'*Institution de la Religion chrétienne*. Le livre est écrit en latin. L'auteur est un admirateur du groupe de Meaux. Il s'appelle Jean Calvin.

Pour la première fois, un réformateur de langue française prenait la parole. Érasme, les humanistes étaient des essayistes, des francs-tireurs. Calvin, dès le départ, était un chef d'Église. Il se mettait à l'abri de la persécution, en se réfugiant à Strasbourg, puis à Bâle. Si la première édition de l'*Institution* n'avait pas connu un grand succès de diffusion, la version française répandue en 1541 fut immédiatement reçue et commentée dans tous les cercles réformateurs. Les protestants français avaient désormais un chef et une doctrine : le catéchisme de Calvin, publié en 1537, et sa Bible, en 1550.

Depuis 1541, Calvin s'était installé à Genève, où il avait été reçu par Guillaume Farel. Son implantation n'avait guère été facile. La bourgeoisie genevoise n'avait pas grande sympathie pour son projet de « république de la vertu ». Jean Calvin et ses amis réussirent cependant à s'emparer du pouvoir.

La réforme de langue française avait sa capitale. Calvin entreprenait aussitôt de créer et de mettre en place des institutions : le *Consistoire* des pasteurs réformés surveillait bientôt les mœurs de la ville. Il exerçait une dictature religieuse totale. C'est lui qui fit brûler en place publique Michel Servet accusé d'hérésie, en 1553.

Genève devint la citadelle des protestants français. Les imprimeries s'installèrent partout. L'argent affluait de l'Europe entière. Les persécutés venaient y chercher refuge, et la population de la ville s'accroissait sans cesse. Une académie, dirigée par Théodore de Bèze, formait des missionnaires qui gagnaient clandestinement le royaume tout proche, pour entretenir la résistance.

De 1550 à 1560 les progrès de la réforme étaient foudroyants. A partir des villes, grandes et petites, les idées nouvelles gagnaient les campagnes, et toutes les classes de la société. Il y avait plus de deux mille cercles de Réformés en France. En 1559 se réunit le premier « synode des Églises réformées de France » à l'instigation de Jean Calvin. Ce synode était fondatif : il organisait une Église parallèle, avec ses cadres, sa doctrine, ses institutions et ses règles de fonctionnement. Désormais la religion réformée avait ses racines dans tout le royaume, et sa tête à l'étranger.

La monarchie française et les Réformés.

LA RÉPRESSION EN FRANCE.

Comme en Angleterre ou en Allemagne, la monarchie française aurait pu « passer à la Réforme ». Elle n'était cependant guère tentée de le faire, parce que le roi avait obtenu du pape, avec le concordat de 1516, des avantages qui rendaient toute lutte inutile.

Plusieurs fois déjà, la monarchie avait fait couler le sang réformé : en 1529 le Parlement de Paris avait condamné à mort et fait exécuter un gentilhomme picard nommé Louis Berquin, accusé de détenir des ouvrages séditieux. Les persécutions qui avaient suivi l'affaire des placards avaient fait de nombreuses victimes. La main du roi avait frappé fort.

On était allé jusqu'à pourchasser, en Provence, des populations réputées hérétiques, les Vaudois, à qui l'on prêtait des connivences avec les calvinistes. Ces malheureux vaudois avaient été massacrés sans merci, en 1545.

A la fin de son règne, François Ier, pourtant indulgent de nature, avait pris le parti de la répression. Henri II ne voulait pas avoir d'ennemis à l'intérieur. Son duel avec la maison d'Autriche ne pouvait pas tolérer les troubles religieux ni les divisions politiques. La Réforme risquait de devenir très vite une nouvelle révolte de la noblesse contre l'autorité royale. Pour des raisons politiques, Henri II, comme François Ier, serait pour l'intransigeance.

Le pape avait réagi plus vite et plus fort que les rois de France. En 1540, Paul III disposait déjà de la célèbre « Compagnie de Jésus », fondée par Ignace de Loyola. Il avait rétabli les tribunaux de l'Inquisition, qui avaient fait merveille, jadis, contre les Cathares. Il avait condamné, en bloc, toutes les œuvres des réformés, et ordonné leur *auto da fe*.

L'attitude du pape était nette, sans équivoque. Il gardait le dogme, avec les jésuites, ses soldats. En 1545 le concile de Trente s'était réuni pour la première fois. Pendant dix-huit ans, il allait travailler, lentement, mais sûrement, à la réforme en profondeur de l'Église.

Les aspects les plus spectaculaires de l'œuvre du concile étaient la réaffirmation de la stricte orthodoxie romaine, la soumission du concile au pape, enfin la priorité donnée à l'œuvre d'éducation et de moralisation du clergé. Désormais le pape et le pape seul avait le pouvoir de réfuter point par point l'hérésie. Il était le défenseur tout-puissant de la foi. Devant la menace évangéliste, l'Église avait organisé son unité, sa machine de guerre.

Cette attitude était la plus efficace dans la répression des « fausses doctrines ». Mais elle était de nature à choquer le clergé français, très attaché au gallicanisme. Certes les évêques n'étaient pas prêts à embrasser les hérétiques pour humilier la papauté, mais ils étaient décidés à opposer une certaine résistance aux initiatives du Saint-Siège, proprement hégémoniques.

Le roi se fit le complice de cette résistance. Il refusa de faire publier les décrets du concile et ne facilita en rien l'implantation des « séminaires » qui devaient former les nouveaux prêtres. Protecteur de l'Église de France, le roi entendait assumer seul la lutte contre l'hérésie, dans les limites de son royaume. En dépit des réticences royales, les jésuites réussirent à ouvrir partout leurs collèges, et leurs excellents professeurs allaient entreprendre la reprise en main de l'élite, combinant, dans leur enseignement, l'orthodoxie romaine et les humanités, l'ancien et le nouveau monde.

Si le roi voulait pouvoir se passer du pape, il fallait qu'il prouve qu'il était capable de réduire seul l'hérésie. L'Ordonnance de 1540 et l'Édit de 1545 avaient permis de créer la *Chambre Ardente*, qui avait fait une besogne rapide. La répression fit un bond en avant en 1557 quand un édit royal ordonna la condamnation à mort de tout sujet convaincu d'hérésie.

Et cependant le royaume ne montrait pas une grande cohésion dans la volonté répressive. Le roi lui-même s'alliait, contre l'empereur, aux protestants d'Allemagne. Comment pouvait-il trouver bon pour l'Allemagne ce qu'il condamnait en France ? Il y eut un inévitable flottement dans l'application des édits. Au niveau suprême, la volonté répressive ne s'affirmait pas constamment ni fermement.

Dans l'interprétation des textes par les parlementaires et autres officiers de la Couronne, l'incertitude était bien plus grande encore. Beaucoup de ces nobles ou bourgeois de robe avaient rallié le parti des réformateurs. D'autres lui vouaient une sympathie secrète.

Les progrès des Réformés se confirmaient chaque jour, en dépit de la persécution, et peut-être en raison des hésitations et des inégalités dans l'application des textes ; curieusement, les provinces périphériques étaient souvent entièrement gagnées par la Réforme, comme si la révolte religieuse venait renforcer et confirmer une ancestrale volonté d'indépendance par rapport au pouvoir parisien.

Si Bretagne et Provence restaient catholiques, la Normandie devenait en partie huguenote, comme le Dauphiné, la Saintonge, les rudes Cévennes et le Languedoc. La reine de Navarre, Jeanne d'Albret, était huguenote. Les catholiques gardaient des positions solides dans les régions centrales : Auvergne, Bourbonnais, Berry, dans le Bassin parisien, dans le Nord et dans l'Est.

Même en pays catholiques, la plupart des grandes villes étaient acquises à la Réforme : Orléans par exemple, ou Poitiers. Les villes du Midi songeaient à se constituer, comme Genève, en Républiques indépendantes : Montauban, Agen, Bordeaux.

LES PROGRÈS DES RÉFORMÉS.

L'Église protestante n'était pas, comme sa concurrente, centralisatrice. Elle n'avait pas de pape à combattre, pas d'appuis à attendre du roi. Elle était tout de suite majeure, indépendante. Après le Synode de 1559, elle se regroupait sur les bases d'un large fédéralisme : chaque communauté était libre dans son administration et dans ses décisions.

Les huguenots élargissaient rapidement leur recrutement. Ils comptaient de nombreux fidèles parmi les artisans des villes. Ceux-ci devenaient les missionnaires de la nouvelle foi. Ils étaient rejoints par les intellectuels, les artistes et les écrivains, dont certains d'un grand prestige : Jean Goujon et Bernard Palissy étaient célèbres, comme le chirurgien Ambroise Paré ou l'agronome Olivier de Serres. Le poète Agrippa d'Aubigné serait l'Homère de la Réforme.

La bourgeoisie d'entreprise se joint au mouvement, elle est parfois à l'origine de la diffusion des idées nouvelles. Comment résister à l'entraînement, alors que dans certaines régions tous les ouvriers et employés ont été gagnés et sont devenus eux-mêmes des propagandistes zélés ? Quant à la bourgeoisie de fonctions, à la magistrature, aux officiers royaux, ils sont bien souvent les meilleurs agents de recrutement d'une religion qui correspond si bien aux idées éclairées du siècle.

Le fait nouveau, après la signature du traité de Cateau-Cambrésis avec l'Espagne, en 1559, c'est le ralliement à la cause évangéliste d'une bonne partie de la noblesse : petite noblesse d'abord. Les hobereaux se nourrissaient de la guerre. Quand ils revinrent enfin sur leurs terres, ils trouvèrent des paysans exsangues et des rentes démonétisées. Leurs sujets avaient pris l'habitude de saisir, dans les conflits de justice, les tribunaux royaux. Même les revenus de la justice, dont ils disposaient depuis le haut Moyen Age, leur échappaient. Ils ne pouvaient faire du commerce, étant nobles. Ils étaient sans ressources et sans emplois. Les guerres de Religion les trouvaient disponibles. Ils sauraient y entraîner leurs gens.

Eux-mêmes étaient entraînés dans la lutte par quelques grands seigneurs ambitieux, qui voyaient dans la Réforme le moyen de dominer la monarchie, et d'en imposer à leurs rivaux. Les frères Coligny, les Bourbon étaient de puissants chefs de file. Antoine de Bourbon, le mari de Jeanne d'Albret, était roi de Navarre. Son frère Louis de Condé se disait « protecteur général des protestants de France ». Le plus désintéressé des chefs était l'amiral Gaspard de Coligny, dont le frère François d'Andelot avait été arrêté comme huguenot par Henri II.

LA GUERRE DES PRINCES.

Tous les efforts déployés par les rois de France depuis Louis XI pour mettre un terme aux ambitions des nobles se trouvaient ruinés par l'affrontement des catholiques et des protestants. A la manière allemande, la religion du prince tendait, dans certaines régions, à devenir celle de la province. Le mouvement de foi populaire, l'élan passionné des intellectuels étaient utilisés, récupérés, par les chefs des factions qui reprenaient les vieux conflits des princes apanagés, désireux de recueillir l'héritage d'un pouvoir royal tombé, à la mort d'Henri II, en vacance.

De fait, en 1559, l'héritier du trône avait quinze ans. Le jeune François II, marié à Marie Stuart, était entièrement sous l'influence des Guise, qui étaient parents de la reine. Le duc de Guise François était lieutenant général du royaume. Son frère, le cardinal de Lorraine, était l'un des plus puissants seigneurs de la Cour. Les Guise détestaient les Coligny, qui avaient bénéficié des faveurs des précédents rois. Maîtres du pouvoir, ils en avaient chassé le vieux connétable de Montmorency, oncle des frères de Coligny. Le connétable ne faisait plus partie du Conseil royal. Les Guise avaient licencié l'armée, qu'ils jugeaient peu sûre et favorable aux huguenots. Ils avaient obtenu du jeune roi qu'il condamne au bûcher un des parlementaires les plus en vue, Anne du Bourg. La persécution continuait.

Le sang répond au sang. Les protestants, évincés du pouvoir, n'avaient plus les moyens légaux de protéger leurs coreligionnaires. Le prince de Condé prit alors le parti d'organiser une conspiration. Un homme de main, La Renaudie, fut chargé de lever une troupe pour enlever les Guise. Avertis, ceux-ci réagirent avec rapidité. Les conspirateurs furent arrêtés, torturés et pendus sur-le-champ. Condé ne fut pas touché. Il protestait de son innocence. Mais il fut exilé de la Cour. Le terrain restait aux Guise.

Cette trop belle victoire inquiétait la reine mère, dont la politique était de tenir la balance égale entre catholiques et protestants. Elle obtint des Guise un accord pour faire cesser la persécution. Michel de l'Hospital, qui lui était dévoué, fut nommé chancelier. Craignant la guerre civile dans toute la France, elle promulgua l'*édit de Romorantin* qui atténuait les poursuites et les peines. Il était temps : dans les provinces, les affrontements devenaient fréquents. En Provence, en Dauphiné, catholiques et huguenots s'entretuaient. On avait dû arrêter et faire condamner le duc de Condé, rendu responsable des troubles par les catholiques. Catherine le gracia *in extremis*, contre sa promesse de renoncer à la régence. Pour établir la paix dans le royaume, la reine annonçait la réunion des États généraux.

Elle ne put éviter la guerre. Pourtant, fidèle à sa politique de balance, elle s'était appuyée sur les Coligny, pour combattre l'influence excessive des Guise, partisans de la terreur religieuse.

Michel de l'Hospital, en son nom, prêchait la réconciliation. Mais les Guise voulaient aller jusqu'au bout. Les progrès du calvinisme étaient foudroyants, surtout dans les villes. Ils formèrent un « triumvirat » avec le maréchal de Saint-André pour organiser la résistance et refuser toute concession.

Dans ces conditions, les États généraux réunis en 1560 ne pouvaient apaiser les esprits, malgré la mort du roi François II, qui créait une situation nouvelle. En vain Michel de l'Hospital avait prêché la concorde :

> « Le couteau vaut peu contre l'esprit, disait-il, il faut assaillir les protestants avec les armes de la charité, prières, persuasions, paroles de Dieu. »

Les États demandaient que l'on saisisse les biens du clergé, et que l'on fasse preuve de tolérance. Ils ne furent pas entendus.

LES CATHOLIQUES S'ORGANISENT.

Leurs propos avaient inquiété le parti catholique, et persuadé la reine qu'il fallait plus que jamais poursuivre une politique d'apaisement. Isolé aux États généraux, le clergé avait accepté le *contrat de Poissy* (1561) et le vote d'impôts nouveaux. Il avait promis de rencontrer les calvinistes pour rechercher un accord. Douze ministres protestants, dont Théodore de Bèze, se rendirent effectivement au colloque, pour y exposer leur doctrine. Ni d'un côté ni de l'autre on ne fit les efforts nécessaires au rapprochement.

Catherine et Michel de l'Hospital en conclurent qu'il était du devoir du pouvoir royal d'institutionnaliser la tolérance : l'édit de janvier 1562 donnait pour la première fois aux protestants la liberté de culte en dehors des villes. On autorisait les consistoires et les synodes. Dans les villes, les protestants étaient libres de se réunir en privé.

Ces mesures d'apaisement ne correspondaient plus à la situation politique : les catholiques s'étaient organisés. La Contre-Réforme avait, elle aussi, fait des progrès considérables dans les esprits, du haut en bas de la société, dans toutes les régions où le calvinisme n'était pas majoritaire. Ressaisis, les curés et les moines fanatisaient les populations, qui faisaient spontanément la chasse aux huguenots. Après l'édit de janvier, ils s'opposèrent par la force aux cultes protestants. A Vassy, le duc de Guise, qui revenait de Lorraine, fit charger les huguenots rassemblés pour le culte. Il y eut soixante-quatorze tués. Des massacres semblables ensanglantèrent les provinces : on tua à Tours, en Anjou, à Sens. A Paris les « triumvirs » s'emparaient de la famille royale.

Catherine aussitôt virait de bord, passait des accords avec le pape, le duc de Savoie, le roi d'Espagne. Elle enrôlait des mercenaires pour l'armée des ultras.

C'est que les protestants avaient pris les armes. Le prince de Condé occupait Orléans. Beaucoup de grandes villes étaient entre les mains de chefs réformés. Condé signait un traité d'alliance avec Elisabeth d'Angleterre (Hampton Court, 1562), abandonnait Le Havre aux Anglais. La guerre était livrée aux princes, et la France, de nouveau, à l'étranger.

TRENTE-SIX ANS DE GUERRE CIVILE.

De 1562 à 1598, la guerre civile et étrangère s'installait partout sur le territoire. Les guerres de Religion devaient être beaucoup plus meurtrières que la guerre de Cent ans, limitée à quelques provinces. Elles allaient toucher chaque village.

Les chefs catholiques et protestants levaient partout des armées pour s'affronter : ils devaient connaître, les uns et les autres, une série de revers et de catastrophes. Antoine de Bourbon mourait au siège de Rouen, le duc de Guise était assassiné pendant le siège d'Orléans. Le maréchal de Saint-André était tué au combat. Montmorency et Condé étaient faits tous les deux prisonniers. La première guerre de Religion se terminait par une transaction : les catholiques acceptaient la paix et l'édit d'Amboise, rédigé par Catherine : la liberté de culte aux protestants était confirmée, mais restreinte (une seule ville par bailliage, et le culte n'était autorisé que dans les faubourgs), Condé libéré sur ordre de la reine participait à la reprise du Havre aux Anglais, avec Coligny. En 1563 Catherine abandonnait la régence, et le roi Charles IX était déclaré majeur.

Le retrait de la reine mère n'avait pas calmé les passions. Les catholiques n'acceptaient pas l'édit d'Amboise, pourtant restrictif et mal vu des protestants. Les persécutions continuaient et les princes protestants reprenaient les armes, derrière Condé. L'édit d'Amboise n'avait pas ramené la paix.

La reine mère avait en pure perte entrepris un long voyage autour de la France pour faire connaître aux provinces le jeune Charles IX. Les huguenots projetaient bientôt de s'emparer de la famille royale. Elle s'enfuit à Meaux, sous la protection des mercenaires suisses, réussit à rentrer dans Paris, bientôt assiégé par les protestants. Ceux-ci recevaient les secours d'une armée venue d'Allemagne, commandée par Jean Casimir. Les catholiques et la Cour durent s'incliner : le traité de Longjumeau en 1568 reconduisait l'édit d'Amboise. Les protestants avaient reconquis leur liberté partielle.

Catherine cependant ne pardonnait pas aux princes réformés leur tentative d'enlèvement. Elle reprenait les affaires en main, disgraciait Michel de l'Hospital, et prêtait une oreille complaisante aux catholiques qui réclamaient vengeance. Son fils préféré, le duc d'Anjou, était placé à la tête du parti catholique. Ainsi l'avait voulu le cardinal de Lorraine. De nouveau les Guise avaient leur entrée à la Cour.

En province s'organisaient spontanément des « ligues », qui permettaient de mobiliser à tout moment le parti catholique. Les protestants agissaient de la même manière. De la sorte, les affrontements violents recommençaient dans les villes et dans toutes les provinces.

En 1568, sous la pression des chefs ultras, Charles IX décida d'interdire aux huguenots l'exercice du culte sous quelque forme que ce soit. Tous les officiers et parlementaires étaient contraints de prêter serment de fidélité à l'Église catholique. Les pasteurs protestants avaient quinze jours pour quitter le royaume. Le temps de la tolérance était révolu.

Les chefs protestants comprirent le danger. Ils choisirent un port comme refuge, La Rochelle, pour se placer à l'abri d'un coup de main. Condé, Coligny, tous les chefs du mouvement rallièrent à La Rochelle les huguenots du Midi. Une armée importante était ainsi réunie, qui était en communication par mer avec l'Angleterre.

Les catholiques attaquèrent et furent vainqueurs à Jarnac et Moncontour (1569). Le duc d'Anjou n'accordait pas de quartiers. Condé avait été tué à l'une des batailles. Coligny avait réussi à s'échapper. Il avait gagné le Midi pour lever une autre armée. Les défaites n'affaiblissaient pas le parti huguenot. Il trouvait dans la population des ressources qui semblaient inépuisables.

Les Guise, à Paris, dominaient la situation. Ils avaient obtenu l'appui de la Cour pour faire la guerre d'extermination. Catherine, la reine mère, prit peur. Les Guise n'allaient-ils pas ruiner le royaume, engager le roi dans une politique qui n'était pas d'intérêt national ? De nouveau, elle se rapprocha des protestants. Elle échoua dans son projet de marier le duc d'Anjou à la reine d'Angleterre Elizabeth. Mais elle réussit à signer avec les protestants, en 1570, la paix de Saint-Germain : ils retrouvaient, comme à Amboise, une liberté de culte limitée, avec, en plus, la disposition de quatre « places de sûreté » : Montauban, La Rochelle, Cognac et La Charité-sur-Loire. Le royaume était à l'encan.

LA SAINT-BARTHÉLEMY.

Les combinaisons de mariages de la reine mère, sans doute inspirées par les astrologues italiens, la poussaient de plus en plus à se rapprocher des protestants. Elle voulait marier Anjou à Londres ; elle briguait la main du jeune Henri de Navarre pour sa fille Marguerite. Pour favoriser des alliances profitables, elle ouvrait de nouveau aux protestants les portes du Conseil royal. Coligny ne tarda pas à montrer au jeune roi que l'intérêt de la couronne était d'abattre la puissance espagnole en Europe. Il fallait soutenir les insurgés flamands, rechercher l'alliance de l'Angleterre et des princes protestants d'Allemagne.

La reine s'était rapprochée des protestants pour faire la paix et non pas pour ajouter à la guerre civile une guerre étrangère. Elle voyait avec crainte Coligny lever une armée pour soutenir les insurgés flamands à Mons. Ni les Anglais ni les Allemands n'avaient envoyé de soldats. La redoutable infanterie espagnole avait mis en déroute l'armée de Coligny. Vainqueurs des Turcs à Lépante, les Espagnols étaient plus que jamais les maîtres de l'Europe.

Il fallait se débarrasser de Coligny. Chef incontesté du parti protestant, la reine l'avait introduit dans la place. Elle devait travailler à l'en exclure, à la manière italienne, par un complot : l'amiral de Coligny fut blessé d'un coup d'arquebuse le 22 août 1572. Le tireur avait été maladroit.

Toute la noblesse protestante était alors au Louvre, où l'on célébrait le mariage d'Henri de Navarre et de Marguerite de Valois. Charles IX, qui n'était pas dans la confidence, partageait la stupeur générale. Il parlait de châtier sévèrement les auteurs de l'attentat. La reine était perdue.

Elle réagit rapidement, intimida le roi, lui fit une effroyable scène où elle avouait tout. C'est elle qui avait organisé le complot, avec le duc d'Anjou. Si le roi ne prenait pas immédiatement la décision d'exterminer les princes protestants réunis au Louvre, la maison royale était perdue.

Le faible Charles IX céda. Il donna l'ordre de tuer. Dans la nuit du 23 au 24 août, la sinistre nuit de la Saint-Barthélemy, trois mille huguenots furent égorgés, et leurs corps jetés dans la Seine. Le roi donna carte blanche aux Ligueurs de province : il y eut des morts à Meaux, Orléans, Rouen, Lyon, Toulouse et Bordeaux. A Rome, le pape faisait allumer des feux de joie.

Tous les chefs huguenots avaient été assassinés. Seuls échappaient au massacre Henri de Navarre et le jeune prince de Condé, qui avaient abjuré. A Paris comme dans les villes de province, bourgeois et nobles abjuraient en foule. Le parti protestant n'était pas seulement décapité, il était menacé d'extinction. La terreur catholique avait frappé juste. Le crime avait payé.

La France déchirée.

LE ROYAUME ÉCLATÉ.

La défection de la majorité des élites avait beaucoup découragé les masses protestantes du Midi. Puisque les nobles et les bourgeois du Nord trahissaient, les villes du Languedoc allaient faire sécession, se séparer une fois de plus du royaume. L'occasion d'en finir avec le despotisme centralisateur se présentait de nouveau. Elle fut aussitôt saisie.

Des « assemblées politiques » se constituèrent dans les villes du Languedoc, notamment à Nîmes et à Millau. Les grandes villes de l'Ouest et du Sud-Ouest suivirent le mouvement. Une fédération protestante était en train de se constituer spontanément, qui mettait en question l'unité du royaume. Curieusement les catholiques des villes occupées par les protestants rejoignaient les « assemblées politiques », comme si l'ennemi commun eût été le pouvoir royal et lui seul.

Ce mouvement fut rapidement récupéré par les princes. Jaloux de son frère, le duc d'Anjou, le duc d'Alençon prenait la tête d'une coalition bientôt appelée « parti des malcontents », qui n'avait pour dénominateur commun que la volonté de chasser du pouvoir les Guise et leur camarilla catholique. Le « parti des malcontents » n'était pas confessionnel. Il réconciliait catholiques et protestants dans une commune opposition aux ultras qui tenaient le pouvoir par la terreur. Le parti souleva La Rochelle, qui avait conclu une alliance avec les villes sécessionnistes du Midi. Le duc d'Anjou mit le siège devant la ville, qui résista pendant de longs mois. Élu roi de Pologne grâce aux intrigues savantes de la reine mère, il finit par abandonner : la paix conclue en 1573 donnait la liberté de culte à La Rochelle, Nîmes et Montauban.

Le Midi restait sous les armes. Quand Charles IX mourut, en mai 1574, le « parti des malcontents » organisa de nouveau la révolte : La Rochelle en prit la tête. Le Languedoc, sous la direction de son ancien gouverneur le comte de Damville, fit officiellement sécession. Un capitaine huguenot du nom de Montgomery soulevait la Normandie.

La France attendait un roi. Elle reçut le duc d'Anjou, qui abandonnait la Pologne pour se faire sacrer à Reims, sous le nom d'Henri III. Il préparait aussitôt la guerre.

D'Allemagne arrivaient à marche forcée les armées de Condé et de Jean Casimir. Henri de Navarre revenait à la religion réformée. Le duc d'Alençon commandait les insurgés. La prise d'armes mobilisait tout le parti huguenot. Il s'agissait de venger la Saint-Barthélemy.

Henri III abandonna aussitôt. Les opposants étaient trop forts, trop nombreux. Il voulait reprendre en main son royaume éclaté. En mai 1576 il consentait à réhabiliter les victimes de la Saint-Barthélemy (édit de Beaulieu), il autorisait le culte réformé dans toutes les villes de France, sauf Paris et les résidences royales. Les protestants avaient désormais huit places de sûreté dans le royaume. La justice dans les villes était mixte : des chambres spéciales étaient créées dans chaque Parlement pour assurer l'impartialité des débats. Dans son État monarchique, Henri III venait de faire sa place à l'État huguenot.

LE RETOUR EN FORCE DES PRINCES CATHOLIQUES.

Le parti catholique humilié poussait fort le roi dans la voie de la revanche. Une nouvelle « ligue » se constitua à Péronne, dont

Henri III prit la tête. Elle demanda au roi la convocation des États généraux.

Les protestants boycottèrent les élections à ces États, craignant d'être en minorité. Les seuls représentants réunis à Blois en 1576 étaient donc ceux des catholiques. Devant ces États, le roi promit de rétablir l'unité religieuse de la monarchie. En même temps les gouverneurs des provinces recevaient des instructions pour armer les catholiques en bandes.

L'argent manquait pour lancer une grande campagne. Les États n'avaient pas donné au roi les moyens financiers de sa politique. Villes et campagnes étaient ruinées. Ceux que n'enflammait pas la passion religieuse ou partisane étaient las de la guerre. Les bourgeois haïssaient les massacreurs, de quelque religion qu'ils fussent. Le roi dut se résoudre à conclure une sorte de trêve : la paix de Bergerac, en 1577. La liberté de culte était garantie dans une ville par bailliage et dans les places fortes des protestants. Ces places n'étaient livrées à leur disposition que pour six ans. Les tribunaux mixtes subsistaient, et la ligue catholique était dissoute.

Les protestants bravèrent allégrement la paix de Bergerac, dans toutes les provinces où l'autorité du roi était faible : le Languedoc par exemple. Henri de Navarre, gouverneur de Guyenne, faisait la guerre à son lieutenant, le maréchal de Biron, qui voulait faire appliquer la paix du roi. Les protestants dominaient le Midi, mais aussi l'Ouest et le Dauphiné. En Picardie, Condé s'emparait par la force du gouvernement de la province, en 1579. De nouveau les deux partis s'affrontaient, sans qu'aucun d'entre eux ne force la décision.

Le roi vivait dans un monde irréel, inconscient de son impuissance. Il se félicitait d'avoir arrêté les progrès des Réformés, d'avoir sauvé l'unité de façade de son royaume. Il menait grand train à la Cour, imposait une étiquette élaborée, des costumes fastueux, des fêtes continuelles. Et pourtant il encourageait les pratiques religieuses, les processions spectaculaires. Entouré d'une étrange coterie de courtisans, il était insensible aux dangers qui menaçaient le trône.

Le roi n'avait pas d'héritier, et ne pouvait en avoir. Le duc d'Alençon, devenu duc d'Anjou, convoitait la succession, mais mourait avant le roi, en 1584 : Henri III disparu, le trône serait vacant. Il n'y avait plus de Valois dans la succession et Henri de Bourbon, roi de Navarre, était héritier présomptif. La couronne allait-elle revenir à un huguenot ?

Henri de Navarre avait refusé d'abjurer, comme Henri III le lui demandait. L'incertitude sur l'avenir de la monarchie allait, dès lors, déchaîner de nouveau les passions. Les princes catholiques soutenaient la candidature du cardinal Charles de Bourbon. Les Guise formaient un parti, s'entendaient avec le roi d'Espagne. De Péronne, les ligueurs, de nouveau réunis, lançaient une « déclaration » annonçant une fois de plus leur intention de rétablir par les armes l'unité de religion dans le royaume (1585). Ils levaient aussitôt des troupes.

Cette fois le roi s'était abstenu de paraître. Il désapprouvait la ligue. Contre lui, les princes catholiques soulevèrent les provinces du Nord et du Centre. Toute la France était en rébellion : le cœur catholique, aux mains des ultras, s'apprêtait à frapper la périphérie, aux mains des protestants. Le roi, totalement débordé, donnait satisfaction à ses ennemis les plus proches, les catholiques : le traité de Nemours révoquait les précédents édits de pacification et imposait aux huguenots l'exil ou la conversion. Les ultras avaient demandé et obtenu la déchéance d'Henri de Bourbon. Une bulle du pape lui enlevait son royaume de Navarre.

LA LONGUE MARCHE D'HENRI DE NAVARRE.

Une guerre furieuse se préparait : la huitième depuis le début des troubles. La propagande des Guise faisait rage jusque dans les seigneuries rurales. Ils répandaient à pleines mains l'argent du roi d'Espagne pour lever des soldats et acheter des armes. La « sainte union des catholiques » dominait à Paris, à Lyon, à Bordeaux, à Marseille, à Dijon et à Rouen. A Marseille le maire Cazeaux imposait par la terreur le respect de la foi catholique et romaine.

En face du duc de Guise, Henri de Navarre était le plus puissant des dissidents huguenots. Il levait aussi des troupes, réunissait à Montauban, à l'Assemblée de la ville, les chefs français et étrangers de la Réforme, pour arrêter une politique commune. Les Allemands, les Anglais étaient venus. On y remarquait même des Espagnols en exil. L'Angleterre fournissait l'argent, et les princes allemands les soldats. Toute l'Europe entrait dans la danse.

Henri III avait aussi levé une armée. Il s'était aussitôt fait battre par Henri de Navarre à Coutras en 1587. Les protestants furent ensuite vaincus en plusieurs combats, non par le roi de France, mais par les Guise. Ceux-ci rossèrent les Allemands de Navarre à Vimory et Auneau. Ils semblaient dominer la situation.

Le roi refusait de retomber en leur pouvoir. Il voulut négocier avec Navarre. Paris apprit sa démarche. Les Parisiens, travaillés par la propagande de la ligue, se révoltèrent. En mai 1588 le roi dut quitter son palais, abandonner la capitale aux ligueurs. Ils répandèrent le bruit que le roi voulait y faire entrer Navarre.

Ainsi les Guise, vainqueurs aux frontières, s'étaient rendus maîtres de Paris. Comment le roi aurait-il pu leur résister ? Il dut accepter de convoquer, à leur demande, les États généraux, qui, bien entendu, approuvèrent tout ce que les Guise proposèrent. Le résultat de cette manœuvre fut l'édit d'Union, signé par le roi à Rouen, qui donnait toutes satisfactions au parti catholique.

Le roi avait signé à contrecœur un édit qui allait contribuer à rendre courage aux protestants humiliés. Il avait eu la main forcée. Il n'était plus le roi. Pour reprendre en main le pouvoir, il eut recours aux méthodes florentines de la reine mère : le 23 décembre 1588, ses gardes assassinèrent le duc de Guise. Tous les chefs catholiques furent emprisonnés. On égorgea le cardinal de Lorraine dans son cachot. Son cadavre et celui d'Henri de Guise furent brûlés.

Le roi venait d'ordonner une Saint-Barthélemy des catholiques. Sa mère mourait en 1589. Il était seul en face de ses responsabilités. Il espérait recouvrer son autorité, grâce à son coup de force, dans les provinces qui n'étaient pas gagnées à la Réforme.

C'était sous-estimer le soutien populaire des ligueurs. Les villes catholiques flambèrent dans un grand sursaut révolutionnaire. Le roi fut brûlé à Paris en effigie. Les statues royales furent brisées. L'Université rejoignait le camp des révoltés. Des conseils d'ultras dominaient les quartiers de Paris et faisaient régner la terreur. Tous les partisans du roi furent jetés en prison. Un « conseil général de l'Union » prit le pouvoir, envoyant des représentants en province. Le duc de Mayenne, un des chefs ultras, fut nommé lieutenant général du royaume.

Le roi n'avait plus ni troupes ni partisans. Il ne pouvait guère compter que sur la région de la Loire et sur le Bordelais. Il n'avait plus d'argent, et ne pouvait plus lever d'armée. En 1589 il prit le parti de se rendre au-devant d'Henri de Navarre pour lui proposer une réconciliation.

Navarre accepta le principe, mais refusa d'abjurer. Les deux Henri vinrent mettre le siège devant Paris. Un moine fanatique réussit à assassiner Henri III. Cette fois le désordre était à son comble.

L'état du royaume était pitoyable : la monnaie n'était plus respectée sur les places commerciales. Les étrangers avaient fui. Les campagnes étaient dévastées, les routes infestées de brigands. Les populations urbaines étaient cruellement démunies de vivres et de ressources. A Paris le peuple avait montré qu'il était prêt à se révolter contre n'importe quelle décision royale : levée d'impôts ou de soldats par exemple. L'exemple de Paris gagnait la province : il n'y avait plus d'autorité. Le roi était mort, le trône vacant.

Devant les murs de Paris, toujours aux mains des ligueurs, Henri de Navarre méditait : certes le trône était à prendre, mais le pouvoir royal n'existait plus. Les deux partis qui déchiraient la France, le sien et celui des Guise, avaient fait amplement la preuve, en trente-six ans de guerres, qu'ils étaient incapables d'exercer seuls le pouvoir. Il fallait à la France exsangue un puissant remède politique. Le roi partisan devait, pour régner, devenir le grand réconciliateur. « Paris vaut bien une messe » et Henri de Navarre n'en est pas à une abjuration près. C'est en roi catholique qu'il fera son entrée dans la capitale, à la tête de ses fidèles huguenots. Il le fait savoir aux Parisiens.

CHAPITRE 8

La reconstitution du royaume

De 1589 à 1661, un roi et deux cardinaux devaient travailler avec acharnement à la réconciliation des Français, puis à la restauration de l'État. Il appartenait au Béarnais de rétablir la paix avec une extraordinaire intelligence politique, digne de Louis XI, et de faire profiter la monarchie d'un sang neuf, celui des Bourbon. Il appartiendrait aux cardinaux Richelieu, puis Mazarin, de rétablir l'autorité du roi dans son royaume, et le principe de l'absolutisme. Après les fureurs de la guerre civile, la marche vers l'organisation d'un État fort, centralisé, efficace, serait inexorable. Les villes libres du Midi et les provinces périphériques troublées allaient rentrer dans le rang.

Henri IV, le réconciliateur.

UN ROYAUME A PRENDRE.

Pour la reconquête du royaume, la personnalité d'Henri de Navarre était l'élément politique le plus important. Il ne suffisait pas, en effet, d'être vainqueur à la guerre. Il fallait pacifier, conquérir les cœurs.

Le rude Béarnais était capable de l'un et de l'autre. Pour la guerre, il avait fait ses preuves : depuis des mois il partageait la vie de dangers — et de plaisirs — des gentilshommes et hommes de main gascons de sa bande turbulente. Il n'hésitait jamais à monter à cheval pour se lancer au cœur d'une chaude affaire. C'était un roi viril, empanaché, botté, cuirassé, un roi galant homme, ou gentilhomme, à la manière de François Ier.

Mais Henri le Navarrais avait gardé la rudesse de ses montagnes. Au raffinement légèrement efféminé des derniers Valois, il opposait le côté bourru, agressif et « grand cœur » des paysans des Pyrénées. Sa correspondance permet de reconstituer les traits du personnage, à la fois ferme et subtil.

Marié depuis 1572 à la tumultueuse « reine Margot » (Marguerite de Valois) qui entretenait en 1584 sur les terres de son mari des bandes armées contre son autorité, Henri de Navarre préférait aux grâces inquiétantes des dames de la Cour les aventures faciles des campagnes militaires. Il était entouré de compagnons fanatiques qui le suivaient à cheval où qu'il leur demandât d'aller.

Respecté, adoré de ses partisans, le roi « au panache blanc » était un conciliateur, un réconciliateur en puissance. Il avait abjuré par deux fois déjà, quand il se présentait sous les murs de Paris. Les scrupules religieux n'étaient pas son fait : tête politique, non métaphysique. Éduqué par Jeanne d'Albret dans la foi protestante, il tenait aux réalités plus qu'aux principes, au pouvoir plus qu'aux doctrines. Homme d'action, non de passions, homme de bon sens surtout, il était prêt déjà, au soir du 2 août 1589, quand les plus grands seigneurs avaient juré à Henri III mourant de reconnaître Henri de Navarre — il était prêt à aller à la messe pour prendre d'un coup Paris et le pouvoir.

Dès le 4 août, il signa, malgré les protestations de ses chers huguenots, une déclaration par laquelle il s'engageait à respecter les formes catholiques de l'État, à ne pas inquiéter les catholiques dans leurs fonctions. C'était assez pour rassurer une partie des catholiques de l'armée réunie par Henri III, mais certainement pas pour apaiser les ultras du duc de Mayenne, qui venaient de proclamer roi le vieux cardinal de Bourbon sous le nom de Charles X.

Henri IV dut aller bien au-delà : il promit de réunir un concile. En 1593 il accepta de se faire « instruire » dans la religion catholique. L'archevêque de Bourges reçut son abjuration solennelle en la basilique Saint-Denis, le 25 juillet 1593.

Les ligueurs voyaient dans cette abjuration beaucoup de cynisme, et ne croyaient certes pas en la sincérité du roi. Ils s'opposaient à ce que celui-ci fût sacré à Reims, où ils détenaient le pouvoir. Henri s'en fut à Chartres recevoir l'onction et la couronne. Paris finit par lui ouvrir ses portes sans combat, tant les Parisiens détestaient les ligueurs qui avaient appelé à l'aide les Espagnols de Philippe II.

Henri fit à Paris une entrée triomphale le 22 mars 1594. Il avait très vite compris qu'il fallait chercher dans la capitale la décision politique : qui tient Paris tient la France. Se retirer dans le fidèle Midi eût été une faute. Il devait l'emporter au Nord.

Les ultras n'étaient pas en mesure de l'intimider. Son abjuration ne lui avait pas été imposée. Il avait battu les ligueurs en Picardie, en Normandie et en Champagne. A Ivry, en 1590, le duc de Mayenne avait subi un grave échec. Dans les provinces, un mouvement se dessinait, même chez les catholiques, en faveur du Navarrais. Issoire, par exemple, et bientôt toute l'Auvergne reconnaissaient l'autorité d'Henri.

Il est vrai que, dans le même temps, une armée d'Espagnols commandée par le duc de Joyeuse envahissait le Languedoc, que le duc de Savoie faisait main basse sur la Provence et le Dauphiné, que le duc de Lorraine s'emparait des Ardennes et d'une partie de la Champagne, que le duc de Mercœur enfin se taillait un fief indépendant en Bretagne, soulevant dans le pays une sorte de chouannerie.

En 1592 Henri IV devait faire face aux Espagnols, au duc de Savoie, au pape lui-même qui avait envoyé une armée contre lui. Sans doute pouvait-il compter sur le secours des Anglais, des Allemands et des Hollandais. Mais la recherche d'une décision militaire aboutissait à une prolongation « sine die » sur le sol français non seulement de la guerre civile, mais de la guerre étrangère.

L'abjuration de 1593 manifestait le désir du roi de rechercher une solution politique et non pas seulement militaire — et de régler les problèmes français entre Français. Le pays était las de voir les armées étrangères camper sur son sol. Les catholiques une fois ralliés, Henri comptait s'occuper lui-même des étrangers.

Ce ralliement ne faisait aucun doute : l'abjuration avait divisé les ligueurs. Les plus modérés comme Vitry, le conseiller du duc de Mayenne, ou Le Bois-Rosé, qui tenait Fécamp, s'étaient ralliés tout de suite. Si les intransigeants attendaient toujours les secours du roi d'Espagne, de nombreuses villes ligueuses s'étaient rendues : Lyon, Aix et toute la Provence. Les ralliements étaient du reste facilités par la politique du roi, qui distribuait aux grands seigneurs catholiques pensions et commandements, et aux villes les franchises et les garanties. Au total le roi devait se borner à chasser du royaume ou de la capitale une centaine d'irréductibles et à expulser les jésuites, qui complotaient contre lui. Il montra tant de modération et de générosité dans le traitement de ses adversaires que le pape lui-même se décida à absoudre le Navarrais de son passé huguenot, en septembre 1595. Il était alors clair aux yeux de tous que la reconquête du royaume était définitive. A cette date tous les grands seigneurs catholiques reconnaissaient l'autorité du roi.

Il fallut encore trois ans pour chasser les étrangers de France. A Fontaine-Française, une victoire de l'armée royale sur la robuste infanterie de Philippe II permit de reconquérir d'un coup la Bourgogne. Le pape facilita la paix, qui fut conclue à Vervins en 1598. L'Espagne avait échoué sur mer dans sa guerre contre l'Angleterre. Elle n'était pas parvenue à dominer les Pays-Bas. Elle venait de perdre la guerre française. Elle abandonnait d'un coup sa position d'hégémonie en Europe. La fin des guerres de Religion situait de nouveau la France en position de grande puissance européenne. L'autorité du roi en sortait grandie. Il avait libéré seul son royaume, sans le secours des armées étrangères.

UN ROYAUME A REFAIRE.

Dans le royaume reconquis, il fallait restaurer l'État. Henri IV devait s'y employer efficacement.

Les huguenots, ses compagnons, avaient très mal accueilli sa plus récente abjuration. Ils avaient constitué un parti, divisé le royaume en neuf grandes régions, renforcé leur organisation fédéraliste et égalitaire, dans le cadre des « assemblées ». Ils n'entendaient pas être les victimes du « ralliement ». Bouillon et La Trémoille, les chefs protestants, demandaient l'égalité avec les catholiques dans tous les emplois dépendant de l'État. Henri IV allait-il céder, et rétablir les deux France ? Pouvait-il refuser toute concession à ses propres amis ?

Il céda et ce fut, le 13 avril 1598, l'édit de Nantes, déclaré « perpétuel ». La liberté de conscience devenait un droit des sujets du roi. La liberté de culte recevait une extension sensible. L'égalité civile était affirmée. Des chambres mixtes étaient instaurées dans quatre grands Parlements de province. Pour huit ans, les protestants recevaient cent places fortes avec garnisons et gouverneurs de leur parti. Ils avaient le droit d'entretenir une armée permanente de 25 000 hommes.

Aussitôt l'Église catholique et les Parlements protestaient : le Parlement de Paris refusait d'enregistrer l'édit.

> « Je veux être roi maintenant et parle en roi, dit Henri IV aux parlementaires rassemblés. Je veux être obéi. A la vérité, les gens de justice sont mon bras droit ; mais si la gangrène se met au bras droit, il faut que le gauche le coupe. »

La menace fut entendue, et l'édit enregistré. L'opposition catholique restait sans effet.

Le roi lui donna bientôt des sujets de satisfaction : en 1603 les jésuites étaient autorisés à rentrer dans le royaume. Henri IV faisait montre de générosité à l'égard des œuvres, et assistait fort régulièrement aux offices religieux. Il poussait l'esprit de conciliation jusqu'à choisir un père jésuite comme confesseur, le célèbre père Coton. A Paris le collège de Clermont rouvrait ses portes.

Le roi cependant renforçait par tous les moyens son autorité. Il décidait de ne plus réunir les États généraux, de sinistre mémoire, qui avaient humilié les précédents règnes. Il nommait à la tête du Parlement de Paris, qui avait multiplié les tentatives de contrôle du pouvoir royal pendant les troubles, le fidèle président de Harlay. Il n'hésitait pas à brusquer les parlementaires pour leur imposer l'enregistrement des édits qu'ils désapprouvaient.

En province, il fut pareillement intransigeant avec les parlementaires. Il exigea une soumission totale des États provinciaux qui se réunirent de nouveau en Bretagne, en Normandie, en Dauphiné et en Languedoc. Il ne leur accordait pas le droit de discuter l'impôt, mais seulement de le répartir. A Bordeaux où grondait la révolte, il tint un langage un peu vif :

> « Je suis votre roi légitime, votre chef, dit-il au président de Cheyssac. Mon royaume en est le corps, vous avez cet honneur d'en être membres, d'obéir et d'y apporter la chair, le sang, les os et tout ce qui en dépend. »

Après les États, les municipalités : elles avaient reçu d'importantes franchises à la fin de la guerre. Le roi dut intervenir, pour se faire respecter, dans les élections municipales. Il soutint les échevins loyaux, écarta les autres, diminua leur nombre pour être sûr de les tenir bien en main. Il conserva des garnisons dans les villes suspectes pour leur faire bien sentir la proximité du pouvoir royal.

L'administration elle-même fut l'objet de tous les soins du roi. Pour se faire obéir, il multiplia les offices et démultiplia les institutions centrales. Le chancelier Pomponne de Bellièvre, le ministre Sully, durent accueillir de nouveaux compagnons : chacun des quatre secrétaires du roi reçut au Conseil des attributions précises. En province, où le Conseil donnait des ordres aux intendants, serviteurs zélés du roi, les gouverneurs montraient quelque velléité d'indépendance. Les intendants furent installés à demeure dans les chefs-lieux des généralités.

Les grands seigneurs voyaient d'un mauvais œil les progrès de la centralisation monarchique. En 1600 ils se réunirent pour tenter de s'emparer du pouvoir. Turenne, le duc de Bouillon, le prince de Sedan, le duc d'Épernon, gouverneur de l'Angoumois, le duc de Savoie et le maréchal de Biron étaient, avec Henriette d'Angleterre, les têtes du complot. Les provinces de l'Ouest, mécontentes de l'impôt sur le sel, la gabelle, étaient prêtes à se soulever.

Le roi réagit promptement. Il fit arrêter Biron, qui fut jugé, condamné à mort et décapité en 1602. Une puissante armée royale attaquait le duc de Bouillon qui capitulait en 1606. La conjuration des grands seigneurs était un échec total. Le roi restait le maître en son royaume.

LES COMPTES DE MONSIEUR DE SULLY.

Le complot n'aurait eu aucune chance de succès s'il n'avait exploité le mécontentement populaire contre la fiscalité du roi. Il fallait pourtant bien que Sully, grand argentier du royaume, rétablît, aux dépens des contribuables, l'état des finances, qu'il tentât de résorber la dette publique dont les intérêts seulement couvraient un quart des recettes du Trésor. Il fallait payer à la fois les combattants amis et ennemis, acheter le désarmement général.

Qui faire payer ? Les paysans ruinés par quarante ans de guerres, de troubles, d'insécurité ? Les privilégiés dont on espérait le ralliement définitif ? Les villes, qui avaient acheté des exemptions fiscales, payant au roi une certaine somme, une fois pour toutes ? La trésorerie de Sully ne pouvait, semble-t-il, trouver de recettes qu'en créant de nouveaux impôts indirects.

Sully comprit que, pour faire payer les Français, il fallait d'abord les laisser respirer :

« Je remis par tout le royaume, expliqua-t-il, le reste des impôts de 1596, qui étaient encore à payer ; action autant de nécessité que de charité et de justice. Cette gratification, qui commença à soulager le peuple, fit perdre au roi vingt millions. Mais aussi elle facilita le paiement des subsides de 1597, qui, sans cela, serait devenu moralement impossible. »

Le bon sens de Sully fit merveille. L'ancien compagnon d'Henri de Navarre devenu surintendant des Finances était trop adroit pour créer de nouvelles aides ou de nouvelles gabelles. En ménageant les Français, il put se contenter d'étendre et de généraliser le système existant, d'organiser la levée de l'impôt partout où elle était possible. Rapidement, par ces méthodes, le produit en fut doublé.

Sully créa tout de même une ressource nouvelle très fâcheuse pour l'avenir du pouvoir monarchique : la « paulette ». C'était un droit attaché aux titulaires d'un office de justice ou de finance. L'officier devait payer au roi la « paulette » pour avoir le droit d'exercer son office. La somme, fixée par le roi, était payable annuellement, et dispensait les titulaires de déclarer la disponibilité de l'office quarante jours avant leur mort. L'institution de la « paulette » aboutissait donc, en fait, à la création d'une caste héréditaire d'officiers royaux, qui, en échange de leur office, s'engageaient à payer tous les ans au roi un soixantième du prix d'achat de cet office. La monarchie était ainsi « vendue au détail ».

Dans l'immédiat, la perception de ces nouveaux droits permit au Trésor de revivre. Sully profita des nouvelles mesures pour reprendre en main les titulaires d'offices financiers, pour faire rendre gorge aux plus corrompus d'entre eux. La surveillance de la gestion des officiers tenant des comptes publics fut renforcée. Sully s'arrangea également pour rembourser à des taux très faibles les titulaires de rentes de l'État. Son obstination permit au Trésor de jouir d'une réelle aisance, de 1600 à 1610.

Cette aisance n'aurait pas été possible sans le bond en avant des activités économiques, dès la fin des guerres de Religion. Les campagnes avaient été pacifiées, purgées de leurs bandits et de leurs loups. On avait réduit, parfois à grands frais, les jacqueries paysannes, comme celle de 1580 en Dauphiné ou celle des « croquants » de 1594 en Périgord et en Limousin. Il avait fallu livrer là-bas une véritable bataille contre une armée de paysans en colère. Pour calmer les campagnes, Sully leur avait fait grâce des arriérés de la taille. Il en avait d'ailleurs diminué en 1599 le montant, pour permettre aux villages de retrouver leur équilibre. La taille était passée, globalement, de dix-huit millions de livres à quatorze millions.

En même temps le roi encourageait la petite noblesse, qui avait fait continûment la guerre, à retourner aux champs. Olivier de Serres publiait alors son ouvrage *Théâtre d'agriculture,* où il étudiait les moyens de faire fructifier les domaines. Le roi demandait à des spécialistes hollandais d'enseigner en France les techniques d'assèchement des marais. Des résultats intéressants étaient obtenus dans le Bordelais, la basse Seine, le Marais poitevin, la Limagne. Pour prévenir les famines, on interdisait le trafic des blés avec l'étranger. Sully, « grand voyer de France », s'efforçait d'améliorer les communications intérieures pour permettre aux blés et autres produits agricoles de se vendre à meilleur compte sur les marchés. On entreprenait quelques grandes percées de canaux : le canal du Midi, commencé en 1610, et le canal de Briare.

Ces mesures donnaient d'heureux résultats. La condition des paysans tendait à s'améliorer. La production agricole s'accroissait régulièrement, sans que le prix du blé baissât. La dépréciation continue des monnaies renforçait la position financière des villageois vis-à-vis des seigneurs.

> « Si Dieu me prête vie, disait le roi, je ferai qu'il n'y aura point de laboureur en mon royaume qui n'ait le moyen d'avoir une poule dans son pot. »

Cette réplique d'Henri IV devait, plus que tout, lui valoir une grande popularité dans les villages.

Si neuf Français sur dix vivaient d'agriculture, la France du XVIe siècle avait fait un effort considérable dans certains secteurs de la production industrielle. Mais les maîtres et compagnons des nouveaux métiers étaient souvent calvinistes. Ils étaient partis pour l'étranger. Sully accordait une grande importance à la production industrielle, qui permettait de garder l'or dans le royaume, en évitant les achats à l'étranger. Il entreprit de systématiser la politique des précédents rois, qui avaient créé des manufactures. L'État accordait au départ son aide aux entrepreneurs, et leur donnait le monopole de la fabrication d'un produit. Sully créa quarante des quarante-huit manufactures qui travaillaient en France à la mort du roi.

Barthélemy Laffemas, conseiller du roi, donna une vive impulsion à l'industrie de la soie, acclimatée en France depuis Louis XI. Des ateliers nouveaux furent ouverts à Lyon, à Tours ; dans la vallée du Rhône, on développa la culture du mûrier, pour éviter les importations de fils de soie. Le Languedoc, le Poitou et le Vivarais réussirent si bien dans cette culture que la France devint exportatrice, non seulement de tissus, mais de fils de soie.

L'imprimerie, les poudreries, les manufactures d'armes et d'artillerie, les fabriques de tapisseries, de textiles divers, les chantiers navals furent également encouragés. Grâce à ces initiatives, le commerce extérieur reprit son essor : Marseille et les ports de l'Océan connurent une grande activité. La France redevenait une puissance économique.

REPRENDRE PLACE EN EUROPE.

Henri IV n'aimait pas la guerre et rêvait d'une « paix perpétuelle ». Mais il était roi de France. Dans sa politique extérieure, il s'inspira du réalisme d'un Louis XI.

Au traité de Paris, en 1600, il récupérait les conquêtes faites en France par le duc de Savoie, y compris la Bresse. Au traité de Lyon, en 1601, il prenait en outre le Bugey, le Valromey et le pays de Gex. L'année d'après, le roi renouvelait les accords de François Ier avec les cantons suisses. En Orient, il restait l'ami des Turcs.

Les Habsbourg, cependant, demeuraient menaçants. Ils n'appréciaient pas la protection donnée par Henri IV aux protestants des Flandres, ni ses médiations, en Italie du Nord, entre le pape et les Vénitiens. N'avait-il pas, en outre, encouragé les protestants d'Allemagne à constituer, en 1608, une « Union évangélique », évidemment dirigée contre les Habsbourg d'Espagne et d'Autriche ?

Le conflit se produisit à la mort du duc de Clèves et de Juliers, quand ses possessions furent revendiquées par les princes protestants. L'empereur Habsbourg intervint. Une *Sainte Ligue* groupa tous les princes catholiques. Henri IV, amoureux de la jeune Charlotte de Montmorency, la poursuivit dans les Pays-Bas espagnols où son mari, le jeune Condé, avait trouvé refuge. Se battait-on aussi pour une maîtresse royale ?

La guerre menaçait en Europe. Le moindre prétexte pouvait mettre le feu aux poudres. Le roi de France avait levé l'armée.

L'Europe protestante ne le soutenait guère dans une querelle contre les Habsbourg que l'on sentait très personnelle ; les princes de l'Union évangélique ne voulaient se battre que pour Clèves. Ils n'avaient cure de l'Espagne et des maîtresses du roi. Les « paillardises et adultères du roi » scandalisaient aussi le peuple parisien qui menaçait de ne plus payer les impôts.

Le roi devait partir en guerre le 16 mai 1610. Le 14, il était poignardé dans son carrosse par un fou nommé Ravaillac. La guerre de Troie n'aurait pas lieu.

De Concini à Richelieu.

LES ITALIENS DANS PARIS.

Il revenait à une autre Médicis, Marie, femme d'Henri IV, fille d'une archiduchesse de Vienne, de recueillir la régence à la mort du roi. Elle allait diriger le royaume pendant sept ans. D'Henri IV à Louis XIV, l'histoire de France n'a plus de rois. Le pâle Louis XIII ne comptera guère. Il y aura deux régentes, et deux cardinaux.

La première régence fut longue, difficile, tendue. L'héritage d'Henri IV était plus délicat à recueillir qu'il ne pouvait le sembler. En accordant des bénéfices et des blâmes très judicieusement dans les deux partis, le roi avait brouillé les cartes. Il était le seul à se reconnaître dans le subtil assemblage de clients et d'ennemis qu'il s'était construit.

A sa mort, privilégiés et frères ennemis se mesurent. Les grands voient leurs ambitions ressurgir, les factions renaissent. Condé est à Milan, Soissons est loin de Paris. Épernon est colonel général de l'infanterie. Soutenu par Guise, c'est lui qui fait donner la régence à Marie de Médicis. Les parlementaires de Paris l'ont suivi.

Le premier travail du nouveau pouvoir est d'abandonner au plus tôt la politique étrangère d'Henri IV. On ne peut risquer une guerre. On fait la paix avec l'empereur, on décourage le duc de Savoie. On marie Louis XIII à l'infante d'Espagne et sa sœur, Madame Élisabeth, avec le prince des Asturies.

Cependant l'*édit de Nantes* est confirmé ; l'assassin du roi, cruellement exécuté. La politique intérieure ne change guère. Le départ de Sully a pour effet de précipiter la course aux pensions royales, genre où excellent les grands seigneurs. Par ce moyen, de fabuleuses fortunes se constituent. La régente achète littéralement les services de la noblesse, et s'attache ses propres favoris : l'Italien Concini est gouverneur de trois places fortes, marquis d'Ancre, lieutenant général de Picardie et premier gentilhomme de la chambre du roi. Il a épousé Eleonora Galigaï, la sœur de lait de la régente. Grâce à la faveur de la reine il cumule toutes les charges.

Concini put jouer bientôt un rôle politique, entre les deux factions qui se disputaient le pouvoir. L'une était en place, auprès de la régente : c'est celle des Guise et d'Épernon. L'autre, qui voulait prendre la place, se groupait derrière Conti, Nevers, Mayenne, Bouillon, Longueville et Condé. Ces « princes » décidaient en 1614 de rompre avec la régence, et de se retirer dans leurs provinces. Ils levaient les armes et réclamaient la convocation des États généraux. La France était revenue aux temps d'Henri III. La régente se soumettait aussitôt : c'était la *paix de Sainte-Menehould*.

En 1614, Louis XIII était majeur. Il n'en demanda pas moins à sa mère de continuer à assumer la charge du pouvoir. Les États généraux, où les partisans de Marie dominaient, lui firent confiance. Ils exigèrent l'abolition de la vénalité des charges et le renforcement de l'autorité royale. Les représentants du Tiers État demandaient, pour leur part, l'abolition des pensions qui profitaient tant à la noblesse. Cette revendication fit le front uni des privilégiés, de noblesse d'épée ou de robe, contre toute velléité de réforme. Marie put ainsi négocier : elle promit aux parlementaires et aux privilégiés de maintenir pendant trois ans encore la vénalité des offices. En échange, le Parlement de Paris reconnaissait son pouvoir souverain.

Déconfits, les princes durent transiger. Ils avaient exigé la réunion des États pour les manœuvrer, et voilà qu'ils se retournaient contre eux. La célébration du mariage espagnol de Louis XIII fut suivie de peu par la soumission de Condé. Les princes étaient plus à l'aise sur un champ de bataille que dans une réunion de parlementaires.

Il est vrai que la rentrée à Paris du prince de Condé suscita un grand mouvement de sympathie dans la population, massée pour l'acclamer. Sa popularité empêchait Concini de dormir. Le tout-puissant conseiller italien de la reine obtint d'elle l'arrestation du prince, ainsi que le renvoi des vieux ministres d'Henri IV. Il formait un gouvernement composé d'inconnus dévoués à sa cause, parmi lesquels un évêque, du Plessis de Richelieu, nommé secrétaire d'État à la Guerre et aux Affaires étrangères. Richelieu arrivait ainsi au pouvoir en pleine révolte des princes.

De fait le duc de Nevers prenait la tête d'une coalition qui se proposait de libérer Condé. La guerre civile risquait de recommencer. Un coup de théâtre comparable à l'assassinat d'Henri IV changea la face des choses : Concini fut tué, à l'instigation de Louis XIII, en 1617. Le roi était cette fois décidé à exercer personnellement le pouvoir.

DE LUYNES ET LA CONTRE-RÉFORME.

Le roi avait éloigné Marie de Médicis, mais s'était entiché d'un conseiller qui, pendant quatre ans, régna à sa place. Albert de Luynes était, à vrai dire, plus qu'un conseiller. C'était l'ami, le confident, le favori du roi. Fait duc, pair de France, connétable et gouverneur de Picardie, il commença par se débarrasser des Italiens de la Cour. Les ministres nommés par Concini furent renvoyés, Eleonora Galigaï fut jugée comme sorcière. Craignant pour ses jours, la reine mère s'enfuit à Blois. Du Plessis de Richelieu trouva refuge en terre papale, à Avignon. N'était-il pas évêque de Luçon ?

La faveur de Luynes fit aussitôt des jaloux. Tous les grands seigneurs se flattaient de pouvoir conseiller le roi. D'Épernon se retira dans son gouvernement de Metz, puis à Angoulême, où il rejoignit Marie de Médicis. Celle-ci gagna Angers pour rallier tous les princes. Elle méprisait la paix que lui avait offerte son fils. Épernon, Mayenne, Longueville, Nemours, Soissons, Retz étaient derrière elle. L'Ouest soutenait la rébellion. L'armée réunie de nouveau par les princes fut pourtant battue par le roi en Normandie, pendant l'été de 1620. Marie de Médicis dut accepter la paix et reprendre le chemin de la Cour.

A peine débarrassé des princes, de Luynes se trouvait devant le problème religieux, que la régence n'avait pas réglé. Henri IV avait pacifié le royaume en rendant aux protestants les clés de leurs villes, en leur permettant de constituer une sorte d'État dans l'État. Sous Louis XIII les temps avaient changé en Europe : la Contre-Réforme l'avait partout emporté, sauf dans les pays solidement tenus par les Réformés. Louis XIII n'avait pas les mêmes raisons que son père de ménager les huguenots, et tout son entourage était acquis aux idées de reconquête des jésuites, de Luynes le premier. En combattant les protestants, le roi touchait un double but : il récupérait contre eux sa prérogative royale et il participait au grand combat de la Contre-Réforme catholique, qui dominait l'Europe.

Une renaissance catholique venue des profondeurs avait partiellement effectué, depuis 1615, son travail de reprise en main de la société civile. L'Église, curieusement, jouait maintenant le pape contre le roi : réunie en 1615 en une *Assemblée du clergé*, elle avait pris la décision, sans consulter le roi, d'appliquer en France les clauses du Concile de Trente, qui restreignaient les libertés gallicanes.

L'effort d'évangélisation s'était intensifié, grâce à l'énergie déployée par quelques-uns : le cardinal de Bérulle par exemple, qui avait fondé une confrérie pour instruire les prêtres des choses de leur ministère. Formés par Bérulle, des prêtres de choc étaient mis à la disposition des évêques. Ils devaient reconquérir toute la société. L'un de ces curés bérulliens, dans la campagne parisienne, s'appelait Vincent de Paul. Il devait convertir bientôt les paysans des Dombes. Le clergé régulier était réformé par un autre cardinal, La Rochefoucauld. Il encourageait certaines abbesses à mettre la foi au-dessus des habitudes, à quitter la retraite pour évangéliser les foules urbaines. Angélique Arnauld, grande bourgeoise parisienne, fut de ces intrépides et intransigeantes abbesses. Une autre bourgeoise de Paris, Mme Acarie, attira dans la capitale les carmélites espagnoles qui recrutèrent massivement. Les capucins recueillirent aussi beaucoup de vocations. Les jésuites multipliaient les collèges, et les ursulines ouvraient à Paris le premier établissement d'enseignement destiné aux jeunes filles. La directrice s'appelait Mme de Sainte-Beuve.

Les efforts de la reconquête étaient couronnés de succès dans les milieux intellectuels. Deux ouvrages étaient alors partout répandus, jusqu'à devenir de véritables livres de doctrine : les *Exercices spirituels* d'Ignace de Loyola, fondateur de l'Ordre des jésuites, et l'*Introduction à la Vie dévote* de François de Sales. Un « parti des dévôts » se constituait à Paris, efficace groupe de pression dont l'action se ferait sentir encore pendant le règne personnel de Louis XIV. Ce parti poussait à l'intransigeance de l'État catholique et à l'expulsion des hérétiques.

GUERRE AUX PROTESTANTS.

Dès 1620, les « dévots » encourageaient le roi à une politique de reconquête. Vainqueur des princes, Louis XIII n'était pas sourd aux conseils du cardinal de Bérulle. Il se rendit en Béarn, le pays de son père, où les protestants ne voulaient pas restituer les biens d'Église. Le culte catholique fut rétabli et la province rattachée au royaume.

C'était rallumer la guerre de Religion. Les protestants aussitôt fourbirent leurs armes, demandant le secours des Anglais. Ils réunirent une armée à La Rochelle pendant que le Languedoc s'insurgeait. Pendant neuf ans, catholiques et protestants allaient de nouveau se déchirer.

Le roi ne prétendait pas, comme les bérulliens, exterminer l'hérésie, mais seulement ramener à la loi commune des sujets en état de rébellion. Les protestants n'en estimaient pas moins qu'il avait rompu le contrat d'Henri de Navarre.

De nouveau des princes, mais des princes huguenots, se partagèrent les provinces révoltées : Soubise, Rohan, le duc de la Force commandaient les rebelles. Le Midi et le Centre-Ouest étaient en état de guerre civile.

La campagne entreprise par le roi et de Luynes en 1621 donnait largement la victoire au parti catholique. Soubise, battu, dut chercher refuge en Bretagne. Le Languedoc et la vallée de la Garonne furent reconquis. Mais certaines villes résistaient encore, comme Montpellier ou Montauban, où de Luynes devait trouver la mort. Le roi dut renoncer à leur siège pour éviter l'invasion de la France par des bandes de reîtres allemands. Il fit la paix en 1621, convaincu que l'état de l'Europe, où se réveillait la puissance des Habsbourg, le lui commandait impérieusement. Les protestants devraient raser leurs places fortes, sauf La Rochelle et Montauban. L'*édit de Nantes* était confirmé.

En Allemagne, la *défenestration de Prague*, en 1618, avait rallumé la guerre. Vainqueur à la Montagne Blanche, l'empereur avait rendu héréditaire la couronne de Bohême — qu'il possédait déjà — et il établissait son hégémonie sur toute l'Europe centrale. Louis XIII affecta de se réjouir de ce triomphe de l'orthodoxie catholique. En fait, il savait que le prestige de la France, depuis la mort d'Henri IV, s'était beaucoup amoindri en Europe. A la politique traditionnelle d'Henri IV qui consistait à soutenir toutes les minorités protestantes contre le pouvoir des Habsbourg catholiques, Louis XIII, imprudemment, avait cru bon de substituer une politique de croisade, avantageuse pour l'empereur, et désastreuse pour la France. Il était temps de faire machine arrière.

Le consulat de Richelieu.

RICHELIEU CONTRE LA CASTE MILITAIRE.

Trois ans après la mort de Luynes, en 1624, la reine mère, qui avait gardé de l'influence sur son faible fils, avait réussi à ramener aux affaires une des créatures de Concini : du Plessis de Richelieu.

Le souci constant du cardinal, qu'il avait curieusement hérité de Concini, devait être d'abattre les grands, pour restaurer l'État. Richelieu jeune avait une vocation pour les armes. Vocation contrariée : n'étant pas de grande noblesse il avait, pour des raisons familiales, accepté de devenir évêque de Luçon. Mais il avait conservé, avec les connaissances du lettré, le courage et l'esprit d'entreprise du soldat. Il avait aussi gardé au cœur le mépris de la caste militaire, à qui il suffisait de naître bien pour aussitôt commander. Entré tôt dans la politique, par l'entremise discutable, peu recommandable, de la faction italienne, il avait enfin l'occasion d'approcher le roi et d'obtenir sa confiance, pour exécuter son grand dessein : établir en France une monarchie absolue qui se fît respecter en Europe.

Il avait de mauvais souvenirs de la fronde des princes, qui détestaient Concini. Mais avant de les abattre, il devait rétablir la situation économique, de nouveau compromise par les guerres. Il réunit en 1626 une assemblée de notables pour entreprendre la réforme de l'État : les impôts, le budget, le rachat des dettes du roi, il entendait que tout fût réglé en même temps. Il fallait supprimer ou réduire les pensions des grands, pour pouvoir consacrer les moyens ainsi épargnés à la mise en place d'une administration moderne, à la construction d'une grande flotte de guerre et de commerce, et d'une armée efficace. C'était braver les privilégiés, qui ne voulaient pas entendre parler d'une restriction de leur train de vie.

Ils prirent les devants. En 1626, deux ans après l'entrée en fonctions du cardinal, les plus grands noms de la cour formèrent une faction : la reine Anne d'Autriche en faisait partie, avec la duchesse de Chevreuse, les ducs d'Angoulême et d'Épernon, les princes du sang Condé et Soissons. Le but du complot était simple : assassiner Richelieu. On se débarrasserait de l'ambitieux comme jadis de son maître Concini.

Le complot fut déjoué. La police du cardinal était bien faite. Mais le moyen de faire payer le prix du sang à de si hauts personnages ? On trouva un bouc émissaire : le pauvre comte de Chalais, dont la tête fut tranchée à la hache.

Nouveau complot en 1630 : la reine mère en est cette fois l'instigatrice, avec le garde des Sceaux, de Marillac. On ne veut plus tuer le cardinal, mais seulement le chasser. C'est la fameuse « journée des dupes », où Michel de Marillac crut l'avoir emporté, Richelieu se croyant lui-même perdu. En fin de journée, par un renversement de situation comme on en voit au théâtre, c'est Richelieu qui gagnait, et Marillac était perdu. L'année suivante les chefs du complot, la reine mère et Gaston d'Orléans, s'enfuyaient chez les Espagnols. Richelieu restait maître du terrain.

A l'étranger cependant, Gaston d'Orléans multipliait les intrigues. Le frère du roi voulait constituer un puissant parti pour éloigner Richelieu du pouvoir. Il réussit en 1632 à se concilier un grand seigneur gouverneur du Languedoc, le maréchal de Montmorency. La conjuration touchait l'entourage immédiat du roi, en la personne de Cinq-Mars, son nouveau favori.

Le cardinal, une fois de plus, réprima le complot avec la dernière énergie. Il obtint l'accord du roi pour la mise en accusation et l'exécution du maréchal de Montmorency, de Cinq-Mars et de son ami de Thou. N'avaient-ils pas signé, en secret, un traité avec le roi d'Espagne ?

Les volte-face de cette noblesse d'épée irritaient profondément le cardinal, qui lui reprochait de négliger en tout les intérêts de la France, d'attirer les ennemis sur le territoire pour assouvir une passion coupable du pouvoir ou un appétit de pensions. Richelieu voulut la faire rentrer définitivement dans le rang, en frappant fort et vite. Il fallait inculquer aux nobles la notion d'obéissance et de soumission à l'État, dont ils devaient être les premiers serviteurs. Pour mater les plus agités des jeunes seigneurs parisiens, il fit un exemple. Il avait interdit le duel. Pour le braver, le comte de Montmorency-Boutteville s'était battu en plein Paris, place Royale. Il fut exécuté en place de grève. L'État imposait sa loi, il ne voulait plus reconnaître les castes.

L'ÉLIMINATION DU PARTI HUGUENOT.

Le cardinal avait brisé la caste nobiliaire. Il avait aussi dû combattre, pendant la même période, l'insurrection endémique des protestants.

Au départ, ses intentions n'étaient nullement conformes aux exigences du parti dévot, même s'il avait l'habileté de le lui donner à penser. Il ne voulait pas bouter les huguenots hors de France, ni les contraindre à se convertir. En 1626 il avait signé avec eux, à La Rochelle, un compromis acceptable. Mais les intrigues de Rohan, jointes aux craintes de l'Angleterre de voir Richelieu dominer les mers, grâce à la construction d'une puissante flotte, aboutirent à la reprise en force de la rébellion, soutenue par l'étranger. Rien n'était plus facile aux Anglais que d'aider les insurgés de La Rochelle.

Le cardinal expulsa les Anglais de l'île de Ré, où ils avaient débarqué, et mit le siège devant La Rochelle. Les Rochelais durent capituler après une bataille de plus d'un an. La ville fut démantelée.

En Languedoc, où Rohan avait soulevé le peuple, Richelieu fit patiemment campagne, reprenant une à une les villes insurgées. En juin 1629, le roi pouvait signer l'*édit de grâce d'Alès*, le danger protestant était écarté. Le roi ne traitait plus avec les chefs huguenots de puissance à puissance. Il daignait leur accorder la liberté de culte, tout en restaurant dans toutes leurs provinces le culte catholique. Les protestants n'avaient plus de force armée. Ils devaient raser toutes leurs fortifications. C'en était fini, enfin, de la politique des « places de sûreté ». L'édit d'Alès marquait la fin des guerres de Religion. Les protestants gardaient leur foi, mais reconnaissaient pleinement l'autorité du roi très chrétien, du roi sacré à Reims.

RICHELIEU ET L'EUROPE.

Les projets du cardinal n'étaient pas moins ambitieux à l'extérieur qu'à l'intérieur. Il voyait pour la France une mission maritime. Il est le créateur de la Marine française, qu'il avait divisée en deux flottes, celle du Levant et celle du Ponant. Il avait facilité la constitution des premières compagnies de commerce colonial, l'installation des colons français au Sénégal, dans la mer des Caraïbes, en Guyane et à Madagascar. Entre autres projets, il songeait à ouvrir une route commerciale avec la Chine à travers la Russie.

Dans l'immédiat, il devait affronter, comme jadis Henri IV, la Maison d'Autriche, que la politique de Luynes avait dangereusement réconfortée. Prenant l'initiative, il poussa le roi à intervenir en Italie, contre l'empereur et le roi d'Espagne, en faveur de la candidature d'un Français, le duc de Nevers, sur le duché de Mantoue. C'était une pure question de prestige, la France n'ayant pas, à l'évidence, des intérêts vitaux à Mantoue.

Comme les Valois, Louis XIII lève alors une armée et pénètre en Italie, en 1629. Il n'obtient pas d'avantages décisifs. Il faut reprendre la campagne l'année d'après. Cette fois Richelieu dirige lui-même les opérations. Il prend Pignerol, une forteresse du Piémont, mais ne parvient pas à faire la paix. En 1630 Louis XIII fait la conquête de la Savoie, mais la peste ravage son armée. Les guerres d'Italie vont-elles de nouveau ruiner la France ?

Richelieu remporta cependant une victoire diplomatique, en utilisant les services du pape, contre l'empereur. Il obtint en 1631 que l'empereur reconnaisse les droits sur Mantoue du duc de Nevers, sans renoncer à intervenir lui-même dans les affaires allemandes. Le succès de prestige était indiscutable.

En Allemagne, Richelieu reprenait la politique française traditionnelle : il soutenait tous les ennemis de l'empereur, fussent-ils protestants. C'est ainsi qu'il fut successivement l'allié du roi de Danemark Christian IV, puis des Suédois.

Pendant les guerres d'Allemagne, Richelieu avait fort prudemment installé de bonnes positions stratégiques dans les terres d'Empire d'Alsace et de Lorraine. La sœur du duc de Lorraine Charles IV avait épousé le grand ennemi de Richelieu, Gaston d'Orléans. Quelle belle occasion d'intervenir ! En 1634 les armées françaises avaient occupé le Barrois et la Lorraine. Elles avaient également investi les villes d'Alsace, soi-disant pour les protéger. Maître des marches de l'Est, Richelieu pouvait enfin intervenir outre-Rhin.

Il déclara la guerre, non à l'empereur, mais au roi d'Espagne, avec l'aide des Suédois ses alliés, des Hollandais, de la Savoie et de Mantoue. En 1635 les Français envahissaient les Pays-Bas espagnols, y rejoignant Guillaume d'Orange. Mais bientôt cette armée, faute de ravitaillement, devenait inutilisable. Les Espagnols débarquaient dans le Midi, sur les îles de Lérins, et la Lorraine se soulevait contre les Français. L'empereur envahissait la Bourgogne, défendue par Condé. Les Espagnols attaquaient aussi au Nord, prenant Corbie, menaçant Paris. A la frontière du Sud-Ouest, ils avaient pris Saint-Jean-de-Luz. Malgré les précautions du cardinal, la France était de nouveau envahie.

Faute d'argent, il était réduit à l'impuissance. Les troubles éclataient partout en France, et d'abord dans les villes. Personne ne voulait plus payer l'impôt pour faire la guerre. La trahison s'installait à la Cour. Anne d'Autriche correspondait avec les Anglais, le comte de Soissons fomentait un complot avec les Espagnols. Le duc de Lorraine trahissait.

Le redressement, dû aux difficultés des Espagnols (le Portugal et la Catalogne faisaient sécession) fut spectaculaire : Arras fut repris dans le Nord, Turin en Italie. Quand Richelieu mourut en 1642, la victoire était acquise. S'il n'avait pas encore fait la paix, c'est qu'il croyait avoir avantage à attendre. Son fidèle collaborateur Mazarin s'en chargerait, le moment venu. Il s'efforcerait d'être fidèle au Testament politique de Richelieu, qui avait laissé au roi des recommandations :

> « Être rigoureux envers les particuliers qui font la gloire de mépriser les lois et les ordonnances d'un État, c'est être bon pour le public. »

Mazarin, à la mort de son maître, tiendrait difficilement tête à la coalition des « particuliers », qui de nouveau voulaient investir l'État.

Mazarin et la Fronde.

LE NOUVEAU CARDINAL.

Il eut d'abord beaucoup de mal à recueillir le pouvoir. Richelieu était mort en 1642, et Louis XIII en 1643. Avant de mourir, le roi avait dicté une *Déclaration* instituant un Conseil de gouvernement composé de la reine Anne, de Monsieur, son frère, de Condé et de tous les serviteurs de Richelieu : Mazarin, le chancelier Séguier, Bouthillier et Chavigny. Le roi avait même prévu de nommer Mazarin Premier ministre.

Cette déclaration n'était pas du goût de la reine, et moins encore des princes du sang. Ils la firent casser au Parlement de Paris. La reine avait la régence, Monsieur était lieutenant général du royaume. Le pouvoir était partagé. Il était entre les mains des ennemis de Richelieu.

La politique de la France allait-elle changer ? Contre toute attente la reine nomma Mazarin Premier ministre.

> « On voyait sur les degrés du trône, écrivait le cardinal de Retz, d'où l'âpre et redoutable Richelieu avait foudroyé plutôt que gouverné les humains, un successeur doux, bénin, qui ne voulait rien, qui était au désespoir que sa dignité de cardinal ne lui permettait pas de s'humilier autant qu'il l'aurait souhaité devant tout le monde. »

Comment l'Italien était-il parvenu à renverser la situation ? Faut-il invoquer seulement les secrets d'alcôve, la séduction du cardinal ? Faut-il imaginer la reine effrayée par l'ampleur de la tâche, inquiète de voir les grands seigneurs revenir au galop pour dépecer la couronne ?

Mazarin au pouvoir! Ils rirent d'abord très fort, avec insolence. Puis, de nouveau, ils complotèrent. On s'attacha les services des dames d'honneur de la reine, on espionna, on fit projet de se débarrasser au plus tôt de l'Italien. La « cabale des Importants » réunit la duchesse de Chevreuse, le duc de Beaufort — gentilhomme avantageux qui prétendait se substituer au « mazzarino » dans le lit de la reine —, les ducs de Vendôme et de Mercœur... L'Église, qui souhaitait la paix avec la très catholique Autriche, soutenait le complot, notamment l'aumônier de la reine, Augustin Potier, intrigant jésuite qui voulait être Premier ministre, et nombre d'autorités du parti des dévots, dont le célèbre « Monsieur Vincent ».

Mais la cour est un milieu étroit d'où les secrets s'échappent vite. Mis au courant, Mazarin n'hésite pas à s'appuyer sur d'autres grands seigneurs — Condé et Monsieur, frère du feu roi — pour déjouer le complot. Les conjurés, démasqués, sont bannis ou emprisonnés. Mazarin, parrain du petit roi et peut-être uni secrètement avec Anne d'Autriche, est le maître absolu. Il loge, avec la reine, au Palais-Royal. Il installe au Palais une riche bibliothèque, embryon de la Nationale. Il introduit à la Cour, pour distraire la reine, les musiciens italiens qui donnent en représentation les premiers opéras. Il encourage aussi les gens de théâtre, qui jouent devant la Cour, Corneille et Rotrou par exemple. Riche mécène comblé d'argent et d'honneurs, le nouveau cardinal va pouvoir continuer et conclure l'œuvre de son maître Richelieu.

LA PAIX AVEC L'AUTRICHE.

La reprise de la guerre extérieure était inévitable, malgré le redressement effectué par Richelieu. Pour conclure la paix, les Français devaient poursuivre leur avantage.

Ils furent assez heureux pour remporter un certain nombre d'éclatants succès. Peu avant la mort du roi, le Grand Condé, duc d'Enghien, l'avait brillamment emporté à Rocroi sur les Espagnols. Les Impériaux, dès ce moment, cherchaient à traiter.

Des préliminaires de paix s'ouvrirent en 1644. Mais les discussions étaient longues, et les adversaires continuaient à rechercher la décision sur le terrain. Ainsi le duc d'Enghien et Turenne guerroyaient en Alsace, où ils disputaient les villes aux Bavarois. Dans les Flandres Monsieur prenait Courtrai, tandis que l'infatigable duc d'Enghien occupait Dunkerque et Furnes.

En 1648, les Français et les Suédois obtinrent enfin des avantages décisifs. Turenne avait franchi le Rhin, envahi toute la Bavière. Il marchait sur Vienne, capitale des Habsbourg. Condé avait remporté sur les Espagnols la victoire de Lens. Les Suédois étaient entrés dans Prague.

Menacés de toutes parts, les Habsbourg durent céder. En octobre 1648 la paix de Westphalie reconnaissait à la France pour couvrir ses frontières la possession des trois évêchés de Metz, Toul et Verdun. Elle recevait également, dans les Alpes, la forteresse de Pignerol qui commandait la route d'Italie. Ses droits de suzeraineté sur les villes d'Alsace conquises par Turenne étaient reconnus. La paix, sans doute, n'était pas définitive et les Espagnols n'allaient pas désarmer pour autant. Elle assurait cependant à la France des avantages appréciables.

LA RÉVOLTE DES PRIVILÉGIÉS : VERS UNE RÉVOLUTION ?

L'opinion française hostile à Mazarin ne voulait pas voir les succès. Elle ne retenait que l'échec de la paix avec l'Espagne. Il est vrai que l'état intérieur du royaume devenait désastreux : la guerre, les courtisans, les bonnes grâces de la reine, les appétits de Mazarin et de ses serviteurs avaient vidé les caisses.

Pour trouver de l'argent, on confiait à des fermiers généraux la levée de la taille. Ils mettaient le royaume en coupe réglée, récupérant beaucoup plus sur l'habitant que ce qu'ils avaient avancé au roi. Leur bénéfice était au minimum de 15 %. Pour obtenir une masse fiscale qui répondît aux besoins du royaume, Mazarin dut élever la taille, qui passa en dix ans de 44 à 55 millions. La levée des tailles provoquait des incidents et quelquefois des émeutes. Une armée de 10 000 paysans tint la campagne en Guyenne. Les provinces périphériques, Provence, Dauphiné et Languedoc, durement réduites par Richelieu, prenaient les armes, guettant la revanche, en se servant de l'exaspération des paysans contre le fisc. Les droits d'entrée levés sur les marchandises aux portes de Paris donnaient également lieu à des troubles. On estime qu'en 1646, la moitié au moins du royaume était en état de rébellion ouverte ou larvée.

Les parlementaires prenaient la défense des sujets accablés par l'impôt. Ils croyaient ainsi pouvoir jouer un rôle politique, en face du « despotisme ministériel ». L'attitude qu'ils avaient adoptée à Paris contre les levées de taxes les avait rendus populaires dans le petit peuple. En raison de la politique fiscale de Mazarin, ils constituaient une puissance d'opinion qui n'était plus négligeable.

Les parlementaires, les grands seigneurs, les paysans, le petit peuple, toutes les classes de la société étaient mécontentes du régime et de son maître. Les conditions d'une nouvelle guerre civile étaient réunies, et peut-être d'une révolution, comme en Angleterre. On appela « Fronde » cette révolte des diverses couches de la société contre le pouvoir royal exercé par le cardinal de Mazarin.

La Fronde commence par une rébellion du Parlement. En mai 1648 les parlementaires sont brusquement menacés dans leurs privilèges. Au moment de renouveler la « paulette » créée par Henri IV, le pouvoir demande aux officiers royaux le versement anticipé de quatre années de gages. Aussitôt les parlementaires se révoltent : c'est l'*arrêt d'union*. Ils décident de faire front tous ensemble contre le cardinal.

Le gouvernement fait arrêter les chefs. Mais il n'arrête pas le mouvement, qui gagne la province. Les parlementaires demandent le contrôle du budget, des recettes et des dépenses du Trésor, la suppression du système des fermiers généraux (qu'on appelait les « partisans ») et le rappel des intendants, considérés en province comme les serviteurs trop zélés du pouvoir.

Après la victoire de Lens, Mazarin se sentit assez fort pour réagir. Il fit appréhender en plein Paris le conseiller Broussel, le 26 août. Dans la nuit, Paris se couvrit de barricades. Il y en avait, selon Retz, 1 260... Elles restèrent en place jusqu'au 28. C'est le peuple armé qui obtint de la régente la libération de Broussel et des autres parlementaires emprisonnés.

Anne d'Autriche, le calme revenu, ne regagne pas la capitale dont elle a peur désormais. Elle s'installe à Rueil, où Condé vient lui proposer ses services. Inquiets, les parlementaires parisiens demandent au prévôt des marchands de s'organiser pour un siège éventuel. Mazarin, de son côté, hésite. Il n'a pas l'intransigeance de l'Autrichienne. Il décide de négocier, promet de soumettre en octobre le budget au contrôle du Parlement. Puis il persuade la régente de rentrer dans la capitale, avec le petit roi.

Le Parlement abuse aussitôt du pouvoir qui lui a été très vaguement reconnu. En novembre il se réunit pour réformer les finances royales. En décembre, il tente de poursuivre les fermiers généraux et interdit toute levée d'impôts. Les parlementaires français savent qu'en Angleterre la révolution fait rage. La monarchie française va-t-elle devenir constitutionnelle ?

Mazarin et la Cour quittent de nouveau Paris, à la hâte, dans la nuit du 5 au 6 janvier 1649. L'armée royale encercle la capitale. Le Parlement a pris la tête de la rébellion, appuyé sur la municipalité et fort du soutien populaire.

Les grands seigneurs accourent, pour aider les rebelles. Tous ceux que Richelieu avait humiliés croient trouver une facile vengeance et participer de nouveau aux affaires du royaume. Un duc d'Elbeuf commande les insurgés. Les princes, Conti en tête, entrent dans la bataille aux côtés des gens de robe qu'ils méprisent. Ils ne veulent pas laisser abolir la monarchie, comme ils l'ont fait en Angleterre. Les ducs de Longueville, de Beaufort et de Bouillon, le marquis de Noirmoutiers, le prince de Marillac sont sur les barricades quand ils ne soulèvent pas leurs provinces. Turenne, qui commande en Allemagne, a promis de soutenir les Frondeurs. La Normandie, la Guyenne et la Provence se soulèvent, agitées par les parlementaires mais surtout par les princes, qui prennent à leur compte la révolte populaire et bourgeoise.

La décision doit être recherchée à Paris. Les parlementaires y rendent un arrêt mettant Mazarin hors-la-loi comme « perturbateur du repos public envers le roi et l'État ». On apprend, à Londres, l'exécution de Charles Ier. Le Parlement en profite pour affirmer sa fidélité au roi. Il n'en veut, dit-il, qu'à Mazarin. Il ne veut pas d'une révolution.

Le 27 février, le peuple en armes brusque les événements. Il force les portes de la Grand-Chambre du Parlement. Les meneurs demandent que l'on chasse non seulement Mazarin mais aussi les financiers. Ils veulent piller les hôtels des profiteurs du fisc. Ils sont prêts à déchaîner la guerre civile.

Les parlementaires prennent peur, comme les princes. Le peuple de Paris va trop loin. Au reste, les frontières craquent de nouveau. Les Espagnols ont pénétré en Picardie, à quelques lieues de Paris. Le 11 mars, le Parlement se hâte de signer avec Mazarin la paix de Rueil. Les princes ont abandonné Paris, qui se soumet.

Les troubles continuent cependant en province : Rouen est soulevée contre Mazarin par Longueville, gouverneur de Normandie. Le peuple et le Parlement le soutiennent. A Angers le petit peuple prend les armes contre la municipalité. Le duc de la Trémoille prend la tête du mouvement. En Guyenne et en Provence, les Parlements poursuivent la rébellion. Mazarin doit partout céder pour rétablir l'ordre.

A Paris, il a pratiquement reconnu l'existence d'un parti de la Fronde, puisqu'il a traité avec lui à Rueil. On veut lui imposer un « protecteur ». Il hésite entre le Grand Condé et Gondi, le coadjuteur de Paris. Il choisit finalement l'intrigant Gondi (futur cardinal de Retz) parce que la gloire et la popularité de Condé l'inquiètent. D'accord avec Gondi, il fait emprisonner Condé.

Les amis de Condé soulèvent aussitôt les provinces. Gondi tient Paris de son mieux, pendant que le cardinal fait un tour de France de la pacification, négociant avec les parlementaires et avec les princes. En Normandie, il obtient facilement le retour à l'ordre ainsi qu'en Bourgogne. Il a de grandes difficultés en Guyenne, province traditionnellement rebelle. Les ducs de Bouillon et de la Rochefoucauld tiennent Bordeaux. Pour reprendre la ville et rétablir la paix, le cardinal doit consentir un traité fort avantageux pour les Bordelais.

En novembre 1650, la Cour revient enfin à Paris. Les Espagnols

sont en Champagne. Mazarin leur reprend Rethel et bat l'armée
de Turenne, qui, en la circonstance, combattait contre lui. Les
succès de Mazarin n'empêchent pas sa chute : Gondi le lâche par
ambition déçue, et prend le parti de Condé. Une conjuration dominée par le duc d'Orléans oblige Mazarin à quitter la place. Un arrêt
du Parlement lui a signifié son congé. Il part en exil, après avoir fait
libérer les princes prisonniers.

UN JEUNE ROI SANS ROYAUME.

Le départ de Mazarin met la confusion à son comble : Gondi
n'a pas obtenu des parlementaires le prix de sa trahison. Il se rap-
proche de la reine et se sépare des princes.

Ceux-ci soutiennent Condé, qui s'appuie sur la Guyenne plus
que jamais en état de rébellion. Il lève des soldats et s'apprête à
livrer bataille.

Le roi Louis XIV est devenu majeur. La « prise d'armes » du
Grand Condé est pour lui une trahison. Il n'a pas hésité à demander
l'alliance de l'Espagne. Il faut le châtier comme un rebelle.

Mazarin, entre-temps, a levé une armée en Allemagne et se présente aux frontières. Il a tous les princes contre lui. Condé l'emporte. Il écrase à la fois Mazarin et l'armée du roi, en 1552. Il entre
aussitôt dans Paris, où il est acclamé.

La capitale est déchaînée. Des bandes armées parcourent les
rues, demandant le châtiment des amis de Mazarin. « Point de roi !
Point de princes ! vive la liberté ! » crie-t-on dans la rue. Condé
s'inquiète. Les bourgeois l'abandonnent, les princes le lâchent.
Turenne, revenu à la tête des armées royales, vient l'assiéger. En
octobre, il doit s'enfuir. Le roi fait son entrée dans la capitale le 21.
C'est la fin de la Fronde des princes.

Le jeune roi était maître du terrain. Paris avait rasé ses barricades.
Condé était en fuite. Mazarin était de nouveau en exil. La Provence
et la Guyenne étaient pacifiées. Restaient les Espagnols.

Ils avaient accordé asile à Condé, qui était devenu une sorte de
condottiere du roi d'Espagne, placé à la tête de ses armées. Celles-ci
se hâtaient vers Paris, à travers les frontières de Flandre, d'Italie et
de Catalogne.

La guerre dura dix ans. Condé et Turenne étaient alternative-
ment heureux ou malheureux sur les champs de bataille du Nord

dévasté. Condé lâchait Arras, mais prenait Valenciennes... La décision vint de la politique active du roi à l'extérieur : Cromwell lui accorda son alliance, de même que les princes protestants d'Allemagne. Mazarin parcourait l'Italie, demandant des secours pour Louis XIV.

A la bataille des Dunes, en 1657, Turenne fut enfin vainqueur. Philippe IV d'Espagne dut abandonner les combats. La *paix des Pyrénées*, conclue dans une île de la Bidassoa, donnait satisfaction à la France. Louis XIV promettait d'épouser l'infante, fille de Philippe IV, Marie-Thérèse. La France gagnait de nombreux territoires : le Roussillon et la Cerdagne au Sud, l'Artois au Nord, les villes de Philippeville et Marienbourg dans la principauté de Liège, Montmédy et Thionville dans le Luxembourg. Charles IV de Lorraine gardait son duché mais devait raser ses forteresses. Le duché de Bar devenait français. La seule concession faite au roi d'Espagne était la grâce de Condé.

Mazarin était rentré en cour. Louis XIV le tenait pour son plus fidèle serviteur. En 1660, le roi célébrait somptueusement ses noces. Les grands seigneurs étaient soumis, les parlementaires silencieux, les Espagnols étaient vaincus et le peuple fêtait le triomphe du jeune roi.

Un roi sans royaume : une fois de plus, la France était ruinée. Les soldats du XVIIᵉ siècle vivaient en campagne « sur l'habitant ». Toutes les provinces françaises avaient été pillées par des armées de passage qui traînaient avec elles la peste et toutes les maladies contagieuses. Les Espagnols, les Allemands, les Italiens, les Suisses à gages et les Français des princes avaient porté la guerre et la ruine dans les villes et les villages.

En Provence, en Guyenne, les bastions de la révolte, les princes avaient répandu la terreur, levant les tailles au prix du sang, saccageant les cultures, rançonnant les « vilains ». Les terroirs du Nord, les plus riches de France, avaient connu toutes les grandes batailles et subi le gros des invasions.

Les paysans avaient souffert, mais les nobles aussi : en dehors des pensionnés du cardinal, ils étaient ruinés, abandonnés, condamnés. Les seuls profiteurs de la guerre étaient les financiers, qui s'étaient enrichis des défaillances de l'État. Ils avaient utilisé l'armée du roi pour lever l'impôt. Ils avaient prêté sur gages au roi comme aux princes pour qu'ils pussent lever des armées, entretenir leurs partisans. La fortune scandaleuse d'un Fouquet ne faisait pas alors jaser : elle était dans les mœurs du temps. Les « jansénistes », qui se détournaient de la société corrompue et faisaient retraite à Port-Royal-des-Champs passaient pour des originaux. Quand les *Provinciales* de Pascal avaient, en 1657, provoqué un sursaut dans la bonne société, Mazarin, inquiet, les avait fait brûler par le bourreau. N'y avait-il pas dans cette doctrine de quoi condamner les deux clés de sa réussite : l'intrigue et l'argent ?

Le rétablissement de la fortune de Mazarin fut total : fortune politique et fortune tout court. Il employa le reste de ses jours à faire l'éducation politique du jeune roi. C'est probablement ce qu'il réussit le mieux. Quand il mourut, le 9 mars 1661, il laissait le royaume à un monarque adulte. Il lui avait transmis, dans son testament, les leçons de Richelieu : gouverner seul et faire régner partout le roi.

CHAPITRE 9

La monarchie absolue

Dans le sillage du cardinal de Mazarin, le jeune Louis XIV avait pu se rendre compte des dures réalités du pouvoir. Il se souvenait, avec une acuité particulière, de la nuit sinistre où il avait dû trouver refuge, avec sa mère, dans le château de Saint-Germain. Le vieux cardinal de Richelieu avait débarrassé son père des protestants. Le cardinal de Mazarin avait donné à la France une victoire décisive sur les Habsbourg d'Espagne et d'Autriche. Ils avaient maintenu, contre la coalition des grands et des privilégiés, la souveraineté du roi.

La découverte du « métier de roi »

L'ÉTAT DU ROYAUME.

En France, l'État restait à construire. Louis XIV héritait de nombreuses provinces dont il n'était roi qu'en raison des accidents successifs de l'Histoire. Il était respecté en Bretagne parce qu'il héritait d'un duché, de par le mariage d'un de ses prédécesseurs. Il était roi en Provence, parce qu'un autre roi, René, avait donné son comté à la France. En Provence comme en Bretagne, on obéissait au seigneur, non au roi. Les provinces dites « d'États », étaient administrées par des assemblées d'élus locaux des trois ordres : noblesse, clergé, Tiers État. C'était le cas du royaume de Navarre, des deux provinces citées plus haut, mais aussi du Languedoc et du Dauphiné, de la Normandie et de la Bourgogne. Les autres pays, dits « d'élection » étaient administrés directement par les gens du roi, qui répartissaient eux-mêmes les impôts directs, sans passer par des assemblées représentatives.

Même dans les pays d'élection, l'autorité du roi n'était pas sans partage. Il y avait les villes et leurs franchises, héritées souvent du Moyen Age, plus récemment des guerres de Religion. Il y avait les grands seigneurs, gouverneurs des provinces, toujours prêts à lever des armées contre le roi, comme on l'avait vu à maintes reprises sous la Fronde. Ces nobles de haut rang considéraient, à l'occasion, le roi comme un seigneur, et n'hésitaient pas à faire appel à des princes étrangers pour faire un nouveau roi qui fût des leurs.

Il y avait enfin les officiers royaux, propriétaires de leurs offices, exerçant leurs charges dans un intérêt souvent corporatif, revendiquant contre l'autorité du roi celle d'un corps privilégié, le Parlement de Paris, par exemple. La Fronde n'avait-elle pas commencé par une révolte des parlementaires ?

Mazarin n'avait pu restaurer l'État et continuer dans ce domaine l'œuvre de Richelieu. Il n'en avait eu ni le temps, ni les moyens. Comment entreprendre des réformes impopulaires, avec les Impériaux aux portes, les nobles dans la rue, les parlementaires sur les barricades ? L'Italien devait faire flèche de tout bois, arrêtant les uns, achetant les autres, sans trop se soucier des principes et des institutions du pouvoir monarchique. Pour subsister, pour sauver l'essentiel, il avait dû vendre au détail les ressources de la Couronne. Les financiers, comme Fouquet, l'avaient aidé à payer ses guerres. Ils avaient aussi fait main basse sur les revenus du Trésor, qui étaient minces, précaires, quand Louis XIV commença à exercer son pouvoir personnel.

Les seules structures qui fussent restées solides dans la société féodale en décomposition étaient celles de l'Église. Pour elle, la première moitié du XVIIe siècle avait été bénéfique, en France comme ailleurs en Europe. La multiplication des ordres mendiants, les prédications et les œuvres des frères de Saint-Vincent-de-Paul avaient permis de réussir une reconquête en profondeur de la société civile. La contestation hautaine de cette société d'injustice par les jansénistes n'avait pas eu de conséquences graves. L'Église avait condamné les jansénistes, politiquement suspects d'amitié pour les princes. Le roi Louis XIV arrivait aux affaires avec la conviction qu'il était de son devoir et de son intérêt de s'appuyer sur l'Église contre les dissidents, de soutenir le clergé — régulier ou séculier — qui n'avait pas fait défaut à la monarchie dans les moments difficiles.

Au moment où Thomas Hobbes, philosophe anglais, fondait la théorie du pouvoir absolu de Jacques Ier Stuart sur l'idée d'un contrat social implicite, Louis XIV cherchait pour son trône une assise théocratique. Il avait besoin de l'Église, de son prestige et de son efficacité, pour se sentir tout à fait roi, roi absolu, roi de droit divin.

« L'ÉTAT, C'EST MOI! »

Très vite, Louis XIV sut imposer sa personnalité à la Cour. Il choisit les ministres parmi les familiers de Mazarin. Fouquet était encore surintendant des Finances, Michel Le Tellier secrétaire d'État à la Guerre, Hugues de Lionne aux Affaires étrangères. Rien n'était changé, sinon l'esprit du gouvernement. Le roi se faisait tout expliquer par le menu, pesait longuement ses décisions, se gardant d'y revenir, une fois qu'elles étaient connues. Le souci qu'il avait de gouverner en personne lui défendait de choisir un Premier ministre. Il suivit en cela les conseils de Mazarin : nul ne pouvait au Conseil prendre les décisions en son nom.

Bientôt des hommes de confiance, qu'il avait lui-même choisis, arrivèrent aux affaires. Colbert, ancien intendant de la fortune personnelle de Mazarin, fut chargé de vérifier l'état des finances royales, et donc d'éplucher les comptes de Fouquet. En 1661, celui-ci fut arrêté, sur ordre du roi. Un tribunal exceptionnel fut réuni pour le juger. Colbert avait demandé sa tête. Il n'obtint que l'exil. Le roi trouva la peine trop légère. Il fit condamner Fouquet à la prison à vie.

Colbert avait devant lui une besogne colossale. La situation financière du royaume, à la mort de Mazarin, était effroyable. L'État avait dépensé à l'avance deux annuités fiscales. Il fallait vivre, en 1661, sur les revenus escomptés (très cher, par les fermiers généraux) de 1663. Le paiement des dettes des rentes et des intérêts de ces dettes représentait des sommes fabuleuses. Jamais la France n'avait eu de tels comptes.

Colbert commença par s'informer. Il ordonna une enquête sur la gestion de l'argent de l'État et sur la levée des recettes. Une chambre de justice fut créée, à seule fin de relever les abus, les escroqueries, les malversations des financiers. On imposa des restitutions pour la valeur de cent millions de livres à plus de quatre mille financiers.

Cet assainissement n'était pas suffisant. On dut réduire le paiement des rentes, « consolidées » par d'autres titres, qui valaient moins cher que les titres anciens de trois fois ! Le procédé manquait, certes, d'élégance. Il avait toutefois des précédents et ne suscita guère de protestations gênantes pour l'administration royale. Il est toujours plus facile, si on le veut vraiment, de faire payer les riches. Ils sont tellement moins nombreux.

Encore fallait-il construire pour l'avenir un édifice financier solide, qui dispensât le roi de recourir à d'aussi fâcheux expédients. Colbert donna mission au Conseil royal des Finances de superviser toute la politique du royaume. Le Conseil dressait en premier un état des recettes, avec les prévisions nécessaires ; il dressait d'autre part l'état des dépenses, avec l'indication, pour chacune d'entre elles, des fonds à partir desquels elles pouvaient être ordonnancées. Le roi devait enfin posséder un document de synthèse, dûment tenu à jour, où chaque dépense avait pour corollaire une recette correspondante. Colbert avait ainsi réalisé le premier budget de l'État.

Pour les recettes du Trésor royal, Colbert avait l'intention de réformer le système des impôts. Mais il attacha d'abord un soin particulier aux revenus du domaine royal. En tant que seigneur de son domaine foncier, le roi devait toucher un certain nombre de droits. Ceux-ci rapportaient 80 000 livres à la mort de Mazarin. Colbert les porta à plus de cinq millions et demi de livres. Une réorganisation de la gestion des grandes forêts royales lui permit d'en décupler les revenus.

Restaient les impôts : le système fiscal n'était pas rentable parce qu'il était injuste. Les taxes pesaient surtout sur les pauvres. En outre les intermédiaires, qui levaient l'impôt, prenaient au passage une partie importante des recettes : les « partisans » ou « fermiers généraux » avaient ainsi touché plus de cinquante-quatre millions sur une seule année fiscale, et livré à la Couronne trente et un millions seulement. Colbert en fit la preuve : le royaume était en coupe réglée.

Il était difficile de réformer brutalement un système qui reposait presque entièrement sur le privilège. Les nobles et le clergé étaient en effet dispensés de l'impôt direct, la taille. Nombre de municipalités étaient « abonnées » à la taille, qu'elles payaient une fois pour toutes, à un taux très avantageux. Ainsi les bourgeois riches pouvaient-ils aussi échapper à l'impôt.

Le seul moyen d'accroître les recettes sans se heurter au système « privilégial » était d'augmenter les impôts indirects, paradoxalement plus justes, puisqu'ils frappaient la consommation. Colbert abaissa la taille, comme avait fait Sully (de quarante-deux à trente-cinq millions de livres) et augmenta les aides (vingt-deux millions de livres au lieu de cinq). Il réussit à équilibrer le budget de 1675, et de rendre à l'État la prospérité qu'il avait connue sous la bonne gestion de M. de Sully.

COLBERT ET L'EXPANSION.

Pour Colbert comme pour Louis XIV, la leçon de Richelieu n'avait pas été perdue. Le ministre bourgeois avait montré à la fois de la rigueur et de l'adresse dans les comptes. Mais il n'était pas qu'un budgétaire. Une bonne politique financière rendait possible, mais aussi nécessaire, une bonne politique économique. Il fallait assurer l'expansion française si l'on voulait garantir la prospérité du royaume.

A quoi servirait-il d'accroître les ressources de l'État, si sa monnaie devait se déprécier en raison du déséquilibre des échanges extérieurs ? Il fallait amener les Français à produire plus, pour que l'argent rentre dans le royaume, au lieu d'en sortir. Le « colbertisme » était une doctrine de la production dirigée, orientée vers la satisfaction des besoins intérieurs, et, si possible, vers l'exportation.

Colbert savait bien qu'il ne pouvait attirer les monnaies étrangères en France uniquement grâce aux ventes de produits agricoles. L'agriculture française suffisait à peine à la demande de vingt millions de consommateurs. Ses produits étaient peu commercialisés, et le royaume comptait d'innombrables villages vivant presque en autarcie. Seule l'industrie pouvait permettre des ventes fructueuses à l'extérieur, et tout particulièrement l'industrie de luxe. Le « système » de Colbert, que l'on devait appeler « mercantilisme », consistait à encourager exclusivement les productions qui faisaient entrer l'argent dans le royaume.

Les « manufactures » furent donc les enfants chéries du règne. Leurs productions, sans cesse croissantes, dissuadaient les Français de faire venir à prix d'or les verroteries vénitiennes, les soieries italiennes, les armes d'Espagne et les textiles des Flandres. Colbert attira en France de nombreux artisans étrangers et prêta de l'argent aux entrepreneurs, qu'il dispensait d'impôts. Ceux-ci étaient tenus de respecter des règlements de fabrication très stricts, destinés à assurer à la production une irréprochable qualité.

Pour garantir un marché à ces nouvelles industries, Colbert fit lever de lourdes taxes sur les produits étrangers concurrents, à leur entrée en France. En vain les Anglais et les Hollandais firent-ils entendre officiellement leurs protestations : il s'agissait par tous les moyens d'empêcher l'or de sortir du royaume.

Des savonneries, des forges et chantiers navals, des fabriques d'armes, de canons et de poudre, des ateliers textiles, des manufactures de tapisseries comme celle des Gobelins, des fabriques de vases précieux, d'outils, de voitures... permirent aux Français de trouver en France des produits de qualité à des prix stables.

Au-delà des frontières, Colbert voulait vendre les produits français. Il développa le commerce maritime en créant de grandes compagnies auxquelles le roi concédait un monopole : compagnie des Indes orientales, compagnie des Indes occidentales, compagnie du Nord (pour la mer Baltique), compagnie du Levant. Les grands ports maritimes, Bordeaux, Nantes, La Rochelle, profitèrent pleinement de ces bonnes dispositions du pouvoir. Des liens s'établirent avec les colonies que les nouvelles compagnies fondaient dans le monde entier : le Canada, l'Acadie, Terre-Neuve, le Mississippi et la Louisiane ; les Antilles et la Guyane ; le Sénégal en Afrique, l'île Bourbon et Madagascar, Pondichéry et Chandernagor aux Indes. Certes ces premières colonies, faute de moyens, étaient souvent des échecs. Mais elles stimulaient incontestablement l'activité commerciale, protégée par la puissante marine de guerre que le roi avait fait construire.

LA POLITIQUE DE PRESTIGE.

Colbert n'était pas un fanatique de la politique de grandeur. Mais le roi souhaitait disposer de moyens puissants, qui le fissent respecter en Europe et dans le monde. Colbert dut permettre au roi d'équiper et d'entretenir une grande flotte et une armée moderne.

Bientôt 276 vaisseaux de ligne arboraient le pavillon à fleurs de lys sur toutes les mers du monde. L'inscription maritime fournit les recrues. Dunkerque, Cherbourg, Rochefort et Brest sur la côte Ouest, Toulon sur la Méditerranée accueillirent cette flotte immense. Les corsaires, comme Jean Bart, recevaient du roi des « lettres de marque » pour faire la « course » et saisir les cargaisons d'or et de pierres précieuses du roi d'Espagne ou des compagnies hollandaises.

Pour l'armée de terre, Le Tellier et Louvois devaient mettre au point une puissante armée royale, dont les effectifs étaient en croissance continue : 72 000 hommes en 1667, 400 000 en 1703. La cavalerie comptait 47 000 chevaux. Des officiers sortis d'écoles spécialisées dirigeaient une artillerie nombreuse et bien entraînée.

Dans tous les corps, les soldats portaient désormais un uniforme, et marchaient derrière des drapeaux régimentaires. Aux frontières, Vauban avait imaginé et réalisé un imposant système de fortifications d'une conception très nouvelle : les constructions étaient conçues de telle sorte qu'elles offraient le minimum de prise aux coups de l'artillerie, tout en disposant, pour elles-mêmes, de la meilleure efficacité de tir. La notion de « puissance de feu » faisait désormais partie du manuel du parfait officier. Trente-trois nouvelles places fortes, deux cents vieilles forteresses aménagées constituaient sur les frontières une « ceinture de fer » qui devait rendre la France invulnérable.

Le grand roi de Versailles.

LE ROI AU CENTRE DU ROYAUME.

Doté d'un tel appareil militaire, le roi pouvait lancer en Europe une politique de présence et de prestige. Mais il avait surtout les moyens d'assurer l'ordre en France. Un tout petit nombre d'hommes détenait, auprès du roi, le pouvoir de décision : Colbert, Hugues de Lionne et Le Tellier, puis, après 1672, Louvois, fils de Le Tellier, et Arnaud de Pomponne, successeur de Lionne. Ce « Conseil d'en-haut », qui se réunissait tous les deux jours dans les appartements du roi, était par excellence l'instrument de règne de l'absolutisme. Ses décisions étaient sans appel. Les autres conseils (des Finances, des Dépêches, des Parties) étaient plus spécialisés et de tenue moins régulière. Ils assuraient la politique fiscale, les liaisons avec les intendants, la justice royale.

Dans les provinces, les intendants étaient les instruments privilégiés de l'absolutisme. Ils devaient concentrer toutes les prérogatives, au détriment des gouverneurs, grands seigneurs toujours suspects d'indépendance. On brimait par système ces gouverneurs. Ils étaient les ennemis naturels du roi, ses ennemis en puissance. On décida bientôt que leurs charges seraient limitées à trois ans, qu'ils devraient résider à la Cour et abandonner leurs pouvoirs militaires aux lieutenants généraux du roi.

Envoyés d'abord dans toutes les provinces avec une mission d'information, les intendants « de justice, police et finances », nommés et révocables par le roi, finirent par s'y fixer, concentrant dans leurs mains tous les pouvoirs. En 1680, le système des intendances était partout mis en place. Il était le rouage essentiel de la centralisation monarchique, et permettait au pouvoir central de briser aussitôt le moindre mouvement d'émancipation ou d'indépendance dans les provinces périphériques, toujours promptes à la rébellion.

Le roi saisit le prétexte des désordres qui affectaient les provinces pour établir partout durablement son autorité. Ces troubles étaient réels. Les intendants eurent fort à faire, au début du règne, pour rétablir l'ordre dans certaines régions : il fallut purger l'Auvergne de ses brigands. Les *Grands Jours*, juridiction spéciale, y mirent bon ordre en 1665. Le roi faisait coup double : en frappant les seigneurs qui rançonnaient les paysans, il s'attirait des sympathies populaires. Mais en même temps il rendait présente la justice du roi pour tous, et décourageait les « Jacques ». Les officiers royaux, complices des brigands, furent jugés comme eux, et durement condamnés. Les nobles devenus brigands furent châtiés. Il y eut des *Grands Jours* dans d'autres provinces. L'ordre devait rester à la loi.

Dans certaines régions, il fallait faire face à de véritables révoltes de la misère. Les paysans accablés d'impôts et de charges, ruinés par des années de guerre et d'exactions, refusaient de se soumettre à l'autorité du roi. Dans le Boulonnais, en Guyenne, dans le Béarn et le Vivarais et même en Bretagne, des révoltés brûlaient les châteaux et tuaient les agents fiscaux.

Les armées royales firent campagne pour venir à bout des « gueux ». Les troubles cessèrent, devant le déploiement de la force. Dans les villes, où le vagabondage était très répandu, on construisit des hôpitaux et des hospices pour enfermer les malheureux. Comme l'a bien montré Michel Foucault, les hôpitaux étaient conçus comme des prisons pour pauvres, et les fous étaient enfermés pêle-mêle avec les vagabonds, les malades et les chômeurs. A Paris, Colbert créa la charge de lieutenant général de Police, confiée à Nicolas de la Reynie, pour assurer la sécurité sur les voies publiques, arrêter les innombrables brigands, tire-laine, escrocs et rodeurs qui faisaient de certains quartiers de la capitale de redoutables coupe-gorges. Huit cents « hommes du guet » assuraient ainsi le respect des lieux publics, la moralité des tripots et des salles de spectacle, la sécurité des passants. Les bourgeois s'en réjouissaient fort.

Il ne suffisait pas de rétablir l'ordre dans les villes ou dans les provinces traditionnellement acquises à la rébellion. Il fallait aussi intégrer à la vie du royaume les pays nouveaux qui ne faisaient pas encore partie de la France, comme l'Alsace, le Roussillon, l'Artois, la Franche-Comté ou la Flandre francophone. Sans doute le roi de France s'était-il substitué sans mal aux anciens souverains. Sans doute n'avait-il pas touché, selon la coutume traditionnelle de la monarchie, aux institutions existantes. Mais il fallait bien faire sentir la loi française dans ces pays, et les intégrer au royaume.

Les intendants qui en furent chargés n'étaient pas de simples fonctionnaires. Ils avaient une mission politique, dont ils s'acquittèrent généralement fort bien. On se garda de supprimer, en Alsace, les écoles de langue allemande. On n'interdit nullement l'emploi de l'allemand comme langue officielle. On se garda, en Roussillon, d'appliquer l'édit de Nantes, dans une terre longtemps soumise au très catholique roi d'Espagne et pas davantage en Alsace, où les protestants étaient du reste protégés par les traités d'Augsbourg et de Westphalie. Il est vrai que de La Grange en Alsace ou plus tard Chauvelin en Franche-Comté étaient des intendants d'élite, adroits et subtils, des missionnaires civils... que les officiers royaux choisis pour ces provinces étaient des gens du cru, et que nombre de jeunes seigneurs ou de bourgeois devaient servir dans l'armée et dans l'administration du roi, enfin que si le roi « oubliait » de réunir les États des provinces périphériques, qui avaient intrigué contre la monarchie parisienne, il prenait par contre grand soin de réunir le Conseil d'Alsace ou les institutions traditionnelles des provinces acquises. La politique d'intégration n'impliquait pas l'assimilation immédiate aux lois françaises, ni le respect forcé de l'absolutisme royal. Le prestige de Versailles et du « Grand Roi » suffiraient à susciter les ralliements spontanés.

LOUIS LE GRAND ET LA TENTATIVE D'HÉGÉMONIE FRANÇAISE EN EUROPE.

L'ordre européen était depuis longtemps réglé par les Habsbourg. Tous les efforts de la monarchie, depuis François Ier, avaient consisté à écarter la fatale tenaille qui menaçait la France, à dissocier l'Espagne et les pays allemands. A cette politique traditionnelle, Louis XIV ajouta, dans ses guerres contre la Hollande, des préoccupations mercantiles.

L'Espagne fut sa première victime : assuré de l'ordre intérieur, disposant de bonnes finances et d'une armée solide, Louis XIV pouvait parler haut. S'il avait épousé une infante, c'était contre la promesse d'une dot colossale, et la monarchie espagnole n'avait plus les moyens, ruinée par cent ans de guerres, de s'acquitter de sa dette. Louis XIV allait-il, par sa femme, revendiquer le trône d'Espagne ?

En 1665, le roi Philippe IV était mort. Le jeune Charles II était de santé fragile. Louis XIV écrivit aussitôt au Habsbourg d'Autriche, Léopold Ier, pour lui proposer, très simplement, le partage de l'héritage espagnol. La France prendrait la Franche-Comté, la Flandre, la Navarre, le royaume de Naples et... les Philippines. Le plus surprenant est que Léopold ait accepté cette proposition, qui faisait de Louis XIV un petit Charles Quint. Mais son prestige était déjà considérable, et l'Espagne était au plus bas.

Louis XIV entreprit, sans plus attendre, de s'assurer sa part d'héritage. En 1667, il entrait avec Turenne dans le Brabant, prenait Lille après l'avoir assiégée, pendant que Condé occupait la Franche-Comté. Comme prochain objectif, le roi s'était fixé les Pays-Bas espagnols.

Il se heurta à la grande puissance marchande du Nord : la Hollande. Enrichie de ses possessions coloniales, de sa puissante flotte et du commerce de redistribution sur le Rhin des produits d'outre-mer, la Hollande demanda les secours des autres États marchands, la Suède et l'Angleterre, qui étaient aussi des États protestants. Tous craignaient l'engagement de la France sur mer, avec la redoutable flotte de Colbert.

Le roi de France accepta de traiter : il rendait en 1668 la Franche-Comté, mais gardait les places fortes de Flandre et de Hainaut, dont Vauban entreprenait aussitôt la défense. (Traité d'Aix-la-Chapelle.)

Sur les bords de la mer du Nord étaient désormais rassemblées la puissance et la richesse. Il n'était plus nécessaire d'aller faire la guerre en Italie. L'or espagnol et les bateaux des Indes avaient fait d'Amsterdam la Venise du Nord et de Londres, déjà, un puissant port maritime. Stockholm écumait la Baltique. Qui se rendait maître de l'Europe du Nord-Ouest dominait l'ensemble de l'Europe.

Colbert poussait, bien sûr, le roi à la guerre. C'est même la seule guerre qu'il ait jamais souhaitée. Il en calculait les éventuels profits, par l'abaissement de la Hollande, puissance maritime. Les catholiques et le « parti dévot » n'étaient pas fâchés de voir le roi faire enfin la guerre à des protestants. En Angleterre, le pouvoir avait changé. Les Stuarts avaient été restaurés grâce à l'aide de Louis XIV. Le roi Charles II d'Angleterre promit son aide et son alliance. Lionne, le ministre des Affaires étrangères, s'arrangea pour neutraliser la plupart des princes allemands. La préparation diplomatique était sérieuse.

La préparation de la campagne ne le fut pas moins. Louvois avait, en particulier, assuré le ravitaillement des troupes le long de leur parcours, ce qui était une innovation. En 1672, aidés par la flotte anglaise, les régiments du roi entraient en Hollande. Ils étaient 120 000, commandés par Turenne et Condé.

Accablés, les Hollandais n'offrirent pas de résistance immédiate. Quand ils se ressaisirent, ils chassèrent le « grand pensionnaire », Jean de Witt pour constituer une République dirigée par le *stathouder* Guillaume de Nassau. Les bourgeois, qui étaient pour beaucoup des amis de la France, quittaient le pouvoir, remplacés par un dictateur qui s'appuyait, contre eux, sur le peuple. Guillaume était un protestant fanatique qui ferait la guerre jusqu'au bout.

Le « taciturne », à peine au pouvoir, fait ouvrir les digues pour arrêter l'invasion française. Sa détermination frappe l'empereur allemand qui lui tend la main. Une coalition antifrançaise réunit le roi d'Espagne, le roi du Danemark et plusieurs princes allemands. En 1674, Charles d'Angleterre abandonne l'alliance française. Isolé, Louis XIV doit évacuer la Hollande.

Il retrouve son vieil adversaire, l'empereur. Les Impériaux sont de nouveau armés et leurs troupes menacent les frontières. Louis XIV prend les devants. Il occupe une fois de plus la Franche-Comté, envahit les Pays-Bas espagnols. Condé l'emporte brillamment sur l'armée du prince d'Orange. Turenne rosse les Impériaux dans la plaine d'Alsace, avant de mourir, percé d'un boulet, devant

Salzbach. La flotte de Colbert fait merveille : Duquesne met en pièces l'amiral hollandais Ruyter en 1676.

La Hollande traite, à Nimègue. Elle ne perd aucun territoire, obtient même un abaissement des droits de douane français. Louis XIV se paye sur l'Espagne. Elle cède définitivement la Franche-Comté, une grande partie de la Flandre et du Hainaut. Pour Louis XIV comme pour Colbert, la guerre a rapporté. Le roi se permet, après la paix, d'annexer le comté de Montbéliard, plusieurs villes de la Sarre, Strasbourg et la moitié du Luxembourg, sans que les protestataires (l'empereur, le roi d'Espagne, la Suède et la Hollande) puissent agir. Il est vrai qu'en 1683 les Turcs étaient aux portes de Vienne. Les Espagnols furent les seuls à lever les armes : ils furent battus et les Français s'emparèrent du Luxembourg tout entier. En 1684 l'empereur et le roi d'Espagne reconnaissaient toutes les annexions.

LE ROI TRÈS CHRÉTIEN.

A cette date, Louis XIV était au sommet de sa gloire. Roi « de droit divin », il choisissait les évêques et restaurait à son profit, sans être contrarié par le pape, les pratiques du vieux gallicanisme. Bossuet commentait la doctrine du droit divin, pour en faire une sorte de dogme : le roi, sacré à Reims, était l'héritier des rois d'Israël. Il ne devait de comptes qu'à Dieu. Son pouvoir n'était pas arbitraire, il n'était pas celui d'un tyran. Il était l'interprète des volontés divines.

A ce titre, il se devait d'établir la religion catholique dans sa plus grande gloire. Il devait poursuivre impitoyablement ses ennemis. En ce sens, Louis XIV allait être le serviteur dévoué de la Contre-Réforme. Protecteur des jésuites, il ne pouvait manquer, dans la mesure où il se posait en maître absolu d'un État théocratique, d'entrer en conflit avec tout ce qui contestait, en France, la religion catholique.

Les assemblées du clergé le pressaient régulièrement d'intervenir contre « la religion prétendue réformée ». Les protestants étaient protégés par l'édit de grâce d'Alès et par l'édit de Nantes. Le roi fit de ces édits une application très restrictive, pendant que l'Église, de son côté, accentuait sa campagne de conversions. Le maréchal de Turenne, par exemple, avait été converti par Bossuet. Il était mort en catholique. Menacés par le roi, pressés par le clergé, les grands seigneurs protestants abjuraient en grand nombre. La reconquête de la haute société avait pleinement réussi. Dans les basses classes, le clergé employait d'autres armes : chaque « converti » touchait six livres. Comment résister à cet appel du Seigneur ?

Les rigueurs du roi furent aussi sévères à l'égard des jansénistes. Ils n'étaient protégés par aucun texte. Cette petite coterie d'aristocrates et de grands bourgeois gênait les jésuites, embarrassait l'Église, indignait le roi. Il fit fermer Port-Royal en 1664. Les religieuses se réfugièrent dans la vallée de Chevreuse. En 1668, pour retrouver la paix, les jansénistes acceptèrent de signer, « avec des restrictions mentales », un formulaire condamnant cinq propositions de la doctrine de Jansenius, le pape du jansénisme.

Avec les jansénistes, comme les protestants, le grand roi n'était pas allé jusqu'au bout. Il avait toutefois manifesté avec détermination sa volonté de considérer la religion catholique comme la seule religion du royaume. Il prenait d'ailleurs grand soin, dans le temps où il soutenait de tout son poids la foi catholique, d'assurer sur l'Église de France sa domination : en 1682, sous l'impulsion de Bossuet, fidèle serviteur du roi, une assemblée du Clergé votait la *déclaration des quatre articles* qui mettait l'Église sous la coupe du roi, déjà maître depuis le Concordat de 1516 de la distribution des évêchés.

LES NOBLES DEVENUS SERVITEURS DU ROI.

Premier serviteur de Dieu, le roi de France était aussi le premier suzerain du royaume. A ce titre, la noblesse lui devait obéissance. La petite noblesse rebelle avait été facilement matée par les tribunaux d'exception installés dans les provinces. La grande noblesse avait été retirée des gouvernements militaires, mais elle avait trouvé à Versailles de beaux commandements d'armée (Condé, Turenne) et des charges bénéfiques. La politique de distribution des bénéfices n'avait nullement été remise en question par le souverain, qui se souvenait sans doute des leçons du cardinal Mazarin.

Louis XIV avait attiré les nobles à la Cour, et il en avait fait ses courtisans. L'instauration d'une étiquette très stricte (le lever du roi, le petit et le grand coucher, les repas, etc.) permettait de distribuer aux plus grands seigneurs des fonctions honorifiques toujours recherchées, car elles donnaient accès à la personne du roi. Un regard du maître, un mot pouvaient signifier disgrâce ou promotion. Et le roi savait admirablement user de la parole. Un duc de la Rochefoucauld était heureux d'être le maître de la garde-robe ; un duc de Bouillon était grand chambellan, un prince de Condé acceptait d'être le grand Maître... des maîtres d'hôtel. La domestication des grands seigneurs était totale. La disgrâce, c'était l'éloignement de la Cour. Il fallait y paraître pour faire fortune, pour obtenir les titres, les pensions, les offices. Comment vivre en France sinon dans le soleil du roi ? Comment accepter de vivre en province alors que tous les mérites, tous les talents, tous les pouvoirs étaient à Paris ? Saint-Simon le raconte dans ses *Mémoires* :

> « Le roi regardait à droite et à gauche, à son lever, à son coucher, à ses repas, en passant dans les appartements, dans ses jardins de Versailles, où seulement les courtisans avaient la liberté de le suivre. Il voyait et remarquait tout le monde. Aucun ne lui échappait... C'était un démérite... de ne pas faire de la Cour son séjour ordinaire... et une disgrâce sûre pour qui n'y venait jamais ou comme jamais. Quand il s'agissait de quelque chose pour eux : " Je ne le connais point ", répondait-il fièrement. Sur ceux qui se présentaient rarement : " c'est un homme que je ne vois jamais " ; et ces arrêts-là étaient irrévocables. »

UN ART « OFFICIEL ».

La Cour ne comptait pas que des courtisans. On y voyait aussi des écrivains et des artistes. Pour eux, la faveur du roi était essentielle. La vie de Cour était une des manifestations du triomphe décisif de Paris sur la province. Sous Louis XIV moins que jamais, on ne pouvait réussir en province. Les talents se consacraient à la Cour.

A la demande de son maître, Colbert avait créé une « République des Lettres » qui se réunissait autour du roi. L'*Académie française*, œuvre de Richelieu, tentait tous les écrivains, attirés, comme les courtisans, par les grasses pensions royales. On verrait un Jean Racine accompagner le roi à la guerre, pour faire le récit de ses campagnes. Jamais le mécénat n'avait été à ce point institutionnalisé. Louis XIV faisait profession de protéger les artistes. N'avait-il pas soutenu Molière, auteur du *Tartuffe*, contre la coterie des dévots? La plupart des chefs-d'œuvre de la littérature classique ont été produits dans les années 1660-1670, grâce à la protection du souverain. Molière divertit la Cour, que Bossuet moralise. La Fontaine était un ami de Fouquet. Qui lui en fit grief? Boileau ni La Bruyère n'épargnaient les grands dans leurs satires. Le roi leur applique-t-il la censure? Sans doute ses faveurs sont-elles irrégulières, injustes parfois. Tel auteur un moment se plaint, bougonne, conteste. Mais avec quel plaisir rentre-t-il en grâce, le moment venu!

La faveur dispensée aux écrivains est plus large encore pour les artistes, qui servent la gloire du règne. Louis XIV aime le peintre Le Brun, qui dirige l'Académie de peinture de Paris et de Rome. Il est aussi le maître de la manufacture royale des Gobelins. Claude Perrault construit, à la demande de Colbert, la célèbre colonnade du Louvre. Mais déjà le roi, qui n'aime pas Paris, songe à se faire construire un fabuleux palais à Versailles. En 1671, sa décision est prise. Dix ans plus tard, le rêve deviendra réalité.

Le coucher du « Soleil ».

L'INTRANSIGEANCE RELIGIEUSE.

Deux dangers menacent le Roi-Soleil à son zénith. Sa volonté de puissance en Europe, qui lui vaudra des ennemis implacables — et sa politique religieuse, qui ne va pas manquer de provoquer en France les troubles les plus graves.

Autour du grand roi, les bons serviteurs disparaissent : Lionne est mort en 1671, Colbert en 1683, Le Tellier en 1685, Louvois en 1691. Les successeurs sont moins proches du roi, qui gouverne seul.

Le roi, à quarante-six ans, a bien changé. Il ne court plus de château en château et de chasse en maîtresse. Fixé à Versailles, prisonnier de l'étiquette et de la bureaucratie, il se marie secrètement avec une dévote, Mme de Maintenon, qui aura sur sa politique la plus fâcheuse influence. A partir de 1686, une opération a diminué ses forces physiques. Il devient la proie du parti dévot. Le père jésuite François de la Chaise, son confesseur, conjugue son influence avec celle de la Maintenon, pour pousser le roi dans la voie de l'intransigeance religieuse.

Louis XIV commence par entrer en conflit avec le pape qui vient de condamner la *déclaration des quatre articles*. Louis XIV va se passer du pape, et réaffirmer le « gallicanisme royal ». Il nomme pendant onze ans les évêques qui approuvent la déclaration, et le pape, pendant onze ans, refuse de leur donner l'investiture spirituelle. Trente-cinq évêques se trouvent ainsi, en 1688, dans une situation quasiment schismatique.

Le roi, pour fléchir Rome, va jusqu'à occuper le comtat Venaissin. Mais il n'obtient ni du pape Innocent XI ni de ses successeurs la reconnaissance des *quatre articles*. Il doit finalement céder, après une longue lutte.

Le clergé de France n'aurait pas suivi si loin le roi dans sa querelle avec le pape s'il n'avait pas fait montre, à l'égard des ennemis de l'Église, de la plus brutale intransigeance. Les protestants étaient un million environ dans le royaume, fixés dans le Midi, dans l'Ouest, à Paris et en Alsace. La religion réformée restait solide, surtout dans la bourgeoisie et dans le petit peuple des villes. Souvent les industriels et les financiers étaient huguenots, ainsi que les compagnons et artisans.

Les mesures de persécution, jusqu'en 1685, s'étaient bornées à gêner l'exercice du culte et à exclure les protestants des offices et des professions libérales. Les tribunaux mixtes institués par l'édit de Nantes avaient été supprimés. A partir de 1681 les « dragonnades » avaient commencé en Poitou. L'intendant, accompagné de moines et protégé par les dragons du roi, parcourait la province pour imposer les conversions par la force. L'intendant Marillac avait ainsi obtenu trente mille conversions, dont il se flattait à la Cour. Le roi, inquiet de son zèle, l'avait rappelé. Mais il était protégé par Louvois et surtout par Mᵐᵉ de Maintenon. A la mort de Colbert, qui défendait de son mieux ses manufacturiers huguenots, les dragonnades s'étaient étendues à d'autres provinces : Languedoc et Béarn notamment.

Les bilans impressionnants des « conversions » ont-ils convaincu Louis XIV que le problème protestant était en voie de solution ? Des raisons de politique étrangère sont sans doute à la base de la décision prise par le roi de contraindre tous les protestants de France à la conversion. Ne devait-il pas se poser, en face du pape et de l'empereur, en roi très catholique? L'édit de Fontainebleau, qui, en 1685, révoquait l'édit de Nantes ne laissait guère le choix aux Huguenots : leurs temples étaient détruits, leurs pasteurs exilés, leur culte interdit, leurs enfants obligatoirement baptisés dans la religion catholique. Interdiction leur était faite de sortir du royaume, sous peine de galères.

L'opinion publique suivait le roi dans cette politique de répression, tant l'emprise du clergé était grande sur les esprits, à la Cour comme dans la rue. Mme de Sévigné s'extasiait, La Bruyère applaudissait bruyamment. Les financiers protestants n'avaient-ils pas assez longtemps exploité les finances de l'État?

200 000 protestants parvenaient cependant à prendre la fuite. Ils passaient en Suisse, en Allemagne en Angleterre, en Irlande et en Hollande. Quelques-uns allaient jusqu'à Moscou. Ils étaient bien accueillis en raison de leurs capacités et de leur savoir-faire. Bilan de cette politique? Une perte sèche en main-d'œuvre qualifiée, en compétences financières et industrielles, une indignation générale chez les puissances protestantes d'Europe, dont certaines étaient traditionnellement amies de la France, une véritable stupéfaction dans les milieux éclairés : Vauban, par exemple, osait conseiller au roi d'annuler la révocation.

Mais les rigueurs du roi étaient irréversibles. Il ne devait d'ailleurs pas les limiter aux protestants. La malheureuse faction des jansénistes devait être de nouveau persécutée. Réfugiés à Port-Royal-des-Champs, ils avaient fait des prosélytes, sans chercher à étendre leur influence, par le seul prestige des grandes conversions qui illustraient leur cause. Certains évêques n'avaient-ils pas été gagnés au jansénisme, doctrine de la grâce et de la prédestination? Ces succès embarrassaient fort les jésuites, défenseurs de l'orthodoxie romaine. Les papes, par haine de Louis XIV, s'étaient bien gardés de condamner le jansénisme. Toutefois en 1703, quand la querelle du pape et du roi fut éteinte, les jésuites français, et des évêques comme Fénelon, obtinrent du pape Clément XI la condamnation tant attendue. La justice du roi pouvait frapper désormais. Le père Quesnel était arrêté. En 1709 Louis XIV expulsait les religieuses de Port-Royal et faisait raser leur couvent. En 1715, à la mort du roi, les prisons regorgeaient de jansénistes.

L'EUROPE SE REBIFFE.

L'intransigeance religieuse du roi allait rendre implacables ses ennemis protestants en Europe. Hollandais et Suédois s'unirent dès la révocation de l'édit de Nantes à l'Électeur de Brandebourg. Les princes catholiques, par haine de la France, se joignirent à la coalition. Le roi d'Espagne et l'empereur Habsbourg, enfin débarrassé des Turcs, constituaient avec les protestants la *Ligue d'Augsbourg*. Même le pape rejoignait les coalisés. La France était seule contre l'Europe rassemblée.

Louis XIV, prétendant récupérer les droits de la princesse Palatine, sa belle-sœur, fit occuper par ses troupes le Palatinat. 200 000 soldats, commandés par Luxembourg et Catinat, défiaient l'empereur sur le Rhin. L'Angleterre, où Guillaume III d'Orange avait remplacé Jacques II Stuart, était furieusement antifrançaise.

Les Français obtinrent des succès, en Hollande notamment (victoires de Fleurus, de Steinkerque, de Neerwinden) et en Savoie. Dans la plaine du Rhin, les régiments français rasaient le pays, évacuaient les habitants pour installer un solide glacis défensif contre les Impériaux. Sur mer, la flotte française avait été battue par les Anglais et les Hollandais à La Hougue.

La guerre dura neuf ans, de 1689 à 1697. La *paix de Riswick*, alors signée, était une paix de lassitude, sans vainqueurs ni vaincus. Sarrelouis et Strasbourg étaient à la France. En revanche, Louis XIV rendait la Lorraine à son duc, abandonnait le Luxembourg et les places de la frontière italienne, dont Pignerol. Il perdait la maîtrise de la mer.

Cette longue guerre avait affaibli la monarchie. Les beaux efforts de Colbert étaient anéantis. Il fallait de nouveau, pour boucler le budget, avoir recours aux financiers, aux « partisans » dénoncés par La Bruyère. Il fallait imaginer de nouveaux expédients, comme ces « billets de promesse », inventés par Colbert, délivrés contre un intérêt de cinq pour cent à tous ceux qui confiaient leur or au roi. En 1694, les ressources restant insuffisantes, on laissa Vauban établir son système de la *capitation*, impôt frappant directement tous les revenus. La population était divisée en vingt-deux classes, payant l'impôt proportionnellement à leurs ressources. Malheureusement, les privilégiés s'arrangèrent pour ne rien payer et la capitation, reposant seulement sur les classes pauvres, ne fut pas rentable. Le *dixième*, créé en 1701 sur le même modèle par le contrôleur général des Finances Desmarets, n'eut pas davantage de succès. La baisse de la production agricole et industrielle, le ralentissement des échanges avaient en même temps pour conséquence de réduire le montant des impôts indirects. La politique glorieuse du roi conduisait les finances aux pires difficultés.

Les famines, le manque d'argent, la baisse de l'activité provoquaient dans certaines régions des révoltes durement réprimées. En 1703 le Languedoc fut mis à feu et à sang. En 1709 c'était la région de Cahors. La guerre des *Camisards*, protestants irréconciliables, faisait rage dans les Cévennes de 1702 à 1705. Villars dut employer une armée entière pour réduire les rebelles, devenus de véritables « maquisards ». Jusqu'à la fin du grand règne, les protestants tiendraient leurs « assemblées au désert », malgré les dragons de Villars.

En 1700, la guerre de la France contre l'Europe devait reprendre. Par testament de Charles II d'Espagne, le duc d'Anjou était devenu l'héritier du trône. A la mort du souverain, l'empereur prit la tête d'une coalition qui comprenait l'Angleterre de Guillaume III, la Hollande, les princes allemands, le Brandebourg et le Danemark. La France avait cette fois quelques alliés, essentiellement l'Espagne et, pendant un temps, le Portugal et la Savoie.

La guerre, de caractère mercantiliste, eut lieu partout en même temps, sur mer et sur terre. Il s'agissait pour tous les belligérants de s'enrichir au maximum aux dépens de l'adversaire. La coalition était dirigée par de grands capitaines : le prince Eugène de Savoie, le duc de Marlborough (John Churchill), Heinsius, grand pensionnaire de Hollande. Les généraux français, même Villars, n'étaient plus à la hauteur de leurs adversaires. Ils disposaient de 300 000 à 400 000 hommes mal armés, recrutés et instruits à la diable, qui devaient protéger d'immenses frontières.

La France accumulait d'abord les échecs, de 1704 à 1709 : ses armées devaient évacuer l'Italie et la rive droite du Rhin, où elles s'étaient aventurées, après des défaites retentissantes. Les Anglais débarquaient en Espagne, à Gibraltar et dans les Baléares. Les Autrichiens prenaient pied au Portugal et s'avançaient vers Madrid. Dans le nord de la France, le duc de Marlborough prenait Lille en 1708. De nouveau les frontières étaient ouvertes.

Impossible de faire la paix : les exigences de l'ennemi étaient insoutenables. On demandait à Louis XIV de faire la guerre à son petit-fils, le duc d'Anjou. « J'aime mieux faire la guerre à mes ennemis qu'à mes enfants », répondit le roi. Une grande campagne d'explication fut entreprise par le clergé dans le royaume. Tous les curés expliquaient en chaire les raisons de la prolongation de la guerre. Un sursaut patriotique animait le pays. Les jeunes paysans s'enrôlaient en foule dans l'armée. A Malplaquet, le maréchal de Villars alignait 60 000 soldats, devant Malborough et le prince Eugène réunis.

Villars fut vainqueur, mais c'était une victoire à la Pyrrhus, qui s'achevait sur une retraite. Vendôme était plus heureux en Espagne, où il l'emportait à Villaviciosa sur les Impériaux et les Anglais. Philippe V rentrait dans Madrid. En 1711, les Anglais, las d'une guerre indécise et coûteuse, signaient les préliminaires de Londres. A Vienne, le trône était vide : Joseph Ier venait de mourir. Allait-on faire la paix ?

L'archiduc Charles, à peine nommé empereur, reprenait les combats avec l'appui de la Hollande, ennemie inexpiable de Louis XIV. Le prince Eugène envahissait le Nord avec une armée nombreuse. Il était arrêté à Denain par Villars. Cette fois les Impériaux étaient à leur tour las de la guerre.

LA FIN DU PLUS LONG RÈGNE.

La paix fut signée à Utrecht d'abord, en 1713 avec la Hollande, l'Angleterre, la Savoie, le Brandebourg et le Portugal. Une nouvelle campagne fut nécessaire pour obliger l'empereur à signer la paix de Rastadt en 1714. Philippe V, le duc d'Anjou, gardait le trône d'Espagne, mais renonçait à l'héritage de la couronne de France. Louis XIV reconnaissait les droits de George de Hanovre au trône d'Angleterre et chassait de France le prétendant catholique Stuart (Jacques Édouard). Frédéric de Brandebourg était reconnu comme « roi de Prusse ». Il se faisait appeler Frédéric Ier. Le duc de Savoie devenait roi de Sicile.

Cette promotion des princes européens s'accompagnait d'une modification des royaumes : la Savoie était unie à la Sicile, que l'Espagne perdait. L'Autriche dominait le Milanais, Naples et la Sardaigne. Elle devenait une puissance méditerranéenne. Héritière des droits de l'Espagne sur les Pays-Bas, elle entrait en rivalité avec la Hollande.

La France assurait la fortune commerciale et maritime des Anglais : elle rasait Dunkerque, actif nid de corsaires. Elle cédait à l'Angleterre ses comptoirs d'Amérique du Nord : Terre-Neuve, l'Acadie, l'Hudson. Les droits de douane avec l'Angleterre étaient abolis. Les navires anglais devaient être également admis en franchise dans les ports espagnols, notamment à Cadix d'où partaient les convois pour les riches colonies.

Les puissances anciennes s'effondraient (l'Espagne et la Hollande), d'autres, toutes neuves, se dessinaient en Europe : la jeune Prusse, l'Angleterre. L'Autriche s'ouvrait une façade maritime. La carte de l'Europe était bouleversée, et la France n'y trouvait pas son compte, bien que le sursaut final eût préservé presque toutes les conquêtes de Louis XIV.

Avant sa mort, le « Grand Roi » songeait à une alliance des puissances catholiques, France, Espagne, Autriche, contre l'Europe marchande et protestante. La Hollande toute proche n'avait-elle pas accueilli depuis longtemps tous les opposants au trône, huguenots, intellectuels, philosophes ou pamphlétaires, qui multipliaient les polémiques contre Louis XIV ? Le parti des marchands, négociants et armateurs des ports de l'Ouest ne poussait-il pas le roi à une revanche économique sur l'Angleterre ? Enfin, sur le plan intérieur, le monarque ne devait-il pas donner, par des satisfactions extérieures, des apaisements à l'opinion publique de nouveau travaillée par les idées subversives de grands seigneurs comme le duc de Saint-Simon, de grands évêques comme Fénelon ? La mort du roi, le 1er septembre 1715, ouvrait une nouvelle période de régence, l'héritier du trône ayant cinq ans. Le plus long règne se terminait sur une incertitude : la France avait-elle les moyens de reprendre sa place en Europe ?

CHAPITRE 10

La France de Louis le Bien-Aimé

Louis XV était bien accueilli à son arrivée sur le trône. Il avait la ferveur populaire. On l'appellerait « le Bien-Aimé ». Et pourtant aucun roi n'a subi, de la part de la postérité, un pareil discrédit. On lui attribue la dégradation constante des institutions monarchiques, les désastres extérieurs, les crises financières. Son meilleur biographe, Pierre Gaxotte, nous assure que Louis XV fut un grand roi, et qu'il ne faut pas se fier aux ragots qui couraient à la Cour.

Il est de fait que Louis XV couvre, par sa présence, une grande partie du siècle. Il assiste impuissant comme jadis feu Louis XIV à une longue régence, celle du duc d'Orléans, de 1715 à 1743. Son règne personnel se poursuit jusqu'en 1774, et s'achève quinze ans avant la Révolution française, à l'aube de la révolution américaine. Le « Bien-Aimé » est roi de France dans une Europe en proie aux cataclysmes et aux espoirs du siècle des Lumières. Il ne fait pas cavalier seul.

L'agonie de l'absolutisme.

LE RÉGENT, MAITRE DU ROYAUME.

D'après le testament du feu roi, le « conseil de régence » devait être présidé par le duc d'Orléans, Philippe, et composé de princes du sang, deux d'entre eux étant des fils illégitimes du roi, reconnus pour leur sagesse et leur tempérance, ce qui n'était pas le cas d'Orléans.

Ce testament ne faisait nullement l'affaire du duc, qui voulait nommer librement les membres de son conseil, et régner en maître dans le royaume. Pour obtenir sa cassation, il fit promesse aux parlementaires de leur restituer le « droit de remontrance ». Ils n'en demandaient pas tant. Leur haine pour Louis XIV aurait suffi à obtenir d'eux ce que l'impatience du Régent avait payé trop cher.

Orléans choisit, pour siéger au Conseil, des aristocrates adversaires du précédent règne, Saint-Simon en tête. Le fielleux chroniqueur et ses collègues se firent un devoir de supprimer les charges de ministres et de secrétaires d'État créées par Louis XIV, et d'en renvoyer les titulaires. Des « conseils » collégiaux remplacèrent les ministres, tous composés de nobles de cour. Dans ce système appelé « polysynodie », les anciens « domestiques » de Versailles se retrouvaient aux affaires, autour de la table du pouvoir.

Les grands seigneurs amis du Régent étaient les alliés naturels des parlementaires, autres victimes de Louis XIV. Contre le « despotisme ministériel » du précédent règne, les nouveaux maîtres préparaient la « révolution aristocratique » destinée à leur livrer les clés de l'État. Ils voulaient se réserver les postes dans toutes les administrations, dans l'armée et dans la marine, et retrouver leur puissance sociale en rétablissant sur le peuple des campagnes leurs anciens droits à des taux révisés. Ils voulaient rendre à la noblesse la réalité des privilèges.

Rien ne s'opposait alors à cette « réforme », sinon l'évolution très rapide de la situation. Les prix montaient partout en Europe, et le gouvernement des aristocrates, qui multipliait les dépenses, était bien incapable de lutter contre cette « inflation ». Le budget de 1716 comptait soixante-dix millions de recettes contre deux cent trente millions de dépenses! Une grande partie de ces dépenses allait au remboursement des intérêts énormes de la dette royale : plus de deux milliards et demi de livres... L'héritage du grand roi était lourd.

Force était aux grands seigneurs, maîtres du Conseil, de trouver des solutions immédiates, des expédients. On décida d'altérer de nouveau les monnaies, de poursuivre les financiers et prévaricateurs, de supprimer des emplois dans l'administration et dans l'armée. Toutes ces mesures étaient insuffisantes. C'est alors qu'un astucieux Écossais, John Law, vint au secours des grands seigneurs dans le besoin, avec des recettes plein ses poches.

LAW, LE MANIPULATEUR, ET LES SURPRISES DE LA SPÉCULATION.

Le projet de Law n'était pas, dans son principe, révolutionnaire : il s'agissait d'adapter en France le système financier anglais ou hollandais : une banque d'émission, comparable à la *Bank of England*, devait émettre du papier-monnaie gagé sur une encaisse métallique déterminée. Ces billets devaient accroître la circulation monétaire, donc stimuler la consommation et la production. La banque d'émission pourrait recevoir contre intérêt le papier commercial de ses clients. Elle serait donc intéressée à leurs bénéfices, et gagnerait de l'argent en en prêtant. Elle serait ainsi en mesure de rembourser rapidement les dettes de l'État. Contre le vieux système colbertiste, qui misait sur les équilibres et la prudence dans le développement de la production, le « système de Law » supposait le développement rapide des affaires et l'expansion continue à la hollandaise.

Law ne reçut pas du Conseil un blanc-seing. Il fut autorisé cependant à créer une banque. Cette « banque générale », organisme privé, avait reçu les trois quarts de son capital en créances d'État. Dès sa constitution, elle s'intéressait à des affaires de colonisation, finançant la « Compagnie d'Occident », dirigée par Law lui-même, qui avait pour but de mettre en valeur la Louisiane et le Mississippi.

De 1716 à 1718, le succès fut si grand que le gouvernement décida d'autoriser Law à faire de sa banque privée une « banque royale ». Il devint en 1720 surintendant des Finances. Il réussit à racheter les privilèges des principales compagnies créées précédemment : Indes orientales, Sénégal, Guinée, Saint-Domingue. Fusionnant ensemble toutes les compagnies de commerce, Law disposait d'un outil de commerce extérieur aux moyens puissants : la « Compagnie des Indes ».

Cette compagnie émit dans le public des actions. Le succès fut incroyable : de cinq cents livres, prix d'émission, les actions étaient bientôt traitées à dix-huit mille livres. Law avait promis aux actionnaires un dividende de quarante pour cent !

Law avait commis, pour trouver des disponibilités, des imprudences considérables dans la gestion de la banque royale. Il fallait bien qu'il subvienne aux besoins du Régent, qui menait grand train, et des seigneurs ses amis. Law avait émis trois milliards de papier-monnaie pour une encaisse métallique de cinq cents millions. La catastrophe était inévitable.

Il en est des catastrophes financières comme des inondations, elles sont soudaines, complètes, imparables. Le « système » s'écroula par tous les bords : en décembre 1720 les actions de la compagnie s'effondrèrent : crise de confiance. Du coup, le papier d'État perdit toute valeur, la Compagnie des Indes tout moyen. Law s'enfuit. Il avait réalisé une éclatante banqueroute.

Le public était frappé de stupeur. Pour quelques avisés qui avaient su s'enrichir très vite et placer aussitôt leurs gains en valeurs sûres, le plus grand nombre des « actionnaires » avait été grugé, abusé, détroussé. L'État, d'un coup, avait épongé l'essentiel de ses dettes. Mais l'opération avait durablement détourné les Français des actions et du papier des banques. Elle avait créé, au seuil du développement de l'Europe capitaliste, une sorte de traumatisme, un choc en profondeur, très préjudiciable à l'avenir économique de la France. Faute d'avoir su imaginer une politique financière et commerciale cohérente, l'État, en se livrant à la brillante et dangereuse improvisation de Law, avait retardé de plusieurs dizaines d'années l'engagement du pays dans le mouvement ouest-européen des affaires.

Car l'Europe était en paix, et la France aurait pu participer plus massivement à la reprise. Le ministre des Affaires étrangères du Régent, l'ex-abbé Dubois devenu cardinal, avait opportunément fait la paix avec les puissances maritimes, la Hollande et l'Angleterre. Il avait même renversé les alliances, en devenant, contre les Espagnols, l'ami des Anglais, des Hollandais, et même des Habsbourg d'Autriche. Il avait déjoué le complot de la duchesse du Maine, qui voulait le retour à l'alliance espagnole et l'élimination du Régent. Il avait arrêté la duchesse et fait reconduire dans son pays l'ambassadeur d'Espagne. En 1719, Dubois poussait le Régent à la guerre contre l'Espagne, aux côtés des Anglais. Le roi d'Espagne signait la paix : Louis XV épouserait l'infante espagnole Marie-Victoire.

Pour les grands ports coloniaux de l'Océan, la paix avec l'Angleterre et la Hollande était en définitive une bonne nouvelle, la fin de l'intrigue espagnole un immense soulagement. Plus d'un noble avait investi son capital dans les entreprises de grand commerce maritime, aux côtés des bourgeois nantais ou bordelais. On attendait du Régent qu'il confirme les intentions de Law, qu'il soutienne les entreprises françaises outre-mer, qu'il lance la France dans la conquête pacifique des mers, aux côtés de ses nouveaux alliés.

UN JEUNE HOMME DE SOIXANTE-DIX ANS : LE CARDINAL FLEURY.

Cette politique devait trouver un défenseur en la personne du cardinal de Fleury, qui vint aux Affaires en 1726, appelé par le roi. Bien que majeur depuis 1723, Louis XV ne voulait pas gouverner personnellement. Il était pour le système anglais du Premier ministre.

À cette date, le Régent était mort. Déjà le cardinal Dubois avait réagi vivement contre les grands seigneurs de la Cour, qu'il avait éliminés du Conseil ; il avait fait nommer des ministres et des secrétaires d'État qui avaient le sens de l'intérêt public. Les parlementaires agités avaient été exilés à Pontoise... Dubois avait préparé le lit de Fleury.

Il était temps. Les intrigues des grands seigneurs eussent ramené les désordres de la guerre. En renonçant au mariage espagnol, Louis XV avait déjoué les calculs de certains aristocrates, qui voyaient dans cette union le moyen de revenir aux désastreux projets d'alliance espagnoles de Louis XIV. Le roi avait épousé une princesse polonaise, Marie Leczinska, en 1725. Les partisans de la reprise de la guerre européenne devaient déchanter. Fleury trouverait par contre la paix avec l'Angleterre confirmée à son arrivée au pouvoir.

En 1726 l'ancien précepteur du Dauphin était septuagénaire. Ce vieux sage allait gouverner la France pendant plus de quinze ans. Fleury n'avait que des idées de bon sens : aider au développement économique, et, pour cela, apaiser les querelles intérieures, restaurer l'État compromis par les favoris du Régent, et maintenir à tout prix la paix en Europe.

Déjà, au début du siècle, la France était aussi riche que l'État était pauvre. Riche de ses enfants : le mouvement de la natalité s'accentuait. Les Français étaient dix-neuf millions en 1697 ; ils seraient vingt-six millions en 1789. Riche aussi d'activités et d'entreprises : les Français regardaient vers l'extérieur, vers l'outre-mer. Sur les marchés européens, les pièces en or du Brésil et du Mexique arrivaient à foison. Les prix montaient, mais aussi la quantité des produits consommés. Dans une France prospère, qui allait connaître un demi-siècle d'éclatante civilisation, l'État était bridé par des difficultés financières sans issue.

Pour rendre au royaume sa santé, on ne pouvait multiplier indéfiniment les astuces et les expédients financiers. On ne pouvait pas davantage entreprendre une réforme en profondeur de la société privilégiale. Au temps de Fleury, on pensait encore qu'un tel projet n'avait pas de nécessité. On pouvait pallier la crise des finances de l'État par un encouragement massif à la production et aux échanges.

Soucieux de tenir son pari, Fleury avait d'abord remis de l'ordre dans la maison, restauré la confiance dans la monnaie : l'écu d'argent et le louis d'or avaient reçu de nouvelles valeurs : une « livre tournois » vaudrait désormais un sixième d'écu et un vingt-quatrième de louis. La stabilité monétaire serait maintenue pendant tout le règne, malgré la hausse continue des prix.

Cette hausse soutenait l'entreprise, au lieu de la desservir. Un plus grand nombre de produits était livré à la consommation, d'origine industrielle ou coloniale. Les Français gagnaient plus, en numéraire, mais ils consommaient plus. La paix sur les mers permettait d'exploiter les premières conquêtes coloniales : les Antilles françaises (qui comprenaient alors Saint-Domingue), la Louisiane, le Canada, les cinq comptoirs des Indes, l'île de France et l'île Bourbon dans l'océan Indien (aujourd'hui l'île Maurice et la Réunion), enfin les comptoirs d'Afrique, du Sénégal à la « côte des Esclaves ». Les colonies les plus riches étaient celles d'Amérique, qui produisaient, dans les Antilles, le sucre et bientôt le café, le riz et le tabac en Louisiane, les fourrures et le goudron au Canada. Les Comptoirs d'Orient assuraient le nouveau départ du port de Marseille, cependant que les ports de l'Atlantique, Nantes, La Rochelle et Bordeaux, se lançaient dans la « traite des nègres ».

Admirable trafic! Les armateurs chargeaient à plein bord les navires négriers de « pacotilles », bijoux en toc, objets de cuisine, poudre et fusils, alcools et tabacs. Les capitaines échangeaient sur les côtes d'Afrique leurs cargaisons contre des « nègres » capturés dans l'intérieur des terres par les « rois » négriers des côtes. Au prix d'un effroyable déchet en hommes, les bateaux acheminaient leur douloureuse cargaison dans les îles et dans le Sud de la Louisiane. On achetait les esclaves pour qu'ils travaillent aux plantations. Avec le produit de la vente, les capitaines achetaient du sucre, du cacao, du tabac et tous les « produits coloniaux » qu'ils revendaient très cher en France. Les maîtres du commerce « triangulaire » faisaient ainsi rapidement fortune.

Même l'État y trouvait son compte, puisqu'il multipliait les impôts et les taxes sur le commerce extérieur, pour équilibrer le budget. Le royaume avait retrouvé, au début des années trente, la stabilité financière. Orry, le contrôleur général des Finances du cardinal, avait soumis les privilégiés au paiement de la « capitation » et du « dixième », les impôts qu'avait créés Vauban. C'était un premier pas dans la voie de la réforme.

Les privilégiés n'avaient guère protesté, se sentant peu soutenus à la Cour. Fort de la confiance du roi, le Cardinal maintenait la paix intérieure, matait les jansénistes, ramenait à la raison les « convulsionnaires » qui se livraient au cimetière de Saint-Médard à d'étranges manifestations de mysticisme collectif. Rien ne semblait troubler la paix intérieure. Encore fallait-il veiller aux frontières.

LA SAGESSE EUROPÉENNE DE FLEURY.

La guerre était, au XVIIIe siècle, un moyen de s'enrichir pour les nouvelles nations de l'Europe. Aussi était-il bien difficile de l'éviter. Le roi de Prusse et le roi de Suède investissaient de fortes sommes dans leurs armées. Ils entendaient qu'elles leur rapportent.

Malgré son profond désir de maintenir la paix, le cardinal fut à deux reprises entraîné dans la guerre, par une sorte de mécanique des forces. La première mauvaise affaire fut la « succession de Pologne ». Stanislas Leczinski, beau-père du roi de France, avait été élu roi de Pologne par la Diète en 1733. Aussitôt les Russes envahissaient la Pologne et Stanislas trouvait refuge dans le port de Dantzig, appelant Louis XV à son secours.

Attaquer les Russes n'était pas chose facile aux Français bien qu'ils eussent, contre les Autrichiens, l'appui du roi d'Espagne et de Sardaigne. Le parti antiautrichien triomphait à la Cour : pour peu de temps. Le corps expéditionnaire français envoyé en Russie échoua dans son entreprise, même si les Autrichiens furent chassés d'Italie. La paix signée par Fleury évitait le pire : la reprise d'une rivalité franco-autrichienne sur le continent. A la paix de Vienne, Stanislas recevait, en échange de la Pologne, le duché de Lorraine et le duché de Bar, appartenant à François de Lorraine, gendre de l'empereur. Ce dernier trouvait des compensations en Italie. A la mort de Stanislas, Lorraine et Bar reviendraient à la France sans bourse délier. Le cardinal avait investi, à sa manière. Il pouvait abandonner à Charles, infant d'Espagne, les royaumes de Naples et de Sicile.

Cette paix heureusement conclue, Fleury se trouvait aux prises avec une nouvelle affaire empoisonnée : la succession de l'empereur Charles VI, qui avait légué tous ses biens à sa fille, Marie-Thérèse. Quand il mourut en 1740, rien ne put retenir la cupidité du roi de Prusse Frédéric II qui avait une belle armée et entendait s'en servir. Il la lança sur la Silésie, dont elle ne fit qu'une bouchée. Les Autrichiens ne purent l'en déloger. N'était-ce pas, pour la France, l'occasion longtemps cherchée d'abattre définitivement les Habsbourg ? Leurs ennemis s'activaient à la cour de Versailles.

Une alliance avec la Prusse, la Bavière et la Saxe semblait promettre la victoire. Les Espagnols, par cupidité, rallieraient la coalition. Fleury ne put résister au mouvement guerrier. La France aussi avait des militaires qui brûlaient de conquérir l'Europe. Le maréchal de Belle-Isle, d'une traite, conduisit l'armée française jusqu'à Prague où l'électeur de Bavière se faisait élire empereur.

Marie-Thérèse sut parler à Frédéric II le langage qu'il comprenait : elle le paya de territoires, et il se retira de la coalition. L'ardente Autrichienne reconstitua une armée avec ses fidèles hongrois et chassa les Français d'Allemagne en 1743.

Ce que craignait le plus Fleury devint inévitable : les Anglais et les Hollandais, nos rivaux outre-mer, jugèrent l'occasion belle de prêter main-forte à l'Autriche. Puisque les Français avaient mordu la poussière, il était temps d'entrer en campagne, et de participer à la curée. La guerre s'étendit à toutes les mers du globe.

La flotte anglaise avait au Canada une supériorité manifeste. Elle s'emparait des comptoirs de la côte. Les Anglais étaient moins heureux aux Indes, où Dupleix, aidé par les Cipayes, s'emparait de Madras. La flotte de La Bourdonnais lui avait prêté main-forte. C'est sur terre, en Europe, que l'armée française devait obtenir la décision. En 1750 Maurice de Saxe battait les Anglo-Hanovriens à Fontenoy (1745) et Raucoux. L'armée française prenait la Belgique, passait en Hollande, l'emportait à Lawfeld, forçant l'ennemi à traiter.

Louis XV suivait les conseils avisés que Fleury lui avait donnés avant de mourir en 1743. Il renvoyait le plus farouche partisan de la guerre contre l'Autriche, le secrétaire d'État aux Affaires étrangères d'Argenson. Il signait en 1748 la paix d'Aix-la-Chapelle, renonçant à ses conquêtes, rendant même Madras aux Anglais. Louis reconnaissait l'élection au trône impérial de François de Lorraine, mari de Marie-Thérèse. Louis XV, désormais seul maître du gouvernement de la France, s'était battu « pour le roi de Prusse ».

La France dans l'Europe des « Lumières ».

LES IMPUISSANCES DE L'ÉTAT.

La France de Louis XV, en 1750, aimait son roi. Il avait fait la paix, suivant le vœu de Fleury. Il avait renvoyé le belliqueux d'Argenson. Si l'on interprétait en Europe la paix d'Aix-le-Chapelle comme un signe de faiblesse, elle était bien accueillie en France.

Le roi était un homme jeune de trente-trois ans qui avait montré du courage à la guerre, et de la modération dans la paix. On le savait ardent à la chasse, empressé auprès des jolies femmes. Depuis Henri IV, jamais souverain n'avait connu une telle popularité. Un grand concours de foule dans les églises suivit l'annonce d'une maladie du roi. On priait pour sa santé. On le disait soucieux du bien de son peuple. Après tant d'années de guerres, de famines, de misère, de persécutions religieuses et fiscales, le peuple français voulait un roi plus soucieux de bonheur que de gloire.

Pourtant Louis XV devait être rendu peu à peu responsable des difficultés chroniques des finances de l'État. Après la mort de Fleury, après la fin de la guerre avec l'Autriche, la France faisait de nouveau ses comptes : ils étaient désastreux. Certes la monnaie restait stable, mais l'État devenait de plus en plus pauvre, dans une France de plus en plus riche. Pour réformer les Finances, il fallait frapper les privilèges par l'impôt, porter atteinte à la société, mettre en question les droits acquis, au moment où la pression du parti aristocratique s'efforçait, précisément, de renforcer ces droits.

Il ne faut pas s'étonner que le jeune roi ait été bientôt la cible de l'opinion publique, celle des salons parisiens et des libellistes à gages. On fit courir des chansons, des pamphlets. On montrait le roi indifférent, s'en remettant des affaires de l'État aux favorites, comme la Pompadour et plus tard la Du Barry. On affirmait qu'il ruinait le Trésor par ses caprices, qu'il se souciait peu du désastre financier, pourvu qu'on lui laissât ses maîtresses. On traînait dans la boue les grands serviteurs du règne : Machault d'Arnouville et

Choiseul. Qui alimentait cette campagne ? Les privilégiés... ceux qui craignaient pour leur fortune et leur rang.

De fait Machault d'Arnouville, chargé par le roi de la réforme des finances, avait créé un nouvel impôt, le *vingtième*, levé sur les revenus de tous, quels qu'ils soient, qu'ils fussent ou non nobles. Il fallait résorber le déficit et payer les intérêts de la dette, accrus de nouveau par la guerre. Les privilégiés criaient au scandale. Ils ameutaient les parlementaires, privilégiés eux-mêmes. Le roi avait dû forcer le Parlement, dans une séance spéciale appelée *lit de justice*, à enregistrer l'édit créant le *vingtième*. Les États des provinces, l'Assemblée du clergé avaient refusé de payer. Le roi n'avait pu contraindre le clergé. Pourtant il avait dissous son Assemblée. Mais l'Église avait obtenu, en 1751, le maintien intégral de ses privilèges fiscaux. Elle représentait une partie très importante de la fortune foncière du royaume.

Comment refuser aux uns ce que l'on accordait aux autres ? On risquait une nouvelle fronde, avec les parlementaires en colère, les aristocrates inquiets, le peuple enfin, qui supportait seul, en définitive, la nouvelle augmentation des impôts. L'attentat de Damien contre le roi, en 1757, marquait le sommet de cette crise intérieure qui ne devait pas se prolonger. La France était de nouveau entrée dans la guerre, parce que ses intérêts vitaux étaient en jeu.

Son avenir était, à cette époque, largement conditionné par l'influence qu'elle pourrait avoir en Europe, mais surtout par le rôle économique que ses ennemis lui laisseraient jouer dans le monde. Car le monde, l'Europe, et la France elle-même, avaient beaucoup changé depuis la mort du grand roi.

LA RIVALITÉ DES PUISSANCES DE L'ATLANTIQUE.

Le pouvoir avait changé d'axe : une nation à ambition mondiale ne pouvait se borner, désormais, à rechercher l'hégémonie en Europe, dans un duel à mort avec la Maison d'Autriche. Le vieux Fleury avait parfaitement compris que l'avenir de la France était à l'Ouest, dans une confrontation qu'il espérait pacifique avec les puissances maritimes.

La découverte puis la colonisation du monde par l'Europe avaient commencé. Il était loin le temps où seuls les Espagnols et les Portuguais assumaient le monopole de l'exploitation des découvertes. Au XVIIe siècle, la Hollande et l'Angleterre avaient pris la relève, et la France avait suivi.

Dans la course aux comptoirs, la Hollande était distancée par l'Angleterre : en 1750, le duel économique majeur n'était plus entre la Hollande et l'Angleterre mais bien entre l'Angleterre et la France.

Ayant assuré, contre la France, un certain équilibre des forces sur le continent, l'Angleterre ne voulait pas être distancée ni même concurrencée, dans l'exploitation des richesses du monde.

Or l'accroissement du commerce maritime français avait été spectaculaire : il devait quintupler de 1716 à 1787. La seule flotte marchande comptait en 1780 plus de deux mille vaisseaux. Les progrès les plus rapides, à tous égards, avaient été réalisés entre 1730 et 1740. Les négociants français avaient, à l'évidence, profité de l'abondance des monnaies d'or venant du Brésil et du Mexique, ainsi que de la paix des mers chère à Fleury. Les Français étaient présents dans les comptoirs africains de la côte Ouest, ils étaient associés au fructueux et honteux trafic de la « Traite ». Une société de planteurs de sucre très prospère s'était constituée dans les « îles », avec de nombreux esclaves. Les maîtres étaient bretons, normands, basques. Leurs productions s'écoulaient en France par l'intermédiaire des riches armateurs de la côte Ouest.

Ceux-ci avaient également des antennes aux Indes, conquises par Dupleix. Ils importaient les épices et le thé. Les produits de la Louisiane et du Canada, ceux des îles de l'océan Indien, avaient en France un débouché assuré. On faisait même venir, dans les périodes creuses, du blé d'Amérique. La mode du café (introduit à Paris par un commerçant arménien très avisé), du thé et du chocolat faisait la fortune des cafés en vogue, comme le *Procope*, et des salons aristocratiques, où les curiosités exotiques étaient toujours bienvenues et payées fort cher.

Le trafic de l'Atlantique, la découverte des nouveaux comptoirs avaient relancé l'activité en Méditerranée. Le port de Marseille reprenait vie, grâce à l'activité des Marseillais dans le Levant. Marseille exportait les produits fabriqués et réexportait les denrées venues des « Nouvelles Indes » (Antilles). Les ports français, d'une manière générale, pratiquaient en Europe et en Amérique l'exportation des produits industriels, des textiles de luxe, des cotonnades ordinaires, des objets manufacturés, armes, outils, alcools et sucres raffinés en France. Les fortunes, à Nantes ou à Bordeaux, devevaient considérables.

LE BLOCAGE INDUSTRIEL DE LA FRANCE.

L'industrie française, en dépit de ses progrès, n'était pas à la hauteur du grand commerce maritime. Elle ne parvenait pas à faire face à la demande accrue. Elle était limitée par l'insuffisance des capitaux, l'inexistence du crédit, la difficulté de transporter des matériaux pondéreux sur un territoire très continental. L'Angleterre était avantagée à cet égard : elle avait pu généraliser le cabotage le long des côtes, et creuser à peu de frais tout un système de canaux. Elle avait ainsi commencé très tôt une politique industrielle très hardie, reposant sur l'exploitation de la vapeur et la sidérurgie.

En France, on avait aussi creusé des canaux : le canal du Centre ou le canal de Bourgogne, par exemple. Un corps des ingénieurs des Ponts-et-Chaussées se préoccupait de donner au pays un ensemble de routes modernes. Mais sur ces routes, pavées et bientôt goudronnées, il y avait encore des douanes et péages ! Le coût des transports, déjà lourd en raison des distances terrestres à parcourir pour les denrées industrielles, se trouvait anormalement alourdi par des survivances du Moyen Age.

Les habitudes capitalistes n'étaient pas entrées dans les mœurs. Dans le vieux pays catholique, gagner de l'argent ou prêter de l'argent était presque considéré comme infamant. Si beaucoup de nobles, à titre individuel, s'étaient lancés dans l'aventure maritime ou même industrielle, la noblesse dans son ensemble méprisait l'entreprise et les nobles français, à l'inverse des « lords » britanniques, ne voulaient pas « déroger » en exerçant un métier. Quant aux bourgeois, ils avaient une trop longue habitude des investissements dans les biens fonciers ou immobiliers et dans ces offices pour risquer leur argent dans des affaires considérées comme aléatoires. L'expansion était en France le fait d'une minorité d'hommes d'entreprise qui faisaient presque figure d'aventuriers.

Et pourtant l'industrie des « manufactures » et l'artisanat faisaient des progrès très rapides. Les toiles peintes d'Alsace, les tissus imprimés, les soieries lyonnaises avaient une cote élevée partout dans le monde. Ils étaient considérés comme des produits de luxe et achetés fort cher. Oberkampf, dans sa manufacture de Jouy, avait réussi à construire des machines à imprimer les tissus. Les cotonniers d'Alsace et de Normandie utilisaient les dernières « mécaniques » importées d'Angleterre. La laine se concentrait notamment en Champagne, autour de Reims, la soie à Lyon.

Dans l'industrie lourde, la compagnie d'Anzin exploitait déjà le charbon du Nord. Elle avait plusieurs milliers de mineurs. Alès et Carmaux avaient des forges fonctionnant au charbon. Le Creusot faisait l'admiration des spécialistes, en raison de ses hauts fourneaux géants. Les « pompes à feu » fonctionnant à la vapeur se répandaient dans les mines. En 1779, la première machine construite en France sur les plans de Watt entrait en action. Mais l'essentiel du fer et de la fonte produits en France était dû encore aux petites forges presque rurales alimentées au charbon de bois, dans les régions riches en minerai comme le Nivernais ou le Sancerrois. La petite métallurgie dominait largement, ainsi que les ateliers ou le travail à domicile dans le textile. Les grandes concentrations de travailleurs étaient rares. La France, en dépit des règlements trop sévères imposés aux corporations après Colbert, avait fait des progrès industriels manifestes. Elle n'était pas entrée, comme l'Angleterre, dans l'ère des « fabriques ».

UN ROYAUME DE PAYSANS.

Ils étaient dix-neuf millions à la mort de Louis XIV : la très grande majorité des Français. Ils seraient sept millions de plus sous Louis XVI. Certes, parmi eux, tous n'étaient pas des « coqs de village ». Il n'importe! Le gonflement progressif des villes apportait une demande nouvelle en produits agricoles, et les paysans en profitaient, exploitant leurs terres comme ils pouvaient. Car la révolution « à l'anglaise » n'était pas encore le lot des campagnes françaises, à loin près : les coutumes rurales, les pratiques collectives s'opposaient au village à l'introduction de l'assolement, à la suppression de la jachère. On n'eût pas toléré que les plus riches entourent leurs champs de clôture. On tenait à ce que le troupeau communal pût paître partout, chez les riches comme chez les pauvres. Seuls les très grands domaines pouvaient se permettre des expériences, généralement dans les terroirs limoneux du bassin parisien. Ailleurs, on restait fidèle aux méthodes du passé, avec la jachère, l'engrais naturel et les assolements primitifs.

Le paysan vendait mieux et plus cher les produits du sol. Quand il n'était pas trop éloigné d'une ville ou d'un gros bourg rural, il pouvait, s'il ne disposait pas d'un « lopin » trop exigu, s'enrichir. Les droits féodaux n'étaient plus que des survivances, dans bien des cas, quand ils étaient payés en argent, ils n'avaient pas été réévalués depuis des siècles. Les paysans s'étaient emparés des terres communales, et accroissaient d'autant leurs ressources. La mortalité dans les campagnes avait sensiblement baissé, chez les hommes comme chez les bêtes, grâce aux progrès de la médecine, aux vaccins, à une plus grande hygiène, au moins grand nombre des famines. La natalité restait très forte et les familles très nombreuses : quarante pour cent des terres étaient aux mains de paysans propriétaires, mais les parcelles étaient souvent trop petites. Elles se morcelaient constamment par le jeu des héritages.

Le reste de la terre était aux mains des privilégiés de la fortune ou du rang : si le clergé possédait dix pour cent des terres cultivées du royaume, les revenus en profitaient surtout au haut clergé possesseur des *bénéfices*. La noblesse qui formait deux pour cent de la population française, possédait encore un quart des terres cultivées, mais les riches propriétaires étaient des seigneurs vivant à la Cour ou à la ville, tandis que la majorité des petits noblions subsistait mal avec des revenus dévalués. Une bourgeoisie de la terre s'était constituée, car les bourgeois de Paris, de Bordeaux ou de Lyon achetaient plus volontiers des terres que des actions industrielles. Des « coqs de village » spéculant sur les grains en période de disette, aux riches financiers propriétaires de grands domaines, toute la gamme de l'argent se reflétait dans la structure des campagnes qui fournissaient à la nation l'essentiel de ses revenus.

Il reste que l'enrichissement, à la campagne, était plus lent que dans les entreprises de commerce ou d'industrie, s'il était moins risqué. Les véritables profiteurs du siècle étaient donc les bourgeois d'entreprise, ceux des ports et des manufactures, ceux qui avaient intérêt à réformer à la fois le régime et les lois sociales.

LE DÉCOR DE LA VIE : LES VILLES A LA FRANÇAISE.

La richesse des bourgeois fit des villes françaises un modèle pour toute l'Europe : aujourd'hui encore, Nantes, Nancy, Dijon, ont leur quartier du XVIIIe siècle. Les villes se sont partout développées, dans un style monumental, aéré, libre, harmonieux et fonctionnel. Dans Paris, qui atteignait 600 000 habitants, le roi avait fait percer de belles avenues, paver et décorer de vastes places comme la place Louis-XV aujourd'hui place de la Concorde. L'École de Guerre donnait au Champ-de-Mars une allure triomphale, à deux pas de l'esplanade des Invalides, en face des villages de Chaillot et de Passy. Versailles s'enrichissait du Petit Trianon. Des villes modestes comme Riom et Nancy construisaient de superbes ensembles monumentaux. Un architecte comme Ledoux était déjà un urbaniste, concevant les villes non comme de simples ensembles d'habitations, mais comme des espaces ouverts à la vie libre et heureuse. Une pléiade d'artistes de premier plan multipliait dans les palais, les églises et les maisons particulières les éléments de décoration. Les sculpteurs Houdon et Coustou, les peintres Chardin, Fragonard, Boucher, plus tard Hubert-Robert et David produisaient des tableaux pour les riches amateurs, mais aussi des gravures destinées à une clientèle beaucoup plus vaste, répandant ainsi le bon goût dans des demeures roturières. L'objet d'art faisait son entrée dans la vie quotidienne des Français. Le mobilier lui-même était changé : il devenait plus aimable, plus confortable, plus accessible aux demeures particulières. Les étoffes, elles aussi vulgarisées, jouaient un rôle croissant dans l'ameublement. Les toiles peintes de Jouy se vendaient dans toute l'Europe, ainsi que les « papiers peints », invention de l'époque. Le costume se créait à Paris, centre des modes et des arts. Les fourchettes en argent ou les vases en cristal s'inspiraient des modèles parisiens, même s'ils étaient fabriqués sur le Rhin. Un « art de vivre » se définissait sur les bords de la Seine, et se trouvait reproduit plus ou moins gauchement d'un bout à l'autre de l'Europe, jusques aux rives brumeuses de la Spree.

UNE RÉVOLUTION CULTURELLE.

La mode n'était certes pas le seul élément de la culture ; mais qu'elle fût exportée, banalisée, vulgarisée, impliquait une sorte de réveil en profondeur du goût et de la curiosité intellectuelle. En province comme à Paris, les sociétés de pensée, souvent appelées *académies*, réunissaient les bons esprits. Les bourgeois, grands et petits, s'y rencontraient et fondaient des *prix* littéraires ou scientifiques pour stimuler la recherche et la création. La circulation des idées était, dans la France du XVIIIe siècle, bien plus rapide que celle des marchandises. Les villes avaient de belles bibliothèques, des *chambres de lecture*, en tout cas des cafés où se lisaient les *gazettes*. Paris avait ses salons littéraires, où paradaient les écrivains connus et moins connus, comme le *Neveu de Rameau*, de Diderot, amuseur génial de la bonne société, pique-assiette philosophe d'un talent particulier pour tourner en dérision tous les travers du monde. Mme de Lambert, Mme de Tencin, Mme du Deffand, Mme Geoffrin ou Mlle de Lespinasse attiraient les beaux esprits et donnaient des dîners pour les écrivains et les artistes.

> « Il n'arrivait d'aucun pays, dit Marmontel, ni prince, ni ministre, ni hommes ou femmes de renom qui, en allant voir Mme Geoffrin, n'eussent l'ambition d'être invités à l'un de ses dîners. »

Chez le riche baron d'Holbach, il y avait l'Italien Galiani, un abbé à la conversation pleine de saillies, un chimiste du nom de Roux et le philosophe Diderot. L'Europe princière se disputait la faveur d'être reçu chez le baron, dont les réceptions étaient plus cotées que celles de Versailles...

Plus modestes, les académies de province, les sociétés scientifiques, les loges maçonniques inspirées de la mode anglaise n'étaient pas moins actives dans la diffusion des idées nouvelles. En 1789 la province française ne comptait pas moins de trente académies, essentiellement dans les villes de l'Est et du Midi. Elles couronnaient des écrivains illustres, quelquefois à leurs débuts : Montesquieu à Bordeaux, Rousseau à Dijon, Robespierre à Arras. L'activité intellectuelle était si vive en province, dans la seconde moitié du siècle, que le gouvernement du roi devait prendre des mesures pour dépister les idées subversives.

Car le renouveau intellectuel se faisait aux dépens du modèle ancien de la société : Montesquieu, mort en 1755, et Voltaire, mort en 1778, s'étaient fort illustrés dans la mise en question de l'ordre monarchique. Ils avaient fait des adeptes : les *Lettres anglaises* de Voltaire étaient de 1734. En 1746, rentré en faveur, il occupait la charge enviée d'historiographe du roi, doté d'une bonne pension. Mais d'autres continuaient le combat : Diderot et le mathématicien d'Alembert publiaient à partir de 1751 les volumes de l'*Encyclopédie*, monument élevé aux sciences et techniques nouvelles et à la pensée libre, à la pensée critique. Malesherbes, directeur de la Librairie, censeur royal en quelque sorte, évitait aux deux premiers volumes d'être brûlés car il avait les idées larges. Il tolérait la publication des suivants, malgré les protestations des jésuites. Condamnée enfin, l'œuvre était néanmoins achevée en 1772 : elle comptait dix-sept volumes de textes, sans parler des illustrations très nombreuses...

Cette publication constituait une sorte de Bible de la pensée moderne. Elle encourageait partout l'esprit « philosophique », qui voulait bousculer les routines et les préjugés, libérer les hommes de l'ordre ancien. Voltaire abandonnait son rôle d'écrivain officiel, reprenait lui aussi le combat, multipliait les pamphlets, de Ferney où il avait trouvé retraite, à proximité de la Suisse hospitalière. Voltaire plaidait pour le protestant Calas, pour le chevalier de la Barre qui risquait la mort pour avoir refusé de saluer une procession. Il défendait le héros désabusé des Indes, Lally-Tollendal. De voyage à Paris en 1778, il était l'objet d'une sorte de manifestation spontanée, acclamé par des milliers de personnes. Les philosophes devenaient des personnages populaires et le « roi Voltaire » assumait jusqu'à sa mort une sorte de pontificat laïque.

Le succès de Rousseau était plus tardif, moins spectaculaire : son *Discours sur les Sciences et les Arts*, couronné par l'Académie de Dijon, était de 1750. Son *Discours sur l'Origine de l'Inégalité* était de 1755. Il ne reçut pas de prix, les académiciens ayant jugé l'œuvre trop provocatrice. Rousseau proposait non seulement un changement ou une libéralisation du régime monarchique, mais un bouleversement total de la vie en société et jusqu'à une éducation nouvelle pour les enfants. Si *La Nouvelle Héloïse* était une manière nouvelle d'aimer, l'*Émile* était une nouvelle manière d'enseigner et le *Contrat social* une nouvelle manière de choisir et de contrôler les gouvernants. Rousseau devait apparaître ainsi comme le véritable philosophe de la Révolution, celui qui inspirerait les meilleurs discours des Jacobins de la Montagne.

Le triomphe des philosophes et de leurs idées leur permettait de passer les frontières, sans passeport. Déjà en France l'édition avait été renouvelée par les publications nombreuses des sciences, des techniques et de la philosophie dirigées ou rédigées par les encyclopédistes et leurs amis. Le roman, genre profane, attirait de plus en plus de lecteurs. Hors de France, et jusqu'en Russie, on lisait dans la bonne société ces ouvrages en français, et leur succès était tel que l'on invitait leurs auteurs à la cour des despotes de l'Est : Voltaire faisait les délices du Prussien Frédéric II et Diderot faisait des grâces à la grande Catherine de Russie. Avec eux se répandait en Europe une certaine manière de vivre et de penser « à la française ».

La dégradation de la monarchie française.

LA RÉSISTANCE DES PRIVILÉGIÉS.

L'agitation et la propagande des philosophes et de leurs amis allaient au fond dans deux directions : certains, comme Montesquieu et Voltaire, étaient pour plus de tolérance et l'organisation des libertés publiques. Ils voulaient maintenir la monarchie, en l'adaptant à la nouvelle société, celle des échanges et du profit.

D'autres, avec Rousseau et Diderot, voulaient abattre d'un coup le vieux système, et changer d'abord la manière de vivre. Ils applaudissaient aux insolences de Beaumarchais et n'attendaient pas grand-chose des réformes politiques ou sociales. Ils savaient que la société ne trouverait pas en elle-même la force de se changer. Il fallait que le changement lui fût imposé de l'extérieur.

La première tendance n'était pas incompatible avec les revendications d'une grande partie des privilégiés, particulièrement de la noblesse de robe. Les parlementaires avaient toujours prétendu contrôler l'absolutisme royal et le « despotisme ministériel » qui en était l'expression. Le vaste déploiement des différentes unités de la guerre idéologique n'était-il pas l'occasion, pour les membres du Parlement, d'entrer à leur tour dans la bataille ?

Choiseul pensait apaiser à bon compte cette agitation en donnant aux parlementaires un bouc émissaire de choix : la Compagnie de Jésus. Les parlementaires avaient toujours été de tendance gallicane, voire janséniste, ils détestaient les jésuites. Ils enrageaient de voir leurs enfants intoxiqués par les bons pères, dans ces collèges qui étaient les meilleurs d'Europe. Leur rêve était d'arracher la jeunesse à l'illustre Compagnie, en construisant un enseignement moderne, conforme aux vœux des encyclopédistes, détaché des langues anciennes et de la théologie, orienté vers les sciences, les langues vivantes.

Ils eurent l'occasion d'intervenir à Marseille : un jésuite dirigeait une compagnie de commerce qui venait de faire faillite. Les parlementaires saisirent ce prétexte pour monter contre les jésuites un procès de tendance, ameutant largement l'opinion. Ils déclarèrent que les statuts de la Compagnie étaient « contraires aux lois du royaume ». Les religieux français, disaient-ils, devaient obéir au roi, non au pape. Les jésuites étaient une sorte d'État dans l'État, comme jadis les protestants. En 1761 les parlementaires prirent l'initiative de fermer les célèbres collèges : la guerre était déclarée.

Choiseul se garda de soutenir les jésuites. Tout occupé par les objectifs de la politique extérieure, il saisit ce pôle de fixation pour l'opinion publique mécontente de la reprise de la guerre. Le gallicanisme royal était d'ailleurs tout aussi vivace que le gallicanisme parlementaire. Le roi aussi détestait le pape et les jésuites. Si Louis XIV les avait admis, c'est qu'il devait lutter à la fois contre les protestants et contre les jansénistes. Il avait besoin, pour l'emporter, de leur armée redoutable. Les raisons du Grand Roi n'avaient plus de raison d'être. Tant pis pour le parti dévot indigné : la Pompadour soutint Choiseul. En 1764 le roi prit la grande décision, attendue par les Parlements : la Compagnie était dissoute. Les jésuites devaient quitter le royaume.

Le pouvoir n'en était pas quitte pour autant avec les Parlements : en 1764 éclatait une nouvelle affaire, en Bretagne. Les États de Bretagne avaient protesté contre les impôts trop lourds. Le gouverneur d'Aiguillon, avec flamme, prit le parti de l'administration. Le procureur général du Parlement de Rennes, La Chalotais, prit la défense des intérêts provinciaux. Choiseul, qui ne voulait pas laisser la querelle s'envenimer, fit emprisonner La Chalotais. Il mit le feu aux poudres : tous les parlementaires de France et de Navarre donnèrent leur démission.

Louis XV, dans cette affaire, ne soutint pas son gouverneur, dont il trouvait le zèle excessif. Il céda à la pression des privilégiés, fit rentrer à Versailles le duc d'Aiguillon, rétablit le Parlement de Rennes dans ses prérogatives.

Mais les parlementaires, décidément, voulaient la guerre. Le Parlement de Rennes voulut poursuivre d'Aiguillon pour abus de pouvoir devant le Parlement de Paris. Le roi interdit le procès. Le Parlement insista. Il voulait un combat clair, définitif. Le moment était bien choisi : la Pompadour venait de mourir et Choiseul était en disgrâce.

Le parti des grands serviteurs de l'État reprit alors la situation en main : l'énergique Maupeou fut nommé chancelier et l'abbé Terray contrôleur général des Finances. On revenait à la tradition monarchique, celle qui voulait faire table rase des privilèges et réformer la société, celle de Richelieu. Le duc d'Aiguillon reçut une promotion éclatante, on le nomma ministre des Affaires étrangères. Était-ce la fin des privilèges ?

Les privilégiés le craignirent. Ils connaissaient l'obstination et la rigueur de leurs adversaires. En 1770 les parlementaires, propriétaires de leurs charges en raison de la vénalité des offices et de l'hérédité, furent en révolte ouverte. Le roi allait-il tolérer la rébellion de ses officiers de justice ? Étaient-ils ses serviteurs, au même titre que les ministres, ou bien, comme ils le donnaient à penser, étaient-ils les représentants des intérêts véritables du royaume contre le « despotisme ministériel » ?

L'*édit de règlement et de discipline*, promulgué par le chancelier en 1770, était destiné à ramener les parlementaires à leur devoir de strict dévouement au roi, source de toute justice. Les quatre Chambres du Parlement de Paris ne pourraient plus s'unir en une session commune, il leur était interdit de s'occuper de politique et de communiquer avec les Parlements de province. C'était une mise en demeure.

Les parlementaires refusant de se soumettre, le roi imposa par *lit de justice* l'enregistrement de l'édit. Ils firent la grève. Maupeou les somma de reprendre leurs fonctions. Les grévistes impénitents furent démis de leur office. Le Parlement de Paris fut supprimé, remplacé par un *Grand Conseil* dont les membres, nommés à vie, étaient payés par le roi qui leur interdisait de recevoir de leurs clients les fameux « épices » qui avaient nourri tant de générations de magistrats. Le ressort territorial du Parlement de Paris, très étendu, était morcelé en six grandes circonscriptions. La réforme démantelait le plus solide bastion du système privilégial.

LA RÉFORME TENUE EN ÉCHEC PAR LA REPRISE DES GUERRES.

L'absolutisme royal, en théorie, triomphait. Mais désormais l'opposition intellectuelle, celle des philosophes, se conjuguait étroitement avec celle des parlementaires, devenus les défenseurs d'une certaine théorie du royaume constitutionnel et des libertés régionales.

Pour l'emporter, la monarchie devait aller de l'avant, selon le schéma du cardinal de Fleury, avoir raison de l'opposition intérieure et balayer le système des castes par le progrès économique. Ainsi les nouvelles valeurs sociales auraient-elles naturellement raison des anciennes.

Mais il fallait gagner le duel contre l'Angleterre si l'on voulait vraiment entrer dans la voie du progrès et de l'enrichissement. Les conquêtes réalisées aux Indes et en Amérique n'étaient-elles pas l'amorce d'un puissant empire colonial, large exutoire pour une population excédentaire, la plus nombreuse en Europe ? Aux Indes, Dupleix avait conquis de vastes territoires, à partir des cinq comptoirs déjà installés. La moitié du plateau du Dekkan était soumise à l'influence française, commerciale et politique. La Compagnie des Indes ne partageait pas, il est vrai, les vues de Dupleix. Elle craignait qu'une trop grande expansion française ne suscitât l'opposition violente des Anglais. Dupleix fut rappelé en France. Son successeur, Godeheu, abandonnait ses conquêtes.

En Amérique, les colons d'origine française étaient concentrés sur les rives des grands lacs, où ils avaient construit des forts. Les Français avaient réalisé de vastes conquêtes, du Grand Nord au golfe du Mexique. Mais ils ne pouvaient contrôler tous leurs territoires, faute d'une occupation suffisante. Les Anglais étaient gênés, dans leur expansion vers l'Ouest, par l'occupation française. Des conflits éclataient dans l'Ohio. Les Anglais en appelaient à la Couronne. Par surprise, la flotte française fut saisie d'un coup dans les ports d'Amérique.

La guerre était inéluctable. Mais cette guerre « de sept ans » comme tous les conflits du XVIIIe siècle, allait devenir un affrontement général de toutes les puissances européennes, au lieu de se limiter au duel franco-anglais. L'Autriche, pour récupérer la Silésie occupée par Frédéric, s'alliait aux Français tandis que la Prusse se rangeait dans le camp britannique. La Suède, la Saxe et la Russie rejoignaient l'Autriche ; la France n'avait pas mal manœuvré dans son système d'alliances. Pour la première fois depuis des siècles, elle n'avait pas contre elle la maison d'Autriche.

Frédéric avait la meilleure armée : il envahit la Saxe. Mais il était isolé en Europe. Il dut évacuer la Bohême, et connaître tour à tour des succès et des revers. Les Russes réussirent à s'emparer de

Berlin en 1760. Heureusement pour Frédéric, la grande Catherine mourut en 1762. Son successeur Pierre III était un admirateur de la Prusse. Il fit la paix, seul.

Les Français, qui avaient engagé une armée nombreuse sur le continent, avaient commis la faute de négliger les mers. Les Anglais y avaient pris facilement avantage, détruisant l'une après l'autre toutes les escadres de la flotte française. Sans soutien maritime, les Français d'outre-mer n'avaient pas une chance de résister. L'Angleterre poursuivait posément une guerre mercantiliste. Elle laissait s'entre-dévorer les loups d'Europe orientale et s'attaquait méthodiquement aux colonies et comptoirs français. William Pitt, le ministre de la Couronne, était un homme positif qui détestait l'aventure. Les dix mille Français du Canada dirigés par le marquis de Montcalm ne parvenaient pas, malgré leur bravoure, à arrêter le flux de 60 000 Anglais bien équipés. Québec et Montréal tombaient en 1760. A cette date, les marins anglais avaient conquis la Guadeloupe, puis la Martinique.

Aux Indes, Lally-Tollendal, le gouverneur, n'avait pas l'habileté de Dupleix. Il avait fait des princes hindous ses ennemis. Les Anglais purent ainsi s'emparer du Bengale, puis du Dekkan, et chasser les Français de leurs comptoirs. Dans Pondichéry, Lally-Tollendal capitulait en 1761. Le malheureux, de retour à Paris, serait condamné à mort en 1766.

Les conquêtes françaises outre-mer se trouvaient ainsi presque toutes entre les mains des Anglais. Devenu en 1761 secrétaire d'État à la guerre, Choiseul devait certes redresser la situation : il concluait avec l'Espagne, le royaume de Naples et l'Autriche le « pacte de famille », alliance de tous les Bourbon d'Europe, pour arrêter l'expansion britannique. Plutôt que de poursuivre inutilement la guerre, les Anglais choisirent de traiter : à Paris en 1763 ils obtenaient des avantages considérables : le Canada, la vallée de l'Ohio, toute la Louisiane sur la rive gauche du Mississippi, les comptoirs français du Sénégal devenaient anglais, ainsi que la Floride espagnole. Les comptoirs de l'Inde et des Antilles revenaient à la France. C'étaient, à l'époque, les colonies les plus riches. L'opinion publique abandonnait d'un cœur léger les autres conquêtes.

Choiseul s'employait aussitôt à reconstituer la flotte, pour chercher la revanche sur mer. En moins de dix ans, il réussissait à aligner plus de cent vaisseaux bien armés et bien équipés. Il s'employait par ailleurs à doter l'armée d'une excellente artillerie. En 1768, pour arrêter l'expansion anglaise en Méditerranée, il achetait la Corse à Gênes. A sa disgrâce, en 1770, la France avait retrouvé un bon instrument de combat.

Elle devait, une fois de plus, l'employer mal. Le duc d'Aiguillon était un grand seigneur peu familier des dossiers diplomatiques. L'Autriche rejoignait la Prusse et la Russie. Le partage de la Pologne, en 1772, se faisait dans l'effacement total de la France. Les informations venues d'Amérique, annonçant des conflits entre les Anglais et les colons des établissements de la côte du Nord-Est, n'étaient pas exploitées. On renonçait à la revanche. On rengainait l'épée, au moment où il eût été opportun de la tirer. On le regretterait plus tard.

Dans le vaste conflit qui l'opposait à l'Angleterre, la France de 1770 était déjà perdante. Faute d'avoir consacré l'essentiel de ses forces à la lutte maritime, elle avait renoncé, par le traité de Paris, à la vocation de puissance économique mondiale pour se laisser enfermer dans les querelles européennes qui ne lui rapportaient rien. La guerre, bien sûr, avait une fois de plus vidé les caisses. L'arrêt du grand commerce mécontentait la bourgeoisie d'affaires et d'entreprise. Les ressources nouvelles levées par Terray provoquaient, dans une conjoncture de hausse des prix, des faillites par séries. L'abbé « vide-gousset » devenait aussi impopulaire que jadis la Pompadour ou que la nouvelle favorite du roi, la du Barry. L'opposition parlementaire, un moment muselée, reprenait de plus belle à mesure que s'accroissait la colère populaire. Louis XV « le bien-aimé », mort le 10 mai 1774, serait enterré la nuit, comme Molière. Malheureuse à l'extérieur, discréditée de l'intérieur à la fois par les privilégiés et par les réformateurs, la monarchie française avait-elle une chance de survivre ?

L'heure de la Révolution

Les pays de l'Atlantique, dans les années 1780, attendaient un événement sur le continent européen, qui répondît au mouvement de libération des colonies américaines contre l'Angleterre. Si les colons de Boston ou de Philadelphie vivaient libres et heureux en appliquant les principes des philosophes français, pourquoi garder en Europe les vieilles idoles monarchiques et aristocratiques ?

Tous ceux qui avaient vu briller les lampions de la fête américaine brûlaient de les allumer à Paris. Ils n'attendirent pas longtemps : l'événement prévu se produisit le 14 juillet 1789. Ce jour-là le peuple des Parisiens prit et démantela la Bastille, prison forteresse de la vieille monarchie. Événement symbolique : il fut salué et reconnu comme tel, à l'instant même, dans le monde entier. A Königsberg, Emmanuel Kant, le philosophe de l'idée critique, interrompit sa promenade quotidienne, pourtant réglée comme une horloge. Il venait de reconnaître un grand moment de l'histoire du monde. Comment la France de Louis XVI avait-elle basculé si rapidement dans la révolte ?

La belle France du roi-serrurier.

LES SUJETS DU ROI.

Ils étaient vingt-six millions, qui n'avaient plus, faute de colonies, de débouchés outre-mer. Il est vrai que les sujets du roi, au moment où le drapeau à fleurs de lys flottait sur les terres canadiennes ou indiennes, n'émigraient pas volontiers. Les Français n'avaient pas la mentalité pionnière. Satisfaits plus ou moins de leurs petites exploitations, ils restaient, souvent très médiocrement, accrochés à la terre.

Riche en hommes, grâce à une très forte natalité, la France de Louis XVI était surtout riche de ses terres, de ses ressources agricoles. Au point que toute une école d'économistes, appelés les « Physiocrates », soutenait qu'il ne pouvait y avoir de richesse véritable que du sol. L'afflux de l'or, au cours du siècle, faisait monter tous les prix, notamment ceux des produits agricoles. Les prix montaient aussi, en période de disette, en raison de la spéculation sur les grains, qui enrichissait les gros « laboureurs ».

Les grandes famines avaient disparu, mais les sujets du roi connaissaient encore la faim, faute de liberté dans les échanges, en raison du retard technique de l'agriculture. Le voyageur anglais Young, qui parcourait la France en 1787, était stupéfait de voir l'archaïsme des cultures, les retards de l'élevage, l'étendue des « jachères » qui maintenaient, dans toute la France ou presque, le sol en friches une année sur deux ou une année sur trois. En dépit des initiatives de quelques grands seigneurs férus d'agronomie, comme le duc de la Rochefoucauld-Liancourt, l'agriculture française était à la fois prospère dans sa production globale, et sous équipée, mal adaptée au mouvement des techniques et aux lois du marché international.

Il y avait en réalité deux types d'agriculture qui coexistaient souvent sur les mêmes terroirs : une agriculture de subsistance, très archaïque, et une grande culture céréalière qui utilisait les excédents de main-d'œuvre de l'agriculture archaïque. Les paysans les plus pauvres louaient leurs bras aux plus riches pour trouver un complément de ressources, leurs maigres « lopins » de terres ne parvenant pas à nourrir leurs familles. Il y avait un prolétariat rural mécontent et misérable, celui des « journaliers » qui n'avaient ni salaire convenable, ni garantie d'emploi, et d'innombrables petits propriétaires en colère, parce qu'ils ne pouvaient pas vivre de leurs terres, et qu'ils souffraient de la faim les années de mauvaise récolte, comme en témoignent abondamment les archives des paroisses dans les années 1780.

Ces paysans en colère travaillaient dur, en famille, une terre mal fertilisée. Young remarque, dans le Nord, « un blé misérable, jaune, plein de mauvaises herbes ». Près d'Amiens, il voit des femmes « qui labourent avec une paire de chevaux pour des semailles d'orge ».

Il en voit d'autres qui « chargent le fumier ». En Normandie, dit-il, « la culture n'est pas plus avancée que chez les Hurons » et Young a ce raccourci, devant le château de Combourg, sur la société d'ancien régime à la campagne :

> « Qui est donc, dit-il, ce M. de Chateaubriand, le propriétaire, dont les nerfs sont assez solides pour séjourner au milieu de tant de saleté et de tant de misère? »

Ces paysans en colère, ces « Hurons » sales, dont les femmes charrient le fumier, mettraient bientôt le feu à la tour du château, pour brûler les archives du seigneur. La Révolution française vient de la terre, autant que de la ville. Ce n'est pas sa moindre originalité.

Ce que l'on appelait à Paris le « petit peuple » n'a rien à voir avec le prolétariat industriel du XIXe siècle. Les ouvriers, appelés « compagnons », connaissaient le maître, travaillaient et vivaient avec lui. Il n'y avait pas alors de quartiers riches et de quartiers pauvres. Toutes les classes étaient mêlées dans le lacis des ruelles et l'improvisation des maisons à étages. Le peuple des boutiquiers, des employés de magasins, des blanchisseuses et des chaisières, des « petits métiers », des garçons coiffeurs et des palefreniers, des chômeurs chroniques, de ceux qui vivaient de petits services et de mendicité, ce petit peuple, groupé par quartiers, serait appelé, sous la Révolution, solennellement, le Peuple.

Les bourgeois, et non les nobles, faisaient vivre le peuple des villes. Les petits bourgeois d'abord, que l'on voyait tous les jours dans la rue au marché : les brassiers et les perruquiers, tout le négoce des rues animées de la capitale, de la rue Saint-Honoré ou de la rue Saint-Jacques. Ceux-là envoyaient leurs fils dans les écoles du quartier latin. Ils en sortaient médecins, professeurs, avocats, gens de loi, de « basoche ». Le personnel de la Révolution devait se recruter essentiellement chez ces enfants de la basoche et de la boutique, qui représentaient le peuple dont ils étaient directement issus. La plupart des députés aux assemblées révolutionnaires et même aux États généraux proviendraient de cette petite bourgeoisie des professions libérales, qui savait lire, écrire et parler.

Pour exercer des fonctions importantes, il fallait être riche et acheter les charges. Seuls les fils de la grande bourgeoisie pouvaient se le permettre. Les négociants pratiquant le commerce international avaient accumulé de vastes fortunes. La « bourgeoisie des ports » était ouverte aux idées du siècle, elle s'indignait de la stagnation du royaume, des lenteurs du développement, des tracasseries de l'administration parisienne. Et pourtant elle achetait pour ses fils les offices qui faisaient d'eux des commis de l'État et parfois les anoblissaient.

Plus riche encore, plus influente, était la bourgeoisie d'affaires, qui comprenait les banquiers de Paris ou des grandes villes de province, les hommes d'entreprise de l'industrie et du commerce intérieur, et surtout les « financiers », fermiers généraux hérités des précédents règnes, qui continuaient à vivre grassement des revenus que leur procurait la levée des impôts du roi.

Beaucoup de bourgeois n'avaient plus besoin d'entreprendre pour s'enrichir. Les descendants de ceux qui avaient fait d'astucieux placements au siècle précédent en touchaient les intérêts, car les loyers urbains augmentaient constamment, ainsi que la rente de la terre. Ces « rentiers » n'allaient certes pas risquer leur capital dans des entreprises industrielles. Leur revenu était plus que satisfaisant.

La bourgeoisie d'offices, comme la bourgeoisie d'affaires, enrageait de ne pas disposer d'un prestige social en rapport avec son importance réelle dans les administrations, les grandes affaires, la vie sociale et intellectuelle. Toutes les fois que ces bourgeois avaient l'occasion de s'exprimer, c'était pour critiquer la société des « ordres », celle du « privilège », même si leur désir secret était d'y entrer un jour, ou d'y faire entrer leurs enfants. Tous demandaient une participation plus active de la bourgeoisie aux affaires de l'État, une organisation plus efficace et plus juste de l'administration et de la fiscalité, la disparition des entraves au commerce intérieur, à la fabrication industrielle, le contrôle de l'institution monarchique et la décentralisation des décisions administratives. Il est vrai, que, parmi les grands bourgeois, beaucoup songeaient à accroître leurs privilèges économiques et sociaux au détriment de l'État. Ils rejoignaient en cela les privilégiés de la noblesse et du clergé.

PROFITEURS ET VICTIMES DE LA SOCIÉTÉ PAR ORDRES.

Les privilégiés étaient loin d'être égaux entre eux : il n'y avait pas commune mesure, au sein du clergé, entre les princes du haut clergé, dont les revenus étaient supérieurs à 100 000 livres par an, et les curés pauvres du bas clergé. Mais les 100 000 membres de l'ordre étaient solidaires pour défendre les privilèges fondamentaux : le clergé ne payait pas d'impôts, il consentait au roi un *don gratuit*.

Situation paradoxale : l'ordre le plus riche de France était ainsi le moins taxé. Car l'Église avait des terres, des revenus, des affaires : elle possédait en bien propre dix pour cent des terroirs de France, elle percevait sur les paysans la dîme, soit dix pour cent des ressources de tous les domaines. Elle avait son administration, ses tribunaux, son budget. Elle était un véritable État dans l'État.

La déchristianisation des villes et même des campagnes rendait ces privilèges exorbitants. Le clergé ne pouvait prétendre à la direction spirituelle des Français. Certains princes de l'Église donnaient l'exemple de l'irréligion. Un cardinal de Rohan défrayait la chronique. Des évêques et surtout beaucoup de prêtres s'inscrivaient dans les loges maçonniques, où l'on adorait le « dieu horloger » de Voltaire. « Il serait convenable que l'archevêque de Paris crût en Dieu », lançait un jour Louis XVI excédé. La piété profonde des masses tournait à la superstition, aux pratiques magiques. Les illuminés, inspirés par le Suédois Swedenborg, faisaient fureur dans la haute société ; les mages, guérisseurs et aventuriers de tout poil faisaient fortune. Il y avait à Paris une curieuse résurgence des cultes orientaux. La crise de la foi rendait insupportables les privilèges de l'Église.

La noblesse n'inspirait pas davantage de respect. Le *Figaro* de Beaumarchais raillait, devant des parterres pleins à craquer, « ceux qui s'étaient donné la peine de naître ». Pourtant, parmi ceux-là, les chances étaient loin d'être égales au départ : pour 400 000 « nobles », il n'y avait que 4 000 familles « présentées » à la Cour, et celles-là seulement se partageaient les pensions et bénéfices. Les grands seigneurs touchaient des revenus considérables : le duc d'Orléans avait cinquante millions de livres de revenus, soit trois milliards d'anciens francs! Il touchait une part importante de cette somme colossale sous forme de pensions, et le reste en rentes foncières et immobilières. La noblesse possédait en effet vingt-cinq pour cent des terres cultivées du royaume, sur lesquelles elle avait encore la prétention de percevoir des droits « féodaux ».

Les privilèges des nobles étaient essentiellement fiscaux. Ils ne payaient pas l'impôt direct. Mais ils avaient bien d'autres avantages. A la fin du siècle, ils se réservaient les hautes fonctions dans le clergé, la politique, l'armée, la marine. Ils ne pouvaient exercer des métiers industriels et commerciaux. Mais ils avaient obtenu le droit de « déroger », dans certaines activités comme le commerce en mer ou les grandes entreprises industrielles. La grande noblesse, quand elle défendait le privilège, ne songeait donc pas seulement aux exemptions fiscales. Elle défendait en fait sa place dominante dans la société.

La noblesse de robe n'était pas moins acharnée dans ce combat. Elle vivait du rapport des offices, souvent scandaleux dans les fonctions judiciaires. Même s'ils étaient ouverts, éclairés, favorables aux idées du siècle, les magistrats et parlementaires étaient furieusement attachés à la défense de leurs prérogatives. La lutte pour la liberté, contre le « despotisme ministériel », impliquait la reconnaissance et l'extension de leurs privilèges, en particulier dans le domaine politique.

Les riches magistrats et les nobles de Cour vivaient largement de leurs ressources. Ce n'était pas le cas de la petite noblesse rurale, indignée de sa pauvreté dans l'enrichissement universel. Elle faisait pression pour renforcer ses privilèges, pour réviser ses « droits ». Elle engageait des spécialistes des textes anciens, les « feudistes », qui exhumaient les archives seigneuriales, les vieux parchemins où étaient consignés les contrats entre les seigneurs et leurs paysans. Il était dans les intentions des nobles de faire réévaluer des contrats, de faire revivre les droits tombés en désuétude, de conforter leurs privilèges en les adaptant, en somme, au coût de la vie...

Cette « réaction nobiliaire » suscitait, bien sûr, de vives colères dans les campagnes. Les paysans s'emploieraient, dès le début des troubles, à brûler les archives dans les châteaux. Le mécontentement populaire contre les privilégiés était bien différent de la colère des privilégiés contre le pouvoir. Les riches bourgeois demandaient, comme les nobles et le clergé, une limitation du pouvoir parisien, de l'absolutisme royal devenu bureaucratique. Mais les paysans et le petit peuple des villes luttaient à la fois contre le pouvoir et contre le privilège. Et pourtant, contre le roi, les deux mouvements se conjuguaient : les uns se dressaient contre le pouvoir parce qu'il conservait le privilège, et les autres parce qu'ils le soupçonnaient de vouloir l'abolir.

Le pouvoir royal contre la société.

QUE PEUT LE ROI?

En réalité, la monarchie ne voyait pas d'autre issue que la réforme aux difficultés de l'Ancien Régime et aux conflits dus à ses contradictions. Mais le roi avait-il les moyens d'imposer la réforme?

En théorie, ses pouvoirs n'avaient pas de limites. Le roi nommait et révoquait ses ministres, le garde des Sceaux, le contrôleur général des Finances, les quatre secrétaires d'État. Les quatre conseils qui l'assistaient servaient son autorité, en donnant à l'administration des provinces (intendances et généralités) les ordres du pouvoir central.

Dans son principe, la monarchie était à la fois centralisée (toutes les décisions venaient de Paris) et concentrée : tous les pouvoirs étaient entre les mains du roi, y compris ceux de justice.

La théorie de l'absolutisme eût été parfaite, sans les survivances du passé féodal. Si le roi n'était pas tout à fait le roi, c'est en raison de la subsistance des privilèges. Il ne pouvait lever d'impôts en Languedoc comme en Berry. Les pays d'État, comme le Languedoc, étaient chargés de répartir la taille. Le roi devait donc reconnaître à ces États provinciaux une certaine compétence, de même qu'il devait prendre en considération certaines municipalités remuantes de province, à qui ses ancêtres avaient accordé un privilège. La justice du roi ne pouvait rien contre les tribunaux ecclésiastiques, et les justices seigneuriales elles-mêmes subsistaient. Le roi avait créé des intendants, agents d'exécution du pouvoir central, mais il n'avait jamais supprimé les gouverneurs, les baillis et les sénéchaux. L'administration était invraisemblablement compliquée, faite de structures superposées, de pièces et de morceaux, juxtaposant les nouveaux agents de centralisation et les défenseurs de l'ordre ancien... Dans le lacis des circonscriptions, des traditions, des coutumes, le contribuable adroit, le plaideur obstiné trouvaient un maquis favorable aux embuscades, aux coups de main, aux escapades. L'administration était injuste parce qu'elle était compliquée. Elle était aussi relativement inefficace. Les intentions réformatrices de la monarchie allaient dans le sens d'un renforcement de l'absolutisme aux dépens du privilège. Elles s'efforçaient de réaliser en France le « despotisme absolu » qui existait ailleurs en Europe : en Prusse, en Autriche, en Russie. Mais le vieux pays offrait des résistances inconnues en Europe centrale : la bourgeoisie de province, les ordres privilégiés.

Les parlements de province, par exemple, rejoignaient le Parlement de Paris dans sa résistance organisée aux réformes d'inspiration ministérielle. Le ministérialisme était, à l'évidence, le principal adversaire du privilège. Il voulait une monarchie toute neuve, sans corps intermédiaires, où tous les sujets du roi seraient égaux devant le souverain, identifié à l'État. Les jeunes gens formés à la haute administration étaient de plus en plus choisis par les ministres comme intendants dans les provinces. Ils apportaient dans les capitales régionales la volonté de rationalisation et de centralisation parisienne, et suscitaient de vives oppositions. Pour les notables des régions, l'adversaire à abattre était le ministérialisme réformateur. Vive le privilège!

Pour imposer les réformes, le roi aurait dû s'appuyer, contre les privilégiés, sur un *consensus* populaire. Mais le peuple, pas plus que les notables, n'aimait les ministres de Paris, qui décidaient de l'impôt, des approvisionnements, du prix des salaires et des vivres. Il considérait les parlementaires même privilégiés, comme ses défenseurs naturels. Le contribuable breton préférait le magistrat de Rennes au ministre de Paris, ou à l'intendant envoyé par Paris. Le contribuable parisien se souvenait peut-être de la Fronde et du conseiller Broussel. Il n'aimait pas, en 1788, les princes et les cardinaux de Cour. Il détestait encore plus les ministres.

LES RÉFORMATEURS MINISTÉRIELS : TURGOT ET NECKER.

Les réformes successives de la monarchie rendront le ministérialisme encore plus impopulaire. Quand il devient roi, en 1774, Louis XVI choisit de nouveaux ministres, tous remarquables : le grand Vergennes aux Affaires étrangères, Malesherbes à la Maison du Roi, le comte de Saint-Germain à la Guerre. Maurepas était Premier ministre, Turgot, auteur d'articles parus dans l'*Encyclopédie*, était contrôleur général des Finances. Le gouvernement était composé d'hommes éclairés, ouverts aux idées modernes, sincèrement désireux de réussir dans la voie de la réforme. Tous les économistes à la mode, Dupont de Nemours, Condorcet, entouraient Turgot et l'encourageaient. La bourgeoisie intelligente criait au miracle : enfin un ministère selon la raison!

Dans une *Lettre au roi*, Turgot précisait son programme : «Point de banqueroute, point d'augmentation d'impôts, point d'emprunts », mais des mesures sévères d'économies, et une nouvelle organisation des marchés et de la production.

> « J'ai prévu, ajoutait-il, que je serais seul à combattre contre les abus de tout genre, contre les efforts de ceux qui gagnent à ces abus... Je serai craint, haï même de la plus grande partie de la Cour... »

En fait, dans un premier temps, Turgot jouit de la confiance totale du roi. Son expérience réussie d'intendant en Limousin, sa réputation d'intégrité et d'efficacité l'avaient précédé à Paris. Des économies réalisées dans l'administration lui permirent d'améliorer la gestion des finances royales. Il établit en 1774 la liberté de la circulation des grains à l'intérieur du royaume. L'idée était de créer un vaste marché national des céréales, qui empêche les famines, en cassant les spéculations locales. Les autres produits agricoles étaient l'objet de mesures analogues.

Turgot n'eut pas de chance. La réforme aurait peut-être réussi dans une bonne conjoncture. Celle de 1774-1775 était mauvaise. Les récoltes en grains étaient constamment médiocres depuis 1766. Le prix du blé augmentait, les villes n'étaient plus approvisionnées normalement. Des émeutes éclataient un peu partout : c'était la « guerre des farines ». Une armée de 25 000 hommes fut rassemblée pour rétablir l'ordre à Paris, à Versailles, à Dijon, à Pontoise. Il y eut mort d'hommes. Pour avoir négligé les conséquences sociales possibles de ses réformes, Turgot avait déchaîné les passions populaires, dressé l'opinion publique contre les réformateurs.

Du moins put-il faire passer, avant sa chute, un train de réformes destinées à égaliser la charge fiscale des Français : la corvée était abolie, remplacée par un impôt sur les propriétaires. Les jurandes et les maîtrises étaient supprimées. Turgot songeait à créer partout des municipalités élues, chargées d'établir l'assiette des impôts et de les lever. C'était entrer directement en guerre contre les privilégiés. Ils saluèrent sa chute avec des cris de joie.

En 1776, Necker au pouvoir liquidait l'expérience de Turgot. Il rétablissait la corvée royale et les corporations, que Turgot avait dissoutes. Banquier de profession, et volontiers démagogue, soucieux avant tout d'éviter les troubles, Necker trouvait par emprunt les ressources nécessaires pour équilibrer le budget et créer un choc psychologique.

LA FAYETTE, NOUS VOILA !

Grâce à ce ballon d'oxygène, la monarchie pouvait entreprendre la grande guerre de revanche dont rêvait Choiseul. Le comte de Vergennes, qui avait réalisé en Europe un équilibre favorable aux intérêts français, était tout entier occupé à l'idée d'abattre la puissance maritime et coloniale de l'Angleterre. Quand il vit arriver à Paris le bonhomme Franklin, représentant des intérêts des insurgés, il décida de traiter avec lui. François Ier avait bien traité avec les Turcs, pourquoi ne pas s'entendre avec les mutins américains ? Vergennes signa avec Franklin un pacte contre les Anglais. Une escadre et un corps expéditionnaire furent envoyés outre-Atlantique. Vergennes voulait « porter à l'Angleterre un coup sensible, pour ramener sa puissance dans de justes bornes ». Avant même le départ de l'expédition royale, des volontaires, conduits par La Fayette, avaient rejoint clandestinement les insurgés en 1777. C'est en 1779 que débarquait le corps de Rochambeau, fort de 7 500 soldats. Les Franco-Américains étaient vainqueurs à Yorktown en 1781.

Sur mer, les amiraux de Grasse, d'Estaing, La Motte-Picquet et Guichen se couvraient de gloire, pendant que le bailli de Suffren décimait les escadres anglaises, passait dans l'océan Indien, organisait systématiquement la course contre les navires marchands anglais. En Méditerranée, Minorque était occupée, les trois cents navires français étaient désormais présents sur toutes les mers du monde.

Les Anglais durent signer la paix, à Versailles, en 1783. Les États-Unis devenaient indépendants. La France récupérait le Sénégal et Saint-Pierre-et-Miquelon. Elle avait le droit de fortifier Dunkerque, nid de corsaires. L'humiliation du traité de Paris était effacée. Il est vrai que, pour un milliard et demi de dépenses, elle n'avait retrouvé ni les Indes, ni le Canada. Mais les comptoirs récupérés sur la côte du Dekkan, l'île Bourbon, le Sénégal riche en gomme et surtout les Antilles (Sainte-Lucie et Tobago) donnaient au commerce maritime des satisfactions.

Necker était cependant conscient de la fragilité de cette politique. On ne vit pas de gloire et de prestige. Il faudrait assainir le budget, largement obéré par la guerre, en diminuant les pensions payées aux personnages importants, en augmentant le rendement de l'impôt. Mais le moyen d'y parvenir sans heurter de front, comme Turgot, les privilégiés ?

Necker, qui connaissait le maniement de l'opinion publique, voulut procéder par étapes : il tenta d'associer à sa politique fiscale les assemblées provinciales nouvelles qu'il mit en place dans deux provinces, à titre d'expérience. Les premières assemblées furent un échec. Leurs exigences étaient inacceptables : elles demandaient la refonte complète du système fiscal. De plus elles voulaient que leurs membres fussent élus. Le roi ne pouvait accepter une évolution aussi rapide.

Les privilégiés s'étaient rassemblés contre Necker comme ils s'étaient mobilisés contre Turgot. Les grands pensionnés de la Cour ne lui pardonnaient pas d'avoir rendu public le chiffre de leurs pensions. Les parlementaires avaient un moment redouté la concurrence de ces assemblées provinciales, qui pourraient mieux qu'eux parler au nom du peuple, si elles étaient élues. Les fermiers généraux redoutaient les tours de passe-passe du célèbre financier protestant, plus adroit qu'eux dans les manipulations financières. Curieusement Necker avait réussi son départ : renvoyé par le roi, il s'était arrangé pour qu'on le sache. Dans le peuple, dans la bourgeoisie, on s'indignait du renvoi d'un aussi bon ministre qui avait pris le parti des « sujets » du roi contre les privilégiés de Versailles. Necker n'avait-il pas aboli le servage sur les terres du domaine ? Le roi n'avait-il pas refusé de le laisser entrer au Conseil parce qu'il était protestant ?

CALONNE ET BRIENNE.

Le successeur de Necker, Calonne, était le protégé de la reine. Depuis l'affaire du collier, Marie-Antoinette était impopulaire. On rendait ses prodigalités responsables du déficit. Calonne, grand seigneur éclairé, résolut d'inverser les termes du problème budgétaire : puisqu'on ne pouvait réduire les dépenses sans inconvénient politique, il fallait augmenter les recettes indirectes en stimulant la production. Calonne encouragea les travaux de voirie, le creusement des canaux et des ports. Il favorisa les accords commerciaux avec les nations voisines et créa une nouvelle Compagnie des Indes.

Encore fallait-il désarmer l'hostilité des privilégiés, devenus très méfiants. Payant çà et là les dettes de jeu, accroissant quelques pensions, manœuvrant la bourse pour soutenir les titres du roi, Calonne était plein d'optimisme. Mais le public ne le suivait pas : en 1786, Calonne dut convenir que ses « facilités » étaient incapables de restaurer la confiance : il dut alors, comme Turgot, envisager la refonte du système fiscal, et faire payer les riches.

La « subvention territoriale » était un impôt foncier auquel tous les propriétaires devaient être soumis, nobles ou roturiers. Il fallait abolir les privilèges fiscaux. Calonne reprenait en même temps les projets de Turgot sur la libre circulation des grains, par la suppression des douanes intérieures. Des assemblées provinciales, élues au suffrage censitaire, seraient associées au gouvernement des provinces.

Qui accepterait ces réformes ? Calonne envisageait bien l'opposition des parlementaires. Aussi réunit-il une « assemblée des notables » pour faire accepter ses projets. Les notables, privilégiés eux-mêmes, refusèrent toutes les réformes et demandèrent la convocation des États généraux. Inquiet, le roi renvoyait Calonne, en avril 1787.

La reine imposait de nouveau son candidat : l'archevêque de Toulouse, Loménie de Brienne. Il ne put infléchir les notables qui de nouveau repoussèrent tout projet d'impôt frappant les privilégiés. L'assemblée des notables fut dissoute, en mai 1787 Brienne décida de passer par le Parlement.

Il imposa d'abord un train de réformes, sans trop de difficultés : le Parlement acceptait que l'état civil fût accordé aux protestants et aux juifs. La *question* (c'est-à-dire la torture) était abolie dans la justice royale. La corvée était supprimée.

Les parlementaires refusaient obstinément, par contre, la « subvention territoriale » et demandaient à leur tour la convocation des États généraux. Par *lits de justice*, Louis XVI imposait en août l'ensemble des réformes au Parlement.

Les protestations des magistrats furent extrêmement vives : le roi les exila à Troyes. Des émeutes éclatèrent à Paris. On insultait la reine. Des arrestations furent opérées. Craignant des troubles plus graves, totalement démuni d'argent, le roi fit rappeler les parlementaires. Il avait cédé. Le Parlement de Paris était désormais l'arbitre de la situation, le pilier de la résistance des privilégiés aux réformes.

De fait le roi dut recourir à la procédure du *lit de justice* pour faire passer, en novembre, un projet d'emprunt et d'impôts nouveaux. « Sire, c'est illégal ! » s'écriait le duc d'Orléans. « C'est légal, parce que je le veux », répondait Louis XVI en pleine séance...

LES PRIVILÉGIÉS DANS L'ILLÉGALITÉ.

Le 3 mai, le Parlement de Paris publiait une déclaration solennelle, celle des « droits de la nation et des lois fondamentales de la monarchie ». Il affirmait que la nation devait accorder « librement » des impôts au roi, par l'intermédiaire des États généraux, qui devaient tenir des assises régulières. Il demandait un *habeas corpus* pour les Français. Nul ne devait être arrêté sans être transféré devant des juges réguliers. Le Parlement prétendait imposer des limites au pouvoir royal.

Celui-ci réagit vivement : deux parlementaires parisiens, d'Eprémesnil et de Montsabert, furent jetés en prison. Brienne retirait au Parlement le droit d'enregistrement des édits royaux. Une *Cour pleinière* s'en chargerait. La vacance du Parlement de Paris était proclamée.

Un puissant mouvement de solidarité se développait aussitôt en province. A l'opposition des privilégiés des parlements régionaux s'ajoutait la révolte des masses populaires contre la Cour et ses ministres. A Pau, à Grenoble, les parlementaires entraient dans l'illégalité.

Le roi voulut chasser les factieux, mais la population prit parti pour eux. Pendant la « journée des Tuiles », à Grenoble, les soldats du roi furent bombardés de projectiles divers, tombés des toits. Les autorités locales durent jeter du lest, par crainte de la révolution. Les parlementaires étaient autorisés à rester en ville. Partout les nobles rejoignaient leur camp, demandant la convocation des États généraux. En juillet 1788 à Vizille, six cents délégués des trois ordres se réunirent pour rédiger un appel à la résistance des provinces du royaume contre l'arbitraire parisien. L'Assemblée du clergé refusa de payer les impôts et réclama à son tour des États généraux. Tous les privilégiés étaient en état de rébellion : c'était la « révolution aristocratique ».

Brienne et le roi durent céder, une fois de plus. Comment faire face aux notables de province déchaînés ? Brienne annonça la convocation des États pour le 1er mai 1789. Le roi disposait ainsi d'un délai de huit mois. Brienne put démissionner et se retirer après banqueroute faite.

On rappela Necker, dont le retour fut triomphal. La monarchie n'avait-elle pas capitulé devant le privilège ? Les bons parlementaires n'avaient-ils pas défendu le droit des gens, la liberté des provinces, devant l'arbitraire parisien ? Le retour de Necker ne signifiait-il pas qu'entre la réforme et le privilège, le roi avait choisi la réforme ? Cet aspect de l'événement ne fut pas senti tout de suite. On se réjouissait, sans réfléchir, du retour d'un proscrit.

Necker réussit à emprunter soixante-quinze millions. C'était la raison immédiate de son rappel : la Cour n'avait plus d'argent. En 1788 il réussit à faire doubler les effectifs du Tiers État dans les futurs États généraux : ainsi les non-privilégiés seraient-ils à égalité de nombre, sinon d'influence, avec les privilégiés ; car Necker avait promis à ces derniers, pour les rassurer, que l'on voterait par *ordres* et non pas par *têtes*.

Il fut rapidement débordé par un mouvement de révolte populaire en profondeur contre l'ordre monarchique. L'hiver de 1788-1789 avait été dur pour les pauvres. La récolte avait été partout mauvaise. Les prix s'étaient élevés très vite. Le chômage industriel suscitait des troubles dans les villes. Les salaires baissaient de vingt à trente pour cent pendant que le prix du pain augmentait de moitié. On prenait d'assaut les boulangeries. Dans les campagnes, les paysans se révoltaient contre la taille, contre les seigneurs, contre la misère. Des troubles graves éclataient en février dans les provinces périphériques : Bretagne et Languedoc par exemple. Dans le combat incessant qu'elle avait mené contre les intendants parisiens, la noblesse bretonne avait en fait réveillé les sentiments de révolte du peuple et de la petite bourgeoisie. Il en était de même en Languedoc. Partout les troubles populaires spontanés remplaçaient l'opposition verbale des notables.

La conjonction des crises faisait apparaître, en termes économiques très crus, l'inégalité brutale entre privilégiés et non-privilégiés. Les nobles et les riches bourgeois profitaient de la hausse des prix, spéculaient quand ils le pouvaient sur les grains, les vins, les fourrages, les bestiaux. Les habitants des villes et les paysans pauvres étaient au contraire des victimes d'autant moins consentantes qu'ils étaient désormais assurés d'être les seuls à supporter le poids des impôts. Le grand débat national de la réforme les avait suffisamment informés à cet égard.

Les non-privilégiés n'ont pas donné le départ à la Révolution. Dans sa volonté d'efficacité et de justice, la monarchie avait songé à demander d'abord aux privilégiés de payer le prix des réformes. Obstinément, ils avaient refusé. Le conflit qui devait les opposer, deux ans durant, à l'autorité ministérielle était le véritable départ de la Révolution. Au printemps de 1789, sans doute, les privilégiés semblaient pouvoir l'emporter. Le retour de Necker, sa prudence en matière de projets fiscaux, la décision de faire voter par ordres les députés des États, tout semblait de bon augure. Et pourtant derrière les magistrats, les nobles, le clergé et les bourgeois, c'est le peuple des campagnes et des villes, en province surtout, qui était entré déjà dans l'illégalité. Dès le printemps de 1789, des châteaux brûlaient dans le Mâconnais, la révolte agraire se répandait comme la poudre dans les villages de Normandie, de Bretagne, d'Alsace et de Franche-Comté. Les paysans n'avaient pas attendu le signal de Paris pour prendre les fourches et les torches.

L'abolition des privilèges et la Révolution légale.

MAI-JUIN : DES ÉTATS GÉNÉRAUX PEU ORDINAIRES.

A l'ouverture de la séance solennelle des États généraux, le 5 mai 1789, dans la salle des « menus plaisirs » à Versailles, on sentait bien l'écho chez les élus des préoccupations profondes du pays. Cette assemblée, pour la première fois dans l'Histoire de France, était relativement représentative. 1 139 représentants étaient réunis à Versailles, en présence du roi.

> « Nous avons besoin du concours de nos fidèles sujets pour nous aider à surmonter toutes les difficultés où nous nous trouvons relativement à l'état de nos finances »,

avait dit le roi au moment de la convocation. La préparation des élections avait apaisé les campagnes. Un grand effort de concertation, d'explications et de formulation avait été partout accompli.

Puisque le roi donnait la parole au pays, il fallait prendre le temps et la peine de lui répondre. Ainsi apprendrait-il peut-être des choses qu'il ignorait sur le malheur de ses sujets.

Tout indique que l'on prit très au sérieux, surtout dans le Tiers État, la rédaction des « cahiers de doléances », transmis au roi par les députés. Il y en eut plus de 60 000 dans toute la France, rédigés par les curés, les notaires, les avocats, les membres des corporations. Les « cahiers » demandaient la limitation du pouvoir royal, qualifié d'arbitraire, la « constitution » du royaume, l'élimination des privilèges seigneuriaux dans les campagnes.

Certains *cahiers*, rédigés maladroitement par les paysans ou les curés de villages, demandaient des réformes concrètes et immédiates. On se plaignait de l'impôt, des collecteurs de taille, des « gros décimateurs » ; on demandait la constitution de caisses de secours pour les périodes de disette. On revendiquait (presque dans tous les cahiers des paysans) le droit de chasse, privilège réservé aux nobles !

Le ton des revendications bourgeoises était donné par une brochure publiée en janvier 1789 par l'abbé Sieyès sous le titre :

> « Qu'est-ce que le Tiers État ? » « Tout ! Qu'a-t-il été jusqu'à présent dans l'ordre politique ? disait l'abbé, rien ! Que demande-t-il ? A y devenir quelque chose ! »

Pour que le Tiers fût enfin « quelque chose », il fallait abattre les deux piliers de l'Ancien Régime : l'absolutisme, qui repoussait l'idée de représentation nationale, et le privilège, qui laissait les hommes du Tiers hors de l'État.

> « Qu'est-ce que le Tiers ? Tout, mais un tout entravé et opprimé. Que serait-il sans l'ordre privilégié ? Tout, mais un tout libre et florissant. »

Il fallait donc, selon l'abbé Sieyès, débarrasser la nation des corps parasitaires, et permettre au Tiers d'entrer dans l'État.

Aux députés réunis à Versailles, Louis XVI n'avait pas donné beaucoup d'espoir : un discours trop technique de Necker sur les problèmes financiers avait déçu. On attendait un politique et l'on trouvait un comptable. Très vite le conflit devait éclater entre députés du Tiers et privilégiés. Quand on vérifia les pouvoirs des députés, on reposa la question de savoir si l'on voterait par tête ou par ordre.

LA SÉCESSION DU TIERS.

Le 10 juin, le Tiers décida de vérifier seul les pouvoirs de ses membres. Quelques députés de l'ordre du clergé le rejoignaient. Le 17 le Tiers, se disant « les 96/100e de la nation », décidait de se constituer en « Assemblée nationale ». La Révolution légale était faite.

Le roi tenta de résister. Il ferma la salle des séances du Tiers le 20 juin. Les députés se réunirent au Jeu de Paume et jurèrent de ne pas se séparer avant d'avoir donné au royaume une constitution. Deux pouvoirs désormais s'affrontaient : celui du Tiers, qui disait représenter « la nation », et celui du roi. Le 23, selon la tradition, Mirabeau aurait répondu au marquis de Dreux-Brézé, maître des Cérémonies, qui venait inviter le Tiers à quitter les lieux :

> « Allez dire à votre maître que nous sommes ici par la volonté du peuple et que nous n'en sortirons que par la puissance des baïonnettes. »

Louis XVI avait cédé. Le Tiers voyait venir à lui des nobles libéraux, de nouveaux députés du clergé. A la séance royale du 23 juin, le député Bailly avait répondu au roi, qui tentait de reprendre la situation en main :

> « La Nation assemblée n'a pas à recevoir d'ordres. »

C'est pourtant sur un ordre du roi que, le 27, l'ensemble des députés des ordres privilégiés rejoignait le Tiers. L'Assemblée se proclamait constituante. Louis XVI reconnaissait le fait révolutionnaire. Pas une goutte de sang n'avait été versée.

LES DÉBUTS DE LA VIOLENCE.

La Cour commit alors des maladresses : le roi avait cédé mais ni la reine ni son entourage n'admettaient cette capitulation. On préparait une revanche militaire, policière. Des régiments étrangers se concentraient autour de Paris.

L'Assemblée, informée par les Parisiens, demanda des explications. Le roi refusa d'en fournir et renvoya Necker le 10 juillet. Le peuple parisien était surexcité, accablé par un printemps de chômage et de vie chère, par un hiver de disette. Le pain risquait encore de manquer dans les boulangeries. La décision du roi mit le feu aux poudres. Des agitateurs spontanés enflammèrent le peuple dans les rues : on voulait défendre à tout prix le privilège, on voulait empêcher le peuple de faire sa révolution pacifique. Camille Desmoulins faisait merveille, au Palais-Royal. Une milice bourgeoise était constituée, sommairement armée. Le 14 juillet, le « peuple » se rendait à la Bastille, pour y trouver des armes.

La Bastille avait une garnison de trente-deux gardes et très peu de prisonniers. Mais elle était le symbole du régime. Le peuple donna l'assaut. Le gouverneur, de Launay, fut décapité, sa tête promenée au bout d'une pique. La violence prenait possession des rues.

Très ému par le massacre de la Bastille, Louis XVI donnait aussitôt des apaisements. Il reprenait Necker, se rendait dans la capitale, reconnaissait Bailly, l'un des chefs du Tiers, comme maire de Paris. La Fayette, héros d'Amérique, noble libéral, était nommé commandant de la « garde nationale ». Le roi acceptait la « cocarde » où le blanc, couleur royale, était entouré du bleu et du rouge, couleurs traditionnelles de la ville de Paris. Le tricolore emplissait aussitôt les fenêtres et les balcons.

Dès que la nouvelle du 14 juillet fut connue en Europe, elle suscita un extraordinaire enthousiasme. Les philosophes allemands, les poètes anglais, les bourgeois de toute l'Europe occidentale saluèrent la date symbolique comme le triomphe des idées modernes. A Paris, les nobles partaient déjà pour l'étranger. C'était la première *émigration*, celle des princes : Artois et ses fils, Angoulème et Berry, Condé, Bourbon, le duc d'Enghien. Tous allaient se retrouver sur les bords du Rhin ou dans les cours européennes.

En province régnait le plus grand désordre. Personne ne payait plus l'impôt. Les villes se donnaient des municipalités sur le modèle parisien. Les intendants étaient partout chassés, parfois bafoués. ces jacqueries paysannes reprenaient, un moment calmées par la convocation des États généraux. Elles gagnaient, de clocher à clocher, l'ensemble du territoire. C'était la *grande peur* des campagnes : 300 000 errants et chômeurs parcouraient les routes, rançonnant les paysans riches. Dans les villages, on redoutait tout du roi qui pouvait lever des armées pour la répression, de l'étranger où les Messieurs de la Cour étaient partis chercher du secours, enfin des bandits de grand chemin, qui se multipliaient. Les paysans prenaient les armes dans le but, d'abord, d'assurer l'auto-défense des villages. Ils en profitaient pour s'emparer des châteaux, qu'ils pillaient, brûlant soigneusement les archives seigneuriales. Dans les villes, les bourgeois, qui avaient aussi des terres et des rentes, prenaient peur.

Il fallait mettre un terme à l'anarchie. Les députés du Tiers étaient des libéraux qui respectaient et défendaient le droit de propriété. Dans la « nuit du 4 août », deux nobles libéraux, Noailles et d'Aiguillon, demandèrent solennellement l'abolition des droits féodaux.

Les décrets qui suivirent eurent grand soin de préciser que seuls les droits personnels (servage et corvée par exemple) étaient abolis sans indemnités. Les droits portant sur la terre (cens, rentes, etc.) devaient être rachetés, sauf si les paysans parvenaient à prouver leur illégitimité, ce qu'ils étaient bien incapables de faire, dans la grande majorité des cas. Les bourgeois du Tiers État avaient donc aboli les privilèges qui les gênaient, tout en maintenant soigneusement la rente de la terre, dont ils profitaient.

Il est vrai que, parmi les bourgeois, certains devaient être victimes d'une mesure antiprivilégiale, l'abolition de la vénalité des offices. La justice tout entière était à refaire, il fallait nommer ou élire des juges, des officiers de justice, sans qu'ils fussent propriétaires de leurs charges. Ceux qui avaient investi en achetant des offices perdaient donc leur mise, bien qu'une indemnisation fût prévue.

Encore fallait-il que le roi acceptât toutes ces réformes, décidées dans la hâte et l'enthousiasme. En quelques jours, tout l'Ancien Régime s'écroulait. Louis XVI ne pouvait heurter de front le Tiers État. Pourtant il devait être de nouveau convaincu qu'il ne pouvait sortir du piège révolutionnaire que par la force. Il fit venir à Versailles, en octobre, le régiment des Flandres, considéré à juste titre comme loyal.

La foule parisienne répliqua aussitôt : les 5 et 6 octobre, elle se rendit à pied, conduite par les femmes, de Paris à Versailles, en un gigantesque cortège. Le château fut investi sans que les gardes osent tirer. Le roi dut accepter de venir résider à Paris. Il était désormais le prisonnier de la Révolution.

LA QUESTION DU RÉGIME : UN ROI POUR RIRE.

Paris en était incontestablement la tête. Les « clubs » politiques s'y installaient bruyamment : à droite, les « aristocrates », à gauche les « patriotes ». Ceux-ci n'étaient pas tous des révolutionnaires extrémistes. Les « Triumvirs » (Barnave, Duport, Lameth) étaient hostiles à la violence, mais comme les « démocrates » (Robespierre, Pétion, l'abbé Grégoire) ils voulaient aller jusqu'au bout de la Révolution. Nombreux étaient les modérés comme l'abbé Sieyès, La Fayette, Mirabeau, l'ancien évêque Talleyrand ou le pasteur Rabaut-Saint-Étienne. Le *Club des Jacobins*, où les cotisations étaient élevées, était beaucoup plus modéré que le *Club des Cordeliers*, dominé par des agitateurs comme le médecin Marat. Les clubs et les journaux qui se multipliaient, pouvaient donner à la province l'impression du désordre le plus total. Qui se chargerait d'y faire appliquer les décisions de la révolution parisienne ?

Il est vrai que l'on n'avait pas attendu l'heure de Paris pour s'organiser, aussi bien dans les villes que dans les campagnes. Avec la *grande peur*, les paroisses rurales s'étaient constituées en cellules d'autodéfense. Les villes de province s'étaient donné des municipalités libres, suivant un modèle qui n'avait rien de parisien. Le Languedoc et la Guyenne avaient une civilisation municipale quand les Capétiens faisaient la guerre aux barons pillards. Plusieurs siècles d'expérience donnaient à la révolution communaliste une portée historique : la province se détachait enfin du système centralisateur.

Le Dauphiné, qui avait pris la tête du mouvement, pouvait à bon droit se considérer comme l'instigateur de la Révolution légaliste. Aussi les municipalités dauphinoises firent-elles respecter dans l'enthousiasme les décisions de l'Assemblée constituante, dont tant de députés étaient des provinciaux. Les autres provinces agirent de même, et l'on assista au mouvement, spontané à la base, mais bientôt coordonné, du regroupement des municipalités en *fédérations*. Une « fédération nationale » fut proclamée au Champ-de-Mars le 14 juillet 1790. En un an, la France révolutionnaire avait retrouvé son unité, grâce aux initiatives des villes et des provinces. Une fête solennelle, grandiose, de style antique, avait scellé profondément dans les mentalités cette union des Français. Louis XVI avait dû jurer, sur l'« autel de la nation », après une messe dite par l' « évêque » Talleyrand, fidélité à la Constitution. Mais le roi pouvait-il accepter un régime où il n'était plus que l'exécuteur des volontés de la nation ? Pouvait-il surtout renoncer à son rôle de protecteur de la religion catholique, la seule que dût connaître un État monarchique ? Quand il jura du bout des lèvres ce serment à la Constitution, on sentait bien que pour le roi de France la question du régime était posée.

La Constitution elle-même était pour lui inacceptable : dès le 26 août 1789, la « déclaration des droits de l'homme et du citoyen » en constituait le prélude fracassant : la liberté ? C'était le « pouvoir de faire tout ce qui ne nuit pas à autrui ». L' « égalité » abolissait le privilège. L'absolutisme était aussi condamné, la nation seule était souveraine : « nul individu, nulle réunion partielle de citoyens ne peut s'attribuer la souveraineté », car « la souveraineté réside essentiellement dans l'universalité des citoyens ». Son expression est la loi, « volonté générale, exprimée par la majorité ou des citoyens, ou de leurs représentants ». Le peuple faisait la loi, désignait ceux qui devaient juger selon la loi, et s'en remettait au roi de l'exécution des lois. On ne laissait à ce « monsieur veto » que le pouvoir de suspendre pendant deux législatures une mesure votée par l'Assemblée.

Le roi n'était qu'à peine maître de l'Exécutif. A Paris, il nommait les ministres, en dehors de l'Assemblée. En province, les nouveaux « départements », divisés en districts et en cantons, étaient dirigés par des « directoires » de citoyens élus et non par des représentants du pouvoir exécutif. Paris comptait quarante-huit « sections » pourvues d'une administration. Le maire de Paris présidait les assemblées élues de la ville. Le roi ne gouvernait qu'en théorie. Le pouvoir local pouvait à tout moment se dresser contre ses ministres. Il ne pouvait pas faire la guerre ou la paix, il n'avait pas les moyens de lever des impôts. Le terme même d' « impôt » disparaissait, remplacé par celui de « contribution ». Le roi disposerait de ce que les citoyens libres voudraient bien lui donner.

LA RELIGION BAFOUÉE.

Plus inacceptable encore que la Constitution, la *constitution civile du clergé* indignait particulièrement Louis XVI, très pieux et attaché à la défense de la religion : pour trouver l'argent nécessaire à l'application de ses réformes, la Constituante avait décidé de nationaliser les biens du clergé, qui constituaient une fortune de trois milliards (2 novembre 1789). Un emprunt de quatre cents millions de bons du Trésor appelés « assignats » avait été émis sur ces biens. Les papiers du Trésor remboursables portaient une promesse de cinq pour cent d'intérêts. En avril 1790 les assignats avaient cours légal et faisaient office de monnaie. Bientôt les terres de l'Église étaient mises en vente aux enchères publiques, cependant qu'on multipliait les émissions d'assignats. L'État se dessaisissait d'une part des biens qui gageaient la monnaie, en les vendant aux bourgeois et aux paysans riches — mais d'autre part il continuait, contre toute prudence, les émissions en assignats, suscitant ainsi une formidable inflation.

Les richesses de l'Église une fois confisquées, puis revendues aux habiles acquéreurs de « biens nationaux », il fallait bien entretenir les prêtres, si l'on voulait garder à la nation une vocation religieuse. Pas plus qu'ils ne voulaient se débarrasser du roi, les bourgeois voltairiens du Tiers ne pouvaient se passer de Dieu. En 1790 la Constituante avait supprimé tous les ordres monastiques n'exerçant pas un rôle social. Elle n'avait pas pour autant l'intention de se passer de prêtres. La mode était à l'irreligion, mais non à la laïcité. La *Constitution civile* créait, le 12 juillet 1790, 83 évêchés (un par département) regroupés en dix métropoles, et divisés en paroisses. Curés, évêques et métropolitains étaient élus par les citoyens, comme tous les autres fonctionnaires de la nation. Le pape était seulement tenu au courant des élections. L'investiture spirituelle était donnée aux évêques par l'archevêque métropolitain.

Le roi ne pouvait accepter cette « constitution », pas plus que le clergé. Des non-catholiques, des protestants, des juifs, des athées, auraient participé à l'élection des évêques! Ceux-ci se révoltèrent, 131 sur 135 entrèrent en dissidence. Le pape, irrité par le rattachement à la France du comtat Venaissin (à la demande de ses habitants), condamna formellement la Constitution civile en mars 1791. La Constituante avait obligé les prêtres à prêter serment de fidélité au régime. La moitié d'entre eux et la majorité des évêques refusèrent. Un schisme était ouvert, qui se prolongerait pendant toute la période révolutionnaire. Le clergé « jureur » était désormais combattu et méprisé par le clergé « non jureur ». Seul Talleyrand avait accepté de sacrer les premiers évêques. Le roi était touché dans ses convictions profondes.

Louis XVI n'était plus seul à combattre : après les mesures religieuses, après l'émigration, la contre-révolution disposait d'une certaine puissance dans le pays et hors du pays. La période des lampions était terminée. De part et d'autre, on s'apprêtait à l'affrontement.

A l'intérieur des frontières, le clergé allait regrouper les forces de résistance : les pays non jureurs étaient relativement homogènes : l'Ouest, le Nord-Est, le sud du Massif central. La Révolution légale n'avait gagné vraiment la partie qu'à Paris. En province, la peur de l'aventure l'emportait sur les gains, de toute façon acquis, du régime constitutionnel. Car la Constitution n'avait pas de quoi inquiéter les notables : l'Assemblée législative devait être élue par un corps électoral restreint, limité aux riches.

Les notables avaient obtenu des « contributions » claires, égales pour tous (la foncière, la mobilière et la patente). Ils avaient fait libérer l'entreprise individuelle du carcan des corporations d'Ancien Régime. Ils avaient en même temps protégé la libre entreprise grâce à la « loi Le Chapelier », qui interdisait les « coalitions », c'est-à-dire les grèves ouvrières.

Ils étaient, à vrai dire, préoccupés par la cassure religieuse de la France révolutionnaire et l'aventurisme des clubs et des dirigeants parisiens. Ils voulaient arrêter la Révolution. Il était clair désormais que le développement de la contre-révolution promettait à tous la guerre civile.

C'était la chance et l'espoir du parti monarchique. Dans le Midi « blanc », des concentrations militaires se rassemblaient dès 1790 au « camp de Jalès », entre l'Ardèche, le Gard et la Lozère. Dans toutes les villes du Midi, des troubles éclataient, opposant les partisans et les adversaires du nouveau régime. En Bretagne, la question religieuse mettait le feu aux poudres. Les Bretons, même dans les futures régions de chouannerie, avaient eux aussi brûlé les châteaux et aboli les privilèges. Le futur *Club des Jacobins* s'appelait, à l'origine, *Club breton*. Ils avaient soutenu les « jeunes gens », étudiants en droit agités de Nantes ou de Rennes, partisans de la révolution bourgeoise. Mais ils avaient aussitôt répondu à l'appel des prêtres non jureurs : le 13 février 1791, 3 000 paysans en colère assiégeaient Vannes pour réclamer leurs curés...

En juin 1791, le roi pouvait donc légitimement penser que, s'il passait à la dissidence, il aurait une grande partie du pays pour lui. Les émigrés avaient constitué à la frontière du Rhin la fameuse « armée de Condé » qui n'attendait que l'occasion de la reconquête. A la suite de tractations secrètes, le roi décida, le 20 juin, de quitter la France avec sa famille. Il s'enfuit, déguisé en bourgeois, pour rejoindre le marquis de Bouillé, qui commandait l'armée dans l'Est. Il fut reconnu à Sainte-Menehould par un maître de postes. Arrêté à Varennes, il fut reconduit à Paris où l'Assemblée, bien embarrassée, décida sa « suspension ». « Quiconque applaudira le roi sera battu, quiconque l'insultera, sera pendu », lisait-on sur les murs de la capitale.

Les révolutionnaires étaient divisés : démocrates et Cordeliers songeaient à proclamer la République. Le roi n'était-il pas discrédité devant l'opinion ? N'avait-il pas pris le parti de la contre-révolution ? Les modérés craignaient au contraire que la poussée à gauche, le « dérapage » de la révolution bourgeoise, ne s'accélère, et que l'on débouche brutalement sur des terres inconnues. Ils maintenaient, par crainte du pire, la fiction de l'innocence du roi, qui aurait été enlevé par l'étranger. La Fayette posait au protecteur de la monarchie, aidé de Barnave. Tous les deux quittaient le club des Jacobins pour fonder le *Club royaliste des Feuillants*.

Une fois de plus, c'est la violence qui imposa la solution, à Paris. Le 17 juillet le club extrémiste des Cordeliers organisa une journée, ameutant les sectionnaires. Le « peuple » se rendait au Champ-de-Mars pour demander la déchéance du roi. La Fayette fit donner la garde nationale. Il y eut cinquante morts. La révolution bourgeoise avait trouvé en son sein des contre-révolutionnaires. L'Assemblée demandait aussitôt des poursuites contre les agitateurs des Cordeliers, Marat en tête. Était-ce la fin du « dérapage » ?

Louis XVI cependant acceptait la Constitution, le 14 septembre. Il faisait amende honorable. C'est la fiction de l'enlèvement qui fut en définitive retenue par la majorité des constituants, pressés de laisser la place aux élus de la nouvelle assemblée législative, qui se réunit pour la première fois le 1er octobre 1791. A cette date, un sujet bien plus grave que la fuite du roi accaparait l'opinion publique : la menace de guerre.

La Révolution et la guerre.

LE DÉBAT SUR L'ENTRÉE EN GUERRE.

La rentrée d'octobre 1791 se situait dans un climat social effroyable : la crise de la monnaie-papier, la flambée des prix, la spéculation sur les farines provoquait partout des émeutes. L'hiver serait plus dur encore que l'automne. On demandait partout le retour à la taxation des grains. A Étampes, le maire, Simonneau, était assassiné parce que ses administrés lui reprochaient, en refusant de taxer les grains, de faire le jeu des « accapareurs ». La révolte des esclaves aux Antilles rendait rares et chères les denrées coloniales : plus de sucre et plus de tabac. Le peuple prenait d'assaut les boulangeries et les épiceries. On payait le sucre dix fois plus cher. Dans tout le Sud-Est, les pillages succédaient aux pillages.

Les bruits de « complot » commençaient à courir dans les rues des villes où le « sans-culottisme » faisait rage. En août 1791 l'empereur d'Autriche et le roi de Prusse avaient lancé, à Pillnitz, une sorte d'appel à la croisade des rois européens contre la Révolution. Les émigrés faisaient cliqueter les sabres, à Coblence, autour du prince de Condé. Un Français, le duc de Broglie, parlait de détruire Paris. Dans l'Ouest, les curés non jureurs prenaient la tête des paysans insurgés.

La Législative réagit très vite : elle somma les princes émigrés de rentrer en France et les rebelles du clergé à prêter sous huitaine serment à la Constitution. Louis XVI opposa son *veto* à ce dernier décret.

Cette attitude mit le feu aux poudres, et rendit à la gauche toute sa dynamique révolutionnaire : une violente campagne partie des « Girondins », ces révolutionnaires de la *Gironde* animés par Brissot et Rolland, se déchaîna contre « monsieur veto ». Les quartiers de Paris se remplirent d'une foule menaçante de sans-culottes, armés de piques, réunis par « sections », prêts à une nouvelle « journée » de violence contre la monarchie.

Des bruits de complot, on entra sans transition dans l'intoxication guerrière : La Fayette et les Feuillants n'étaient pas sans participer à la campagne, pour ressaisir la Révolution en marche, et jouer de nouveau un rôle. Le roi et la reine laissaient faire la politique du pire, espérant la défaite rapide des soldats sans métier que la Révolution lancerait aux frontières. En cas de victoire, peut-être pensaient-ils, comme le suggérait La Fayette, pouvoir s'appuyer sur l'armée, contre la Révolution. Brissot, Roland et leurs amis « Girondins » lançaient l'idée d'une « croisade de la liberté dans toute l'Europe ». Si La Fayette voulait profiter d'une guerre réussie pour arrêter de nouveau le « dérapage », Brissot au contraire comptait sur la guerre pour instaurer définitivement le nouveau régime, et se débarrasser de la monarchie. Seuls les extrémistes de gauche, Robespierre et Marat, soulignaient les dangers d'une aventure militaire. Ils n'étaient pas écoutés.

En mars 1792, un gouvernement brissotin fut constitué, qui devait préparer l'entrée en guerre. Dumouriez était aux Affaires étrangères et Roland à l'Intérieur. La guerre était déclarée par l'Assemblée le 20 avril, sur proposition du roi Louis XVI, « au roi de Bohême et de Hongrie ».

LA MONARCHIE HORS-JEU.

Comme la reine l'avait prévu, l'armée de la Révolution devait faire tout de suite piètre figure devant les soldats professionnels de l'Autriche et de la Prusse. Les officiers d'Ancien Régime ne faisaient pas de zèle. Les officiers nouvellement promus ignoraient le métier des armes. Lacunes dans le commandement, flottements dans l'encadrement, méconnaissance des lois essentielles de la guerre par les soldats, les premières batailles des frontières étaient perdues. Les Autrichiens, que les Prussiens avaient finalement rejoints (une guerre contre la France désarmée était peut-être une bonne affaire), se présentaient sur le territoire.

L'Assemblée décidait en mai 1792 d'emprisonner les prêtres réfractaires, responsables de désordres dans l'Ouest, de dissoudre la garde royale, jugée peu sûre, et de constituer près de Paris un vaste camp de « fédérés » pour résister à la subversion. Le roi se démasquait — il opposait son *veto* à deux des trois décrets — et renvoyait le ministère brissotin.

La rue répondait aussitôt, par la mobilisation des sans-culottes. Le 20 juin, pour l'anniversaire du serment du Jeu de Paume, une « journée » s'organisait dans la fièvre. La foule, armée de piques, se rendait à l'Assemblée pour remettre une pétition hostile au roi. Elle refluait ensuite jusqu'au palais des Tuileries, obligeait le roi à coiffer le bonnet rouge et à boire un verre de vin à la santé de la nation. Le roi acceptait la mascarade, mais refusait de lever son *veto*.

Cette énergie tardive, sans doute inspirée par des mobiles religieux, suscitait dans le pays des réactions incontrôlées : de province arrivaient sans cesse les pétitions demandant la déchéance du roi. Si les notables des « Directoires » voulaient maintenir la monarchie, les municipalités, plus populaires, étaient hostiles au roi. Les jours de la monarchie étaient comptés.

Le danger extérieur devait précipiter la fin. En juillet on annonçait l'avance rapide des Prussiens, à Paris deux cents bataillons de volontaires « sans-culottes » partaient aux armées, l'Assemblée avait décrété « la patrie en danger ». Le 25 juillet on apprenait que le duc de Brunswick, qui commandait l'armée prussienne, avait lancé un manifeste menaçant Paris « d'exécution militaire ». Ce manifeste provoquait un nouveau rassemblement populaire, celui du 10 août, qui emportait la monarchie.

La « journée » avait été soigneusement préparée par un comité insurrectionnel constitué secrètement depuis le 20 juin autour de Pétion, maire de Paris, et de Danton, membre du *Club des Jacobins*. L'initiative échappait désormais aux Girondins et autres « Brissotins ». Elle était aux clubs de l'extrême-gauche, Jacobins et surtout Cordeliers, à qui la défaite et la menace donnaient la parole. Des Marseillais venus à Paris pour commémorer l'anniversaire de la fête de la Fédération étaient engagés par le comité insurrectionnel, avec les volontaires du camp des fédérés.

Le but de l'opération était de brusquer l'Assemblée, qui hésitait encore à voter la déchéance du roi. Le 10 août au matin une commune insurrectionnelle prenait le pouvoir sous la direction de Danton, du cordonnier Simon, du bijoutier Rossignol et de Hébert « l'enragé ». Le brasseur Santerre commandait la Garde nationale.

L'assaut fut donné aux Tuileries, défendues par un millier de Suisses. Le roi chercha refuge à l'Assemblée. Le château des Tuileries fut pris d'assaut. Il n'y avait plus de pouvoir exécutif. Ne fallait-il pas, dès lors, dissoudre l'Assemblée, et s'en remettre à la « souveraineté » populaire ? On décida qu'une nouvelle Assemblée serait élue au suffrage universel, et qu'elle aurait pour tâche de donner à la nation une constitution nouvelle, qui la mît à l'abri de la contre-révolution. Le roi était « suspendu », interné au palais du Luxembourg. Un conseil exécutif, avec Danton et Roland, exerçait le pouvoir. La monarchie avait vécu.

LA TERREUR POPULAIRE.

La guerre continuait. Brunswick s'avançait sur la Champagne. La marche des armées ennemies était lente. Mais elle était sûre. Ils convergeaient sur Paris.

La Commune de Paris se saisit de la personne du roi, qu'elle enferma, avec la famille royale, dans la prison du Temple. Un tribunal criminel était constitué à la hâte, pour juger tous les « comploteurs ». Les bruits de « complot » et de trahison couraient les rues. De fait, aux armées, on apprenait que La Fayette avait déserté. Les Prussiens s'étaient emparés de Longwy et Verdun. Pouvait-on se fier aux généraux ?

La panique gagnait les Parisiens sensibles à la propagande vengeresse du docteur Marat, qui, dans *L'Ami du Peuple*, poussait les « démocrates » à l'action directe. Les sections les plus agitées se répandirent dans les prisons, massacrant tous les prisonniers. La *Terreur de septembre* fit ainsi plus de 1 200 victimes à Paris, dont beaucoup de prêtres. Le couvent des Carmes, rue de Vaugirard, avait servi de prison pour accueillir 160 prêtres non jureurs, dont l'archevêque d'Arles et les évêques de Beauvais et de Saintes. Tous furent tués les 2, 3 et 4 septembre. Les massacreurs firent ainsi le tour des prisons parisiennes. Il y eut aussi des exécutions dans les villes de province.

Les Girondins, amis de Roland et de Brissot, réprouvaient ces violences. Mais les extrémistes du club des Jacobins, que l'on appelait les « Montagnards », se groupèrent derrière Danton, Marat et Robespierre. Danton couvrit de son autorité les massacreurs appelés à droite les « septembriseurs ». Les terroristes l'emportaient largement aux élections parisiennes. Ils avaient réussi à situer la Révolution à gauche. Il est vrai que les Girondins remportaient des succès en province ; tout n'était peut-être pas joué, on apprenait bientôt une nouvelle incroyable : le 20 septembre Dumouriez et Kellermann avaient arrêté les Prussiens à Valmy.

L'Assemblée qui se réunit pour la première fois le 21 septembre 1792 siégerait jusqu'en octobre 1795. Elle s'appelait « Convention nationale ». Sa composition politique n'avait rien de surprenant : les Girondins avaient obtenu, en province, 35 % des sièges, les modérés du centre ou « marais » étaient 25 %. Le reste appartenait aux Jacobins de gauche, les Montagnards. Ils étaient minoritaires, mais comptaient parmi eux les plus fortes personnalités du moment : Robespierre, Danton, Marat, le triumvirat terroriste. Autour d'eux, une étrange cohorte de révolutionnaires : le poète Fabre d'Églantine, auteur de la célèbre chanson « Il pleut bergère » ; l'intrépide Saint-Just, jeune héros au charme trouble, l'acteur Collot d'Herbois, les anciens moines Fouché et Chabot, le peintre David, qui mettait la Révolution en scène dans ses tableaux et dans ses esquisses, l'étonnant Philippe Égalité, ex-duc d'Orléans et grand pensionné de l'Ancien Régime, le grand Carnot, réputé pour sa science et sa conscience...

Plus populaire, la clientèle politique de la *Montagne* était loin d'être égalitaire. Les robespierristes étaient très attachés à la propriété privée et au libéralisme. Les artisans et boutiquiers qui suivaient Danton étaient de farouches partisans de la liberté d'entreprise. Mais il y avait la rue, les sectionnaires, les sociétés populaires, avec leurs chefs d'un jour, les animateurs, les agitateurs. Les Varlet, Jacques Roux, Chaumette et surtout Hébert entretenaient la politisation des masses, immédiatement mobilisables, et faisaient régner sur la Convention — et surtout sur la gauche, sur la Montagne — une pression politique constante.

Le terrorisme parisien obtint un premier succès : la liquidation de la Gironde. Pendant quelques mois, la Gironde et la Montagne devaient se faire une guerre acharnée. La Gironde était pour la liberté du commerce, des prix, des hommes. La Montagne se donnait comme programme, avec les extrémistes parisiens, de faire passer « la Révolution avant les principes ». Quel que fût son attachement à la liberté et à la propriété, elle voulait d'abord faire la guerre et sauver la Révolution. Elle était pour toutes les mesures immédiates, même impopulaires, qui pouvaient servir l'objectif essentiel : sauver la Révolution. Elle imposait la taxation des denrées, les réquisitions, et le pouvoir dictatorial. Elle savait qu'elle pouvait compter sur les forces populaires parisiennes, alors que la Gironde voulait « réduire Paris à 1/83 d'influence ».

La Gironde fut rapidement mise hors jeu. Elle voulait constituer en province une force armée susceptible d'équilibrer le terrorisme parisien. Elle ne fut pas suivie dans cette voie par la Convention. Les propos modérateurs des Girondins, qui voulaient à leur tour sauver le roi, mis en accusation par la Montagne, résonnaient étrangement aux oreilles des Conventionnels, qui se rappelaient que jadis Brissot et Roland avaient été de fougueux adversaires de la monarchie.

La découverte de la célèbre « armoire de fer » aux Tuileries, qui contenait la correspondance secrète du roi, et les preuves du double jeu de la Cour, déchaîna l'extrême gauche. Mettre en accusation le roi, c'était, disait Robespierre, « une mesure de salut public ». Par 707 voix sur 718, le roi fut déclaré coupable de « conspiration contre la liberté publique et d'attentat contre la sûreté de l'État ». La Gironde n'avait pas pu défendre la thèse de la non-culpabilité. Elle s'était par contre déclarée hostile à la peine de mort, qui fut acquise pourtant par 387 voix contre 334. Philippe Égalité avait voté pour. Le lundi 21 janvier 1793, Louis XVI était décapité sur l'actuelle place de la Concorde.

> « Pour rendre hommage à la vérité, déclarait le bourreau Samson, chargé de l'exécution, il a soutenu tout cela avec un sang-froid et une fermeté qui nous ont tous étonnés. »

LA MONTAGNE ET LA VICTOIRE DE LA RÉVOLUTION.

La mort du roi n'apportait aucune solution au problème politique français, mais elle déchaînait par contre l'Europe monarchique contre la France. Désormais la « République » était « régicide ». Elle devait être punie. L'étranger savait qu'il pouvait compter, dans sa croisade, sur une partie des provinces françaises en révolte ; celles de l'Ouest notamment.

« Guerre aux châteaux, paix aux chaumières », tel était le programme des généraux de la Révolution quand ils pénétraient en terre étrangère ; ils se présentaient en libérateurs. Après l'offensive qui suivit Valmy, et qui valut aux Français quelques victoires (Jemmapes), l'Angleterre ainsi que l'Espagne et les Provinces Unies rejoignirent la coalition contre-révolutionnaire. Dumouriez fut battu par les Autrichiens à Nerwinden en mars 1793. Custine dut évacuer la rive gauche du Rhin. Après ces revers, il y eut de nouveau des trahisons : Dumouriez et le fils du duc d'Orléans, le duc de Chartres, futur Louis-Philippe, abandonnèrent l'armée pour passer à l'ennemi.

La Convention décida de lever immédiatement 300 000 hommes. Les provinces de l'Ouest refusèrent cette levée. La chouannerie, révolte vendéenne, bretonne et angevine, commença à s'organiser à partir de mars, encouragée toujours par le clergé réfractaire. Elle avait à l'origine des chefs venus du peuple comme Cathelineau et Stofflet, puis elle fut ralliée et encadrée par les nobles : d'Elbée, Charette, La Rochejaquelein. En juin, les « Chouans » mirent le siège devant Nantes.

À Paris, le désordre était à son comble : les bruits de « complot anglo-royaliste » excitaient la population, soumise à de dures privations. La disette et la baisse des assignats provoquaient des troubles en séries, qui avaient des suites en province, et notamment à Lyon. Les « enragés », conduits par Roux et Varlet, demandaient de nouvelles mesures terroristes. Dès la fin du mois de mars, la Gironde, rendue responsable des trahisons et des échecs militaires, était mise en accusation à la Convention. Un tribunal révolutionnaire était constitué, qui avait pour tâche de juger les « suspects ». Des Conventionnels « représentants en mission » étaient envoyés dans les départements pour y faire régner la terreur. Un emprunt forcé d'un milliard sur les riches était voté. Le cours de l'assignat était fixé par décret. Un *Comité de salut public* exerçait dictatorialement le pouvoir exécutif.

La Gironde tenta de protester, au nom de la défense de la liberté : mal lui en prit. Robespierre accusa aussitôt Brissot de complicité avec Dumouriez. Marat, poursuivi par les Girondins, fut acquitté et porté en triomphe par le peuple de Paris.

Le 31 mai, une nouvelle « journée » s'organisait contre les Girondins. Le tocsin sonnait à toutes les Églises, rassemblant les sectionnaires. Hanriot, un ami de Robespierre, commandait la Garde nationale. Le 2 juin la foule en armes entourait l'Assemblée, exigeant la proscription des Girondins. La Convention ne pouvait résister à la pression d'une foule de 100 000 personnes. Elle céda. Une fois de plus la rue commandait les destinées de la Révolution.

Pendant un an, la dictature des Montagnards conduisit le pays en guerre. La situation, en juin 1793, était désespérée. Le Sud-Ouest rejoignait l'Ouest dans la rébellion. Les Espagnols, amis des Anglais, préparaient leurs armées au-delà des cols pyrénéens. Les Girondins avaient réussi à lever une armée en Normandie pour marcher sur Paris. Ils avaient fait alliance avec les chouans. Une jeune fille de vingt-cinq ans, Charlotte Corday, assassinait Marat dans son bain. La Corse s'insurgeait autour de Paoli. Les Prussiens se concentraient à Mayence, les Autrichiens étaient à Valenciennes. Les Anglais avaient débarqué à Dun-

kerque et à Toulon. Bientôt les Espagnols s'emparaient du Roussillon.

Que faisaient les Conventionnels? Une Constitution... Pour
la première fois, elle était vraiment démocratique. Rédigée en
six jours par Hérault de Séchelles, elle proclamait le droit à l'insurrection et la République « une et indivisible ». Les députés
étaient élus au suffrage universel direct et le fédéralisme était
condamné. L'Assemblée, élue pour un an, choisissait le
« Conseil exécutif » chargé du gouvernement. Les lois étaient
ratifiées par référendum. La Constitution était votée tambour
battant le 24 juin : elle ne serait jamais appliquée.

Il fallait bien faire la guerre, ou faire face à la guerre. Robespierre organisa la « dictature de la vertu ». Les biens nationaux
furent vendus par petits lots, pour avantager les pauvres. Les
terres confisquées aux émigrés devaient être distribuées aux
petits paysans. On organisa l'assistance aux pauvres dans les villes.
Un emprunt forcé sur les riches assurait au gouvernement ses
ressources.

La Convention désignait les membres des comités chargés
d'assurer l'ordre et de mener les troupes à la victoire. Le
Comité de salut public était le véritable gouvernement. Il
nommait les généraux, les fonctionnaires, les ambassadeurs. Créé
le 6 avril, il était dominé jusqu'en juillet par Danton, puis par
Couthon, Saint-Just, Carnot, Robespierre, Billaud-Varenne et
Collot d'Herbois. Ils étaient douze, décidés à sauver la Révolution coûte que coûte, exerçant une responsabilité collégiale.
Ils siégeaient aux Tuileries, couchaient sur des lits de camp.
Des canons étaient braqués à l'entrée des appartements de la
reine.

Le *Comité de sûreté générale* était chargé de la police politique,
de la détection des traîtres et des tièdes. Il était entre les mains
des amis de Robespierre. Le *Tribunal révolutionnaire*, créé par
Danton, se composait d'un jury de cinq juges, de l'accusateur
Fouquier-Tinville et de ses adjoints. Ses jugements étaient sans
appel. En province, les représentants en mission, aux armées les
commissaires de la République faisaient respecter par la terreur les
décisions des comités.

Ce régime d'exception, ultra-centralisé, était une véritable
dictature « jusqu'à la paix ». La pression des enragés de Hébert,
le journaliste démagogue du *Père Duchesne*, était telle que le
Comité de salut public décida de créer une *armée révolutionnaire*

pour rétablir l'ordre et arrêter en peu de temps tous les suspects. « Il faut que nous allions chercher nos ennemis dans leur tanière », disait Billaud-Varenne. La *Loi des suspects*, de septembre 1793, autorisait le Comité à arrêter pêle-pêle tous les ennemis du gouvernement, des fédéralistes aux chouans et aux prêtres. Des comités de surveillance dressaient dans chaque arrondissement des listes de suspects. La terreur était « à l'ordre du jour ».

Jamais la France, depuis la Saint-Barthélemy, n'avait connu une telle boucherie politique. Le sang coulait chaque jour place de la Concorde où l'on exécutait les détenus. On ne punissait plus seulement les « ci-devant », mais les trafiquants de tout poil. Depuis mai 1793 le commerce des grains et farines était réglementé. Un *maximum des grains* était affiché sur tous les marchés, et les contrevenants, « accapareurs » et spéculateurs, étaient punis de mort. La loi du maximum de septembre 1793 fixait les prix des denrées à leur taux de 1790 avec un tiers en sus. Les fraudeurs étaient inscrits sur la liste des suspects, et le cas échéant guillotinés.

La terreur économique s'accompagnait d'une terreur religieuse. Une mythologie républicaine avait été imaginée par Lakanal, Romme et Fabre d'Églantine. On avait inventé un « calendrier républicain », un programme de fêtes nationales, de nouveaux cultes et de nouveaux dieux, la « déesse-raison » par exemple. Un puissant mouvement anticlérical encourageait les destructions et les pillages dans les églises, l'arrestation et l'exécution des évêques, la chasse aux prêtres non jureurs. Les statues des cathédrales étaient mutilées, comme pendant les guerres de Religion. Les sépultures royales étaient profanées. On brisait à Reims l'ampoule sainte du Sacre des Rois. Notre-Dame de Paris devenait le temple de la Raison. On y donnait des fêtes républicaines dans le goût antique, dessinées par le peintre David.

A partir d'octobre 1793, on se mit à guillotiner pêle-mêle tous les ennemis de la Montagne. Les lugubres charrettes entraînaient à l'échafaud les Girondins et leurs amis, puis, le 16 octobre, la reine Marie-Antoinette. Le duc d'Orléans n'était pas épargné, bien qu'il eût voté la mort du roi. Mme Roland, Bailly, l'ancien maire de Paris, étaient exécutés à leur tour.

La terreur n'était plus seulement parisienne. Les Conventionnels tuaient aussi en province. Fouché terrorisait Lyon, et Tallien Bordeaux. Pour exécuter les Nantais, Carrier avait imaginé des bateaux au fond amovible : ils étaient noyés dans la Loire. Partout, les têtes tombaient.

Les généraux vaincus des frontières du Nord et de l'Est avaient été guillotinés. Des jeunes avaient pris les commandements : Jourdan à l'armée du Nord, Pichegru sur le Rhin, Hoche sur la Moselle. Ils avaient trente ans, parfois moins.

La terreur payait : Dugommier reprenait Toulon aux Anglais en décembre. Les chouans venaient d'être écrasés par Kléber à Cholet ; une armée entière de « blancs » devait être anéantie par les « bleus » de Kléber et Marceau au Mans puis à Savenay. Les « colonnes infernales » des « bleus » répandaient la terreur dans l'Ouest. Au nord, Jourdan l'emportait sur les Autrichiens à Wattignies. Hoche devenait commandant en chef des armées de la République. Il dégageait la frontière grâce à la victoire de Wissembourg.

La dictature du commandement portait ses fruits. Carnot, l' « organisateur de la victoire », prenait les mesures nécessaires au Comité de salut public pour mobiliser de nouveaux volontaires. Les armées de la République comptaient bientôt 700 000 combattants, tous animés de la rage de vaincre. Les « demi-brigades » lançaient à l'assaut, en colonnes profondes, les recrues mal entraînées qui avaient toujours, contre la puissance de feu des soldats de métier, la supériorité du nombre et de l'élan. Le printemps de 1794 fut celui de la victoire : Pichegru était vainqueur à Courtrai et à Tourcoing. La Belgique devenait française. Jourdan l'emportait à Fleurus. Il entrait à Bruxelles en même temps que Pichegru. Les Espagnols étaient chassés du Roussillon. Les frontières étaient dégagées. Si la République était sauvée, à quoi bon la terreur ?

LE PEUPLE EST LAS DU SANG.

A Paris, la rue était livrée aux hébertistes, qui exigeaient la poursuite des actions terroristes. Leurs agitateurs dressaient le peuple à la porte des boulangeries où souvent le pain manquait. En mars, le Comité de salut public avait fait arrêter, dans la nuit, Hébert et Chaumette qui furent aussitôt guillotinés. Le club des Cordeliers, qui soutenait leur action, était dissous.

Le Comité frappait aussi à droite : il accusait Danton et ses amis, dont Camille Desmoulins, de corruption et d'intelligence avec l'ennemi. N'avaient-ils pas demandé la fin de la Terreur ? Ils étaient liquidés à leur tour en avril. Robespierre poursuivait les réquisitions, amplifiait et soutenait l'effort de guerre. Le 10 juin 1794, quand la victoire aux frontières était presque acquise, Robespierre produisit une nouvelle liste d' « ennemis du peuple ». La « grande terreur de Messidor » ferait tomber encore des têtes : le savant Lavoisier, le poète André Chénier étaient parmi les victimes.

Les victoires de juillet rendaient inutile toute nouvelle action terroriste. Et pourtant Robespierre voulait plus que jamais maintenir la « dictature de la vertu ». Il organisait en grande pompe la fête en l'honneur de l'Être suprême... Au Comité, Carnot et Billaud-Varenne l'accusaient de tyrannie, de démesure. Les anciens dantonistes, les terroristes repentis comme Tallien, Fouché et Barras complotaient contre lui. Ils sentaient que la France aspirait à la paix et à la liberté, qu'elle était lasse du sang.

Le 8 thermidor (26 juillet), Robespierre sentit le danger et voulut prendre les devants. Il mit ses ennemis en accusation devant la Convention. Mais, pour la première fois depuis un an, il ne fut pas suivi. Le « marais », sentant venir le vent de l'indulgence, abandonna les terroristes. Le 9 thermidor, Saint-Just, l'ami fidèle, tenta en vain de se faire entendre par l'Assemblée. Robespierre fut mis en accusation. Il fut arrêté.

Ses partisans, à la Commune de Paris, réussirent à empêcher par la force son incarcération. Il fut mis hors la loi à la Convention, mais trouva refuge à l'Hôtel de Ville. Barras mobilisait l'armée, assiégeait l'Hôtel de Ville, devant le peuple passif. Les robespierristes étaient enfin mis en prison. Robespierre avait la mâchoire fracassée par un coup de pistolet. Il fut traîné à l'échafaud avec tous ses amis. Les Parisiens applaudirent à l'exécution en criant « foutu maximum ». C'en était fini de la terreur, mais aussi de la Révolution. Désormais la rue ne pèserait plus par ses « journées » sur le cours des événements. La parole serait aux généraux, aux « coups d'État ». L'exécution de Robespierre et les victoires de Carnot annonçaient le retour à l'ordre.

CHAPITRE 12

L'Europe française : 1795-1815

L'Angleterre avait rejoint la croisade contre-révolutionnaire, moins par conviction que par calcul : elle bloquait les côtes de France, empêchait les produits français de sortir, mais non les produits anglais de pénétrer en France. Elle pratiquait le blocus mercantile. Comme la Prusse, elle voulait que la croisade fût payante. Elle fortifiait sa maîtrise des mers, et profitait des événements pour faire main basse sur le plus possible de colonies ou comptoirs français.

La mer serait de plus en plus anglaise, mais la terre d'Europe de plus en plus française : pendant vingt ans, sous la Révolution et l'Empire, les Français allaient réaliser le rêve d'hégémonie de la vieille monarchie, abattant la Prusse, balayant la maison d'Autriche, attaquant même la lointaine Russie. La guerre avait sauvé provisoirement la Révolution. Mais le « général vainqueur », le « sabre », prévu par Robespierre allait rétablir l'ordre en France, et tenter de l'imposer à l'Europe : cet « ordre » était celui des bourgeois libéraux qui avaient fait 1789.

De Robespierre dictateur à Bonaparte consul.

THERMIDOR : LA GUERRE QUI RAPPORTE.

Les victoires avaient eu raison de la dictature robespierriste. Les Français dominaient toute l'Europe du Nord-Ouest. Jourdan était entré en Belgique, ses armées occupaient la rive gauche du Rhin. Pichegru avait poussé jusqu'à la Hollande, et capturé les vaisseaux pris par les glaces. Carnot et Robespierre avaient souhaité une guerre sans annexions, une guerre de libération des peuples. Les successeurs des robespierristes ne l'entendaient pas de cette oreille : ils voulaient une guerre qui rapporte, à la prussienne. Les « Thermidoriens » qui succédaient aux Montagnards engagèrent la France profondément sur le continent, avec leur théorie des *Républiques-sœurs*.

Tant que l'Angleterre restait l'âme des coalitions, il n'y avait pas de chance d'une paix durable. On avait beau traiter avec la Prusse, avec l'Espagne et avec la Hollande, du jour au lendemain une coalition pouvait renaître, qui trouverait ses ressources dans l'or du roi d'Angleterre. La France était condamnée à vivre de la guerre, abandonnant tout idéalisme.

Les régimes qui se succédèrent de Robespierre à Bonaparte étaient tous condamnés à la guerre et condamnés par la guerre. La convention des « thermidoriens » devait finir rapidement ses jours, non sans une grande confusion. Montagnards et Girondins avaient été éliminés. Restaient les « crapauds du marais », qui s'étaient emparés du pouvoir avec quelques terroristes rescapés comme Barras et Tallien. Ils étaient tous des survivants. Les Cambacérès, les Sieyès, les Boissy d'Anglas liquidaient la terreur et les terroristes. Ils remaniaient à leur convenance le gouvernement révolutionnaire, limitant les pouvoirs du Comité de salut public à la guerre et à la diplomatie. Fouquier-Tinville était guillotiné avec Carrier. Collot d'Herbois et Billaud-Varenne étaient déportés, Carnot serait écarté des Affaires. On fermait le club des Jacobins. Seuls les médiocres et les affairistes survivaient à Paris. Les meilleurs étaient morts, ou partis à la guerre.

Mais Paris était maté. Le vieux rêve des Girondins prenait corps : la rue n'avait plus la parole. Les quarante-huit sections étaient regroupées en douze arrondissements. La « jeunesse dorée » attaquait au gourdin les cafés républicains, la « terreur blanche » gagnait la province. L'abolition du maximum, en décembre 1794, provoquait partout des cris de joie.

La hausse des prix, due aux mauvaises récoltes et au blocus anglais, l'effondrement rapide de l'assignat, devaient faire déchanter les Français. Les « muscadins » multipliaient les bals, mais le peuple n'avait pas envie de danser. Les Parisiens, avec une livre et demie de pain par jour, regrettaient bientôt la taxation. Les distributions de vivres, très limitées pendant l'hiver, devaient provoquer une révolte populaire au printemps. Le 1er avril 1795, une « journée » s'organisait spontanément dans les vieux quartiers révolutionnaires. « Du pain, du pain! » criaient les anciens section- naires devant l'Assemblée. De nouveau, le 20 mai, la Convention était submergée par une révolte de la faim. On décapitait à ses portes le conventionnel Féraud.

Il fallait que la guerre rapporte, à tout prix. Mais comment nourrir la guerre, si l'on ne tenait pas le pays en main ? La Conven- tion thermidorienne avait aboli la terreur. Elle ne pouvait plus compter sur la rue pour rétablir l'ordre car la rue était hostile. Il fallait bien qu'elle en appelle à l'armée.

L'ARMÉE DANS LA RUE.

Les Conventionnels n'hésitèrent pas à appeler au secours les militaires : le général Moreau matait la révolte de mai, faisait tirer sur le peuple au faubourg Saint-Antoine. La révolution de la rue était terminée, avec le temps des sans-culottes et des « jour- nées ». Il ne restait au peuple que l'insurrection. Il ne pouvait plus faire pression sur le gouvernement en montrant sa force, parce que les thermidoriens disposaient désormais d'une réserve toujours prête.

Il est vrai qu'en frappant toujours à gauche, ils risquaient le glissement du régime vers la droite, qui relevait la tête partout dans les provinces. Mais l'armée était prête à frapper, quels que soient les ennemis. Il était temps : des bandes royalistes (compa- gnons de Jéhu, compagnons du Soleil) répandaient la terreur dans la vallée du Rhône. Le comte de Provence se proclamait roi en juin 1795, condamnant la Révolution régicide et spoliatrice, et la nouvelle société révolutionnaire, dans son manifeste de Vérone. Les Anglais avaient débarqué les émigrés à Quiberon pour soutenir l'insurrection des Bretons et des Vendéens. Hoche avait eu diffi- cilement raison des insurgés.

Pour se garder des royalistes, les Conventionnels, qui venaient de voter la *Constitution de l'an III*, avaient décrété le 30 août que les deux tiers des membres de la prochaine Assemblée devaient avoir fait partie de la Convention pour être validés. C'était inter- dire aux royalistes toute conquête légale du pouvoir.

Les royalistes, à leur tour, prétendirent dominer par l'insurrection. Ils organisèrent le 5 octobre (13 vendémiaire) une « journée » dans Paris, avec l'appui de la section Le Peletier. Le responsable de l'ordre, Barras, fit appel à un général d'artillerie en disgrâce, qui avait jadis aidé Dugommier à libérer Toulon. Ce Bonaparte mobilisa la cavalerie de Murat, sut trouver à la hâte quelques canons, et mitrailla à bout portant sur les marches de l'église Saint-Roch les « collets noirs » royalistes. Ainsi Bonaparte entrait-il dans l'Histoire, en sauvant la République.

Le régime suivant, appelé Directoire, ne pourrait se passer de l'appui des généraux. Entre le peuple de Paris toujours au bord de l'insurrection et les provinces « blanches », l'armée seule protégeait le régime. La prédiction de Robespierre se révélait exacte : le pouvoir révolutionnaire était à la merci d'un coup d'État.

Et pourtant cette armée était celle-là même de la Révolution ; ses généraux n'avaient pas trente ans, ses meilleurs officiers étaient arrivés par le feu, non par les écoles, ses soldats n'avaient ni solde, ni métier. Ils étaient venus en sabots, en lambeaux, par idéal. Ils étaient les volontaires de l'an II. Aucun historien ne rend jamais compte de cet étrange retournement, sinon en évoquant les ambitions personnelles des généraux.

En 1795 les armées de la République se battaient depuis plus de trois ans déjà. Elles avaient à plusieurs reprises sauvé le pays, à l'extérieur comme à l'intérieur. Pour les jeunes volontaires des demi-brigades, l'armée était un milieu chaleureux, exaltant, ils partageaient la griserie de gloire des généraux de trente ans, qui avaient conquis tous leurs grades à la charge. Un Murat était un fils de laboureur du Sud-Ouest. Un Augereau était le fils d'un domestique et d'une marchande des quatre saisons. Engagé à dix-sept ans, Bernadotte était sergent dans l'armée royale, où Bonaparte avait une chance de finir capitaine. Quant à Moreau, il aurait été avocat sous l'Ancien Régime.

Les soldats pouvaient tous espérer devenir officiers. Dans la « société bloquée » de l'Ancien Régime, de telles promotions eussent été chimériques. Ils se sentaient solidaires de leurs chefs dans la gloire et dans la réussite, et haïssaient les députés de Paris qui ne fournissaient pas aux armées les moyens de dominer l'Europe et de battre l'Angleterre. Les indécisions du pouvoir politique, les convulsions des parlementaires, les changements de régime, de gouvernement, l'incapacité des thermidoriens, puis des « directeurs » à maintenir l'ordre leur semblaient scandaleux. Ils étaient prêts, soldats et officiers, à intervenir chaque fois que cela serait nécessaire pour défendre un régime dont ils se sentaient désormais pleinement solidaires : ni l'anarchisme parisien, ni la réaction de province ne devaient compromettre l'avenir de la République, pour laquelle déjà tant de leurs camarades étaient morts. L'armée constituait désormais une force politique de première importance.

Les thermidoriens avaient senti, au moment de rédiger la nouvelle constitution, tout le danger d'une dictature militaire. Aussi avaient-ils pris toutes les précautions possibles : il y avait deux chambres, au lieu d'une : le Conseil des Cinq-Cents et le Conseil des Anciens, élus au suffrage censitaire à deux degrés. Les députés étaient renouvelables par tiers tous les ans. Le pouvoir législatif se trouvait ainsi protégé contre les « vagues » d'opinion. Il restait entre les mains des notables, comme le souhaitaient les bourgeois de 1789.

Le pouvoir exécutif était collégial, confié à cinq « directeurs » élus pour cinq ans, renouvelables à raison de un par an. Les départements avaient des conseils élus, mais le pouvoir y était dévolu à des commissaires nommés par le gouvernement. On se défiait autant des provinces royalistes que du Paris jacobin.

Les inspirateurs de la Constitution, Barras et surtout Sieyès, voulaient arrêter la Révolution sur une ligne libérale, et donner les pouvoirs, dûment séparés, aux représentants de la bourgeoisie riche. Ils n'avaient pas prévu l'éventualité d'un conflit entre les directeurs et les Chambres. Dans leur souci d'assurer l'équilibre, ils avaient négligé la stabilité.

Les responsables des nouveaux pouvoirs savaient que, pour arrêter la Révolution, il fallait gagner la guerre et donner satisfaction au peuple, las des disettes et des lois d'exception. Mais ils étaient sans prise sur une réalité dangereusement mouvante. En vain le Directoire avait-il arrêté la fabrication des assignats. Un emprunt de six cents millions de francs-or n'était pas couvert, les épargnants n'avaient plus confiance. On lançait sur le marché des *mandats territoriaux*, gagés sur les biens nationaux, qui se dépréciaient aussi vite que les assignats. Le seul remède était la banqueroute aux deux tiers, qui fut proclamée en 1796.

L'instabilité financière portait à son comble le mécontentement populaire. De nouveau les villes connaissaient la famine. Les doctrines extrémistes, comme celle de Gracchus Babeuf, demandaient l'égalité sociale, le vote d'une loi agraire « communiste », partageant les grands domaines entre les pauvres. Les Jacobins accueillaient les babouvistes, et fomentaient ensemble une révolte. Cette « conspiration des Égaux » fut désamorcée par le pouvoir. Les babouvistes et leurs complices jacobins furent arrêtés et guillotinés en mai 1797.

La droite s'agitait autant que l'extrême gauche, et tentait d'exploiter à son profit le mécontentement. Les royalistes organisaient la subversion, gagnaient certains chefs de l'armée comme le général Pichegru. Ils créaient des réseaux d'agents secrets sur tout le territoire, comme l'*Agence royaliste* de l'abbé Brottier. Ils s'efforçaient de présenter des candidats de leur parti aux assemblées. La prise du pouvoir par les voies légales semblait possible, à cause de l'action psychologique entreprise en profondeur dans le pays par les agents royalistes.

Pour éviter ce danger plus réel que l'insurrection vendéenne désarmée par Hoche, Barras prit les devants; organisant un coup d'État le 18 fructidor (4 septembre 1797), il demanda l'aide du général Bonaparte, qui délégua Augereau. Pichegru et les royalistes furent arrêtés par l'armée avec une trentaine de députés. Ils furent déportés en Guyane. Une fois de plus, Bonaparte et l'armée avaient sauvé la République.

LE DIRECTOIRE ET LA GUERRE.

Le 18 octobre, la paix de Campoformio mettait provisoirement fin à la guerre. Jourdan et Moreau avaient été arrêtés par l'archiduc Charles dans leur marche sur Vienne. L'armée d'Italie, commandée par Bonaparte, avait été plus heureuse, alors qu'elle n'était destinée, à l'origine, qu'à fixer dans la plaine du Pô une partie de l'armée autrichienne.

Avec 37 000 hommes, Bonaparte avait conquis le Piémont et la Lombardie, à la suite d'une série de victoires brillantes comme Arcole et Rivoli. Pour conclure rapidement la paix, il avait obtenu de Vienne la cession de la Belgique et des îles Ioniennes, contre l'abandon à l'Autriche de la Vénétie.

Restait l'Angleterre : Bonaparte pouvait encore choisir : la paix sur le continent valait bien l'abandon des mers. Le Directoire, conforté par la paix extérieure, pourrait installer dans le pays un régime d'ordre et de progrès économique. Déjà Ramel Nogaret avait réformé le système des « contributions », donnant à l'impôt plus d'efficacité. François de Neufchateau développait l'économie, pendant que le gouvernement livrait aux industriels français le marché des « Républiques-sœurs », interdites aux marchandises anglaises. Contre la concurrence industrielle britannique, la France pouvait espérer se réserver les marchés de l'Europe de l'Ouest.

Il n'était donc pas question de traiter avec l'Angleterre. Elle n'accepterait jamais une paix sur le continent qui lui fermerait les marchés européens. La guerre économique devait continuer, et le Directoire se donnait les moyens de la poursuivre. Par la loi Jourdan, il enrôlait dans l'armée tous les Français de vingt à vingt-cinq ans. Pour la première fois, la conscription était institutionnalisée. Le Directoire devenait de plus en plus une République militaire, qui ne comptait que sur la guerre pour réussir. Par la force, toutes les oppositions étaient matées : le 22 floréal (11 mai 1798) on invalidait les députés jacobins qui venaient d'entrer au Conseil. Une loi très dure contre les émigrés était votée. Le Directoire tenait la situation politique bien en main, grâce à l'appui constant de l'armée.

Pour faire la guerre, il fallait de nouveau affronter l'Angleterre. Où la frapper ? Hoche, qui voulait soulever les Irlandais, n'avait pas réussi à franchir la Manche. On eut alors l'idée d'envoyer Bonaparte en Égypte, pour couper la route des Indes. Peut-être certains pensaient-ils de la sorte barrer la route à un général trop ambitieux, désormais très connu du peuple. Bonaparte accepta. Il s'embarqua avec 300 navires et 40 000 hommes, entraînant avec lui des égyptologues et des savants, comme Monge et Berthollet.

Vainqueur aux Pyramides, il ne put empêcher les Anglais de détruire sa flotte à Aboukir. Il ne put enlever Saint-Jean-d'Acre et abandonna son armée pour rentrer en France, le 22 août 1799. Il voulait être présent pour l'agonie du Directoire.

Bonaparte, consul de la République française.

LE COUP DU 18 BRUMAIRE.

Pendant l'été de 1799, la situation intérieure française se détériore rapidement. La guerre civile reprend avec rage dans l'Ouest et dans le Midi. L'insécurité gagne tout le pays, de nouveau parcouru par les bandes de « brigands ». Le désordre religieux est porté à son comble quand le Directoire décide d'occuper Rome, d'emprisonner le pape et de constituer sur ses États une « République romaine ». Les prêtres réfractaires continuent leur action de résistance et le pays prête une oreille de plus en plus attentive aux députés qui dénoncent la politique étrangère du Directoire, la poursuite d'une guerre ruineuse et oppressive. Pour maintenir dans la dépendance du Directoire les États vassaux des « Républiques-sœurs », il faut entretenir une véritable armée d'occupation en Allemagne, en Italie, en Belgique, en Suisse.

A la merci de la guerre, dont le butin compensait le déficit permanent du Trésor, le Directoire risquait d'oublier la Révolution, de la livrer aux généraux vainqueurs, ou de favoriser le retour des Bourbons. Les bourgeois libéraux, soucieux d'établir solidement un régime conforme à leurs vœux, étaient d'avis de réviser la Constitution dans un sens autoritaire. C'était l'opinion de Sieyès, de Mme de Staël, de tous les « réformateurs » parisiens. Pour aboutir, Sieyès avait besoin d'un « sabre ». Celui de Bonaparte était opportunément disponible.

Sieyès mit au point la conspiration, bien décidé à se libérer du « sabre » dès la chose faite. Aidé par le milieu parlementaire et par certains milieux d'affaires (le banquier Ouvrard par exemple), Sieyès avait construit le scénario : les Anciens, dans la nuit du 17 au 18 brumaire, s'enfuirent à Saint-Cloud, se disant menacés dans Paris par les Jacobins. Ils avaient confié à Bonaparte le commandement de l'armée de Paris.

Le 19 brumaire, Bonaparte, mal accueilli par les Cinq-Cents fut sauvé par le président de l'Assemblée, son frère Lucien. La troupe fut requise pour dégager les « bons » députés, soi-disant menacés par les « représentants à stylets » payés par l'Angleterre. Les soldats de Murat et Leclerc dégagèrent le Conseil. Les députés conspirateurs en profitèrent pour ratifier aussitôt le coup d'État : le Directoire n'existait plus. Une « commission consulaire exécutive » prenait la place des directeurs, avec Sieyès, Roger Ducos et Bonaparte. Les vainqueurs promettaient de respecter les principes de 1789 et de rétablir la paix, à l'intérieur comme à l'extérieur. Jusqu'ici, Bonaparte avait fait le jeu de Sieyès, il avait rempli son contrat.

Le général vainqueur d'Arcole et des Pyramides était alors follement populaire en France. Il était adoré de ses soldats qui répandaient la légende de son invincibilité. Sa puissance de travail, son effroyable caractère, sa mémoire étonnante qui lui permettait de reconnaître, sur le front des troupes, tel ou tel soldat, son courage physique, sa sensibilité méditerranéenne, sa chance enfin, cette chance qui lui avait permis d'échapper aux escadres anglaises en revenant d'Égypte, tout le désignait comme un sauveur inespéré, dans l'immense mépris où le peuple tenait les élégants serviteurs du Directoire.

Ce général d'armée devint bientôt l'homme de l'armée : oubliés Moreau et Jourdan, on ne parlait que de Bonaparte. Il était la coqueluche de Paris. Oublié Saint-Jean-d'Acre et les compagnons malheureux du désert. L'imagerie populaire ne retiendrait, de l'affligeant épisode d'Égypte, que la visite aux pestiférés de Jaffa et le discours devant les Pyramides.

Il devint très vite évident que le général corse entendait s'emparer du pouvoir et non pas le partager. Cet ancien officier d'artillerie aimait l'ordre et la discipline. Il avait jadis beaucoup méprisé Louis XVI de s'être laissé manœuvrer par la populace. Il avait aimé Robespierre pour son courage et son intransigeance. Il avait accepté, par pur cynisme, les propositions d'un Barras qu'il considérait comme un corrompu. Dans la France de 1799, inquiète surtout des destinées de l'œuvre révolutionnaire, il apparaissait comme un réconciliateur à poigne, capable d'en imposer aux anarchistes comme aux réactionnaires :

« Ni bonnet rouge, ni talonrouge, dit-il, je suis national. »

Cela voulait dire qu'il était prêt à fusiller aussi bien les Jacobins que les royalistes. N'avait-il pas largement fait ses preuves dans ce domaine ?

On attendait de lui l'ordre d'une loi sévère, strictement appliquée. La France rurale, devenue une France militaire, voulait le respect des « conquêtes » de la Révolution, particulièrement des « biens nationaux ». S'il respectait les principes essentiels de 1789, le général pouvait tout se permettre. Il ne s'en fit pas faute.

BONAPARTE DICTE LA LOI.

En dictant très rapidement à Daunou les 95 articles de la nouvelle Constitution, Bonaparte entendait montrer qu'il ne s'attarderait pas aux discussions juridiques. D'entrée de jeu, il écartait Sieyès du pouvoir. Trois consuls nommés par le Sénat restaient en charge pendant dix ans. Les trois premiers seraient désignés par la Constitution, c'est-à-dire par lui-même. Le Premier consul, Bonaparte, avait le droit de guerre et de paix. Il nommait aux emplois civils et militaires, il avait l'initiative des lois.

Le pouvoir législatif était divisé en quatre assemblées : le Conseil d'État, dont les membres étaient nommés par le consul, étudiait les projets de lois, qui étaient discutés par le Tribunat, votés sans discussions par le Corps législatif. Le Sénat désignait les consuls et gardait la constitution. Les parlementaires eux-mêmes étaient choisis par le Premier consul sur des listes de notables élus. La Constitution ne disait pas grand-chose des libertés publiques. Par contre, elle garantissait les biens nationaux, qui restaient la propriété légitime de leurs acquéreurs. Ce régime autoritaire fut plébiscité par le pays, il obtint trois millions de « oui » pour un millier de « non ».

Un régime ultracentralisateur était aussitôt mis en place : le 17 février Chaptal, au nom du Premier consul, organisait l'administration départementale. Napoléon nommait à la tête des départements des « préfets », assistés de « conseils généraux ». Il nommait aussi les sous-préfets, assistés de conseils d'arrondissements. Il nommait même les maires, sauf ceux des communes de moins de 5 000 habitants, qui étaient nommés par les préfets. Le préfet de police et le préfet de la Seine gouvernaient Paris.

Une réforme judiciaire mettait en place une pyramide de magistrats soi-disant inamovibles, en fait soumis au pouvoir : les juges de paix dans les cantons, les tribunaux civils et correctionnels dans les arrondissements, les tribunaux criminels dans les départements dépendaient tous du gouvernement consulaire, ainsi que les vingt-neuf tribunaux d'appel. Un tribunal de cassation siégeait à Paris.

Le cadre administratif ainsi défini servait aussi à la levée des

impôts. Chaque commune avait un percepteur, les arrondissements
et les départements des receveurs. Un directeur des contributions
directes établissait les rôles de l'impôt au niveau du département,
avec une efficacité certaine.

L'Église avait été laissée de côté. Avant de réformer, il fallait,
dans le domaine religieux, pacifier, apaiser les esprits. Dès le début
de 1800, l'insurrection de l'Ouest fut de nouveau maîtrisée. Le
Premier consul fit rendre aux émigrés les biens qui n'avaient pas
été vendus. Beaucoup choisirent de rentrer en France.

Une difficile négociation fut engagée avec le pape, si mal traité
par le Directoire, pour mettre fin au schisme de l'Église de France :
l'abbé Bernier réussit, du côté français, à s'entendre avec le cardinal Consalvi. Le *Concordat du 15 juillet 1801* scellait cet accord :
la religion catholique était reconnue en France comme celle de la
« grande majorité des Français ». Son exercice était garanti, ses
serviteurs rémunérés par l'État. La France était divisée en soixante
diocèses, dix archevêchés. Le pape, par la bouche de monseigneur
Consalvi, admettait la vente des biens du clergé. Le gouvernement
français désignait les évêques, qui devaient recevoir du pape leur
investiture spirituelle. Prêtant serment de fidélité au régime, ceux-ci
nommaient tous les curés.

Les *articles organiques* du 8 avril 1802 complétaient les clauses
du Concordat dans un sens strictement gallican. Le gouvernement
devait autoriser les conciles religieux et la publication des bulles du
pape. L'organisation de l'Église, la publication des catéchismes
étaient du ressort du gouvernement. La paix religieuse était rétablie. La société civile était admise par l'Église qui y recevait une
large place.

Un savant dosage permit, dans les nominations d'évêques, de
faire la part des meilleurs éléments de l'ancien et du nouveau
régime. Ils acceptèrent en majorité l'arbitrage, recommandé par
le pape, mais sans enthousiasme : ils étaient abandonnés par l'État,
qui avait reconnu au pape le droit de destituer des évêques. Le
pape avait demandé aux évêques émigrés de démissionner. Bonaparte avait exigé le même sacrifice des évêques constitutionnalistes.
Sur soixante nouveaux évêques, vingt-huit seulement étaient des
anciens : parmi ceux-là il y avait seize non-jureurs et douze jureurs.
L'ancien évêque constitutionnel Le Coz était nommé à Besançon.
L'ancien garde des Sceaux de Louis XVI, Champion de Cicé, était
archevêque d'Aix. Dans la distribution, la part des jureurs était
belle. Un tout petit nombre d'entre eux demeura irréductible,

sans grand succès auprès des fidèles. Par contre trente-cinq évêques réfractaires, suivis par prêtres et fidèles, constituèrent une « Petite Église » de la résistance.

L'organisation des cultes n'avait pas oublié les protestants, les juifs, ni même les francs-maçons. Tous reçurent un statut, et des droits égaux à l'état civil.

LA PAIX AVEC L'ANGLETERRE.

Les annexions du Directoire avaient créé en Europe les conditions de réunion d'une nouvelle coalition autour de l'Angleterre. Celle-ci n'admettait pas, en particulier, que la France dominât la Belgique. La Russie et l'Autriche avaient refusé, poussées par Londres, la paix de Bonaparte.

Il dut repartir en campagne. Le 14 juin 1800, ayant passé les Alpes, il rencontrait les Autrichiens à Marengo. La victoire était moins nette que celle de Moreau à Hohenlinden, mais elle était décisive : l'Autriche capitulait en février 1801 : quatre départements français étaient créés sur la rive gauche du Rhin. On ne parlait plus de « républiques sœurs », on annexait les territoires. L'Autriche gardait la Vénétie, qui lui donnait un accès, par l'Adriatique, sur la Méditerranée.

La paix d'Amiens, signée le 26 mars 1802 avec l'Angleterre, désarmait toute la coalition. L'Angleterre était lasse de la guerre. Elle avait connu une série de mauvaises récoltes et le Premier ministre, Pitt, avait dû se retirer devant l'opinion mécontente. La France aussi avait hâte de revenir à la paix : on transigea. L'Angleterre rendait aux Français leurs colonies confisquées depuis le début de la Révolution. Elle s'engageait à évacuer l'île de Malte. En revanche la France abandonnerait Naples. Des deux côtés de la Manche, c'était la joie retrouvée...

LE POUVOIR PERSONNEL.

En pleine gloire, le 24 décembre 1800, Bonaparte avait été victime d'un attentat. La « machine infernale » de la rue Saint-Nicaise aurait pu empêcher le vainqueur de Marengo de rétablir la paix. Il fallait, dit aussitôt Bonaparte, renforcer le régime autoritaire, sans toutefois lui substituer la monarchie :

« Vous ne devez pas souhaiter votre retour en France, avait-il écrit à Louis XVIII, il vous faudrait marcher sur cinq cent mille cadavres. »

Au début de 1802, le Premier consul décida de se débarrasser des libéraux irréductibles, qui le raillaient dans les salons parisiens, le brocardaient à l'Institut de France, et gênaient le travail législatif. Il épura le Tribunat, qui était l'assemblée la plus remuante, en accusant les tribuns de jacobinisme.

Tout ce qui gênait le Premier consul était réputé « jacobin ». Les généraux par exemple : Leclerc et Richepanse furent envoyés à l'étranger. Les généraux rivaux, Moreau et Pichegru, furent activement surveillés par la police. En mai 1802 le Sénat, peuplé de créatures du Premier consul, demanda la réélection de celui-ci pour dix ans. Le Conseil d'État estima qu'il fallait le nommer consul à vie. Un plébiscite approuva la formule à une très forte majorité. Une Constitution, dictée en août, donnait au Premier consul le soin de choisir ses collègues, son successeur et tous les fonctionnaires. C'était un pouvoir constitutionnellement absolu.

Un complot royaliste, découvert en août 1803, permit un nouveau pas en avant du pouvoir personnel. Cadoudal le Chouan projetait d'assassiner Bonaparte, avec la complicité de Moreau et de Pichegru. Tous les trois furent arrêtés. Le duc d'Enghien avait émigré dans le duché de Bade. Il fut enlevé dans la nuit, enfermé à Vincennes, jugé en secret et fusillé à l'aube dans les fossés du château.

Il était clair désormais qu'il ne fallait pas compter sur Bonaparte pour rétablir la monarchie. Il avait versé le sang royal. Un membre du Tribunat proposa que Napoléon Bonaparte fût proclamé empereur des Français. Lazare Carnot protesta en vain, au nom de la République bafouée. Le sang du duc d'Enghien avait permis à Bonaparte de revêtir pompeusement la pourpre des Césars.

Un « *Empire* » *français*.

Par *senatus consulte* du 18 mai 1804, « le gouvernement de la République est confié à l'empereur Napoléon ». Une fois encore, on fait approuver par plébiscite la décision du Sénat.

C'en était fini de la République, mais non de la Révolution : les institutions restaient en place, et les lois nouvelles confortaient la nouvelle société dans ses aspirations et dans ses conquêtes. Certaines des institutions créées à cette époque étaient véritablement fondatives de la France moderne. Elles subsistent encore aujourd'hui.

Promulgué en 1804, le *Code civil* était la pièce maîtresse de l'organisation légale de la société impériale. Il héritait en ligne directe du travail des juristes de la période révolutionnaire. Le Code protégeait la famille. Les enfants illégitimes étaient fort mal traités, les femmes étaient désarmées devant les « chefs de famille » qui recevaient une autorité absolue. Les filles ne pouvaient se marier avant vingt et un ans sans leur consentement, les garçons avant vingt-cinq ans. Le père disposait de ses biens à sa guise et testait comme il l'entendait. Mais il avait cependant le devoir de faire le partage égal entre ses enfants. Le droit de divorce, conquête de la Révolution, était confirmé mais étroitement réglementé. Le Code renforçait le pouvoir social de la bourgeoisie, en proclamant « inviolable et sacré » le droit de propriété. L'acquisition, faite pendant les années révolutionnaires, des « biens nationaux » était garantie. Avec la propriété, on protégeait l'entreprise : les ouvriers n'avaient ni le droit de grève, ni le droit de coalition. Ils devaient présenter à leur employeur un « livret » où le détail de leurs dettes était inscrit. Le Code confirmait l'abolition de la féodalité, bien que Napoléon eût créé une nouvelle noblesse.

Cette noblesse « impériale » était de fonctions, non de fiefs. Les « nantis » du régime, nommés par l'Empereur, n'avaient pas de pouvoir féodal sur les hommes, pas de privilèges. Les barons, les ducs, les princes d'Empire recevaient seulement des titres et des propriétés. Les paysans qui travaillaient sur leurs terres leur devaient seulement un fermage ou un métayage, c'est-à-dire un loyer de la terre, une rente.

Les institutions de l'Empire confirmaient en apparence celles du précédent régime. Mais elles étaient utilisées par l'Empereur dans un sens autoritaire et centralisateur. Il était le seul maître du pouvoir exécutif. Il régnait avec l'aide d'un Conseil dont il nommait et révoquait les ministres : Talleyrand était son ministre des Affaires étrangères, Chaptal le ministre de l'Intérieur, Fouché le ministre de la Police. Les ministres étaient maîtres de leurs départements, et leurs décisions étaient exécutées fidèlement par les préfets, qui commandaient eux-mêmes aux sous-préfets et aux maires. Toute velléité d'indépendance des provinces était donc condamnée. Cette tendance ultracentralisatrice confirmait la politique des Jacobins, qui l'avaient eux-mêmes imposée aux Girondins décentralisateurs.

Les Assemblées issues du Consulat étaient confirmées, mais leurs pouvoirs étaient nuls. Le Conseil d'État était de moins en moins écouté par l'Empereur. Il lui avait cependant été confié une mission très libérale ; il devait être le recours des administrés contre les excès de pouvoir de l'administration. Une Cour des Comptes était instaurée, pour contrôler le budget de tous les agents de l'État. Le corps législatif et le Sénat subsistaient, avec un rôle décoratif ou honorifique. Le Tribunat, où s'était manifestée une certaine opposition, devait être supprimé en 1807. Le contrôle législatif avait donc à cette date pratiquement disparu, même s'il était inscrit dans la Constitution.

UN MONOPOLE UNIVERSITAIRE.

Pour dominer la société en profondeur, Napoléon avait donné le monopole de l'enseignement à une Université d'État. En 1806, puis en 1808 et en 1811, lois et décrets avaient précisé les pouvoirs de cette Université et ses modalités de fonctionnement. Elle était destinée à former un modèle commun de jeunes gens de la bourgeoisie. Le Grand Maître, Louis de Fontanes, présidait un Conseil qui donnait aux professeurs l'autorisation d'enseigner. Les représentants du Conseil avaient délégation pour inspecter tous les établissements scolaires.

A la fin de l'Empire, la France aurait plus de cent lycées. Les lycéens obéissaient à une discipline militaire. Ils entraient en classe au son du tambour. Très surveillés par la police, ils étaient exclus à la moindre faute grave. L'enseignement, uniformisé, faisait une plus grande part aux disciplines modernes. L'Église, qui avait une longue expérience des établissements secondaires, était représentée au sein du Conseil par l'abbé Émery et le vicomte de Bonald, catholique fort intransigeant.

L'enseignement supérieur était encore plus marqué par la préoccupation d'assurer la formation d'ingénieurs, de professeurs, de scientifiques et de techniciens. Des écoles spécialisées souvent fondées sous la Révolution, assuraient cette formation : l'École normale supérieure et l'École polytechnique, l'École centrale, l'École des Mines, les Écoles de médecine et de droit.

Seul l'enseignement primaire avait été abandonné à l'Église. Napoléon voulait des élites modernes, il n'avait cure d'alphabétiser les masses. Les frères des écoles chrétiennes continueraient leur mission d'éducation de base, apprenant aux enfants à lire le catéchisme. C'est pourtant sous l'Empire que furent ouvertes les premières écoles normales d'instituteurs. Elles étaient en nombre insuffisant pour assurer la formation des jeunes Français. L'Église devait s'en charger.

Pour faire partie des futurs cadres de la société bourgeoise, il fallait posséder un diplôme sanctionnant la fin des études secondaires, le baccalauréat. L'Empire formait chaque année environ deux mille bacheliers. Ceux-ci devenaient avocats, professeurs, ingénieurs, médecins, juges, officiers dans l'armée, fonctionnaires. Ils allaient constituer la bourgeoisie nouvelle du XIXe siècle, une « bourgeoisie du mérite » comme aimait à dire l'Empereur. Pour ces futurs notables, les satisfactions ne manquaient pas : des places dans l'administration et dans l'armée, des sièges dans les conseils municipaux, départementaux, dans les assemblées nationales ; des décorations, enfin : les cadres devaient tous pouvoir accéder à cette « Légion d'honneur » que l'Empereur avait créée, pas seulement pour récompenser le mérite militaire.

Les formateurs étaient, sous l'Empire, des professeurs souvent éminents. Jamais les mathématiques et les sciences n'avaient brillé d'un si vif éclat : Lazare Carnot, Monge, créateur de l'École polytechnique, Laplace inventaient l'enseignement moderne des mathématiques, en particulier la géométrie descriptive. L'ingénieur Lebon, Ampère étaient d'illustres physiciens. Le premier avait réalisé le gaz d'éclairage, le second défrichait une science nouvelle : l'électromagnétisme. Gay-Lussac et Berthollet, Fourcroy et Vauquelin révolutionnaient la chimie cependant que, dans les sciences naturelles, Lacépède poursuivait les travaux de Buffon, Lamarck et Cuvier s'intéressaient aux espèces et à leur évolution. Même la médecine avait ses hommes illustres : Corvisart, le médecin de l'Empereur, ou le célèbre chirurgien Larrey.

L'ÉGLISE MISE AU PAS.

« Mystère de l'ordre social » pour Napoléon, la religion était destinée à contribuer au maintien de la paix publique, en apaisant les âmes, à défaut des esprits. Pour les esprits, la police de Fouché s'en chargeait. La fonction des ecclésiastiques était éminemment sociale : elle consistait à donner aux pauvres les espérances dont ils avaient besoin pour se résigner à leur condition.

« Les prêtres valent mieux que les Kant et tous les rêveurs d'Allemagne », avait coutume de dire l'Empereur. Il ne fallait pas enseigner la philosophie à la jeunesse, mais les mystères rassurants de la religion. Sur ce point, l'Empereur était fort de l'avis du pape. Ils divergeaient cependant d'opinion sur la direction de l'Église.

Très ultramontain, le clergé français avait désormais tendance à se rapprocher d'autant plus de Rome qu'il tenait à garder ses distances par rapport au régime. Cette tendance était nouvelle dans l'Église de France, qui s'était montrée dans le passé fort gallicane. Le clergé cherchait dans le pouvoir du pape un utile contrepoids aux exigences du pouvoir civil.

Les années de trouble et de schisme avaient accru le désarroi moral des prêtres. Le seul espoir désormais était de reconstituer une Église universelle, indépendante des pouvoirs nationaux. Mais le Concordat et les Articles organiques organisaient au contraire l'Église de France comme une administration parmi les autres : les « préfets violets », bien payés par le pouvoir, devaient veiller à ce que l'on enseigne aux enfants le *catéchisme impérial*, où étaient définis les devoirs des Français envers l'Empereur :

> « Que doit-on penser de ceux qui manqueraient à leur devoir envers notre Empereur ? Réponse : selon l'apôtre saint Paul, ils résisteraient à l'ordre établi de Dieu même, et se rendraient dignes de la damnation éternelle. »

L'Église étant tenue en étroite tutelle, le conflit avec le pape était inévitable. Les ecclésiastiques, devenus fonctionnaires, étaient soumis à la surveillance du pouvoir. Ils devaient prêter serment. Les ordres réguliers étaient interdits, sauf certains ordres de femmes dont la fonction sociale était manifeste dans les hôpitaux ou les institutions de charité.

Encore fallait-il que le régime pût imposer aux catholiques la stricte obéissance au pouvoir. Les jeunes prêtres formés dans un esprit ultramontain dans les séminaires de l'abbé Émery ne tarderaient pas à faire preuve de mauvais esprit, négligeant d'enseigner le catéchisme impérial. Les jésuites, constituant un ordre missionnaire camouflé, récupéraient leurs collèges et leur enseignement, presque clandestinement. Le conflit de Napoléon et du pape, très vif après l'annexion des États du pape par l'Empire en 1809, allait avoir des conséquences graves sur le clergé : sur vingt-sept cardinaux, quatorze seulement assisteraient au mariage de Napoléon et de Marie-Louise. Exilés, les « cardinaux noirs » allaient préparer impatiemment la revanche de l'Église sur l'État.

LES INTELLECTUELS ET L'EMPIRE.

Si Napoléon n'avait pas réussi à dominer complètement ni durablement l'Église, il n'avait pas davantage obtenu l'adhésion unanime des élites intellectuelles, qu'il avait tenté de « caporaliser ».

L'académisme à la mode dans les beaux-arts n'était certes pas de nature à menacer les valeurs établies. David, le peintre de Robespierre, était devenu le metteur en scène du Sacre, dont il avait un peu modifié, sur son tableau, l'ordonnance, pour se plier aux susceptibilités des parents de l'Empereur. N'avait-il pas mis en bonne place Madame Mère dans une loge, alors qu'elle n'assistait pas au Sacre ? Le goût du gréco-romain et des valeurs héroïques poussait David et ses élèves dans les bras de l'Empereur.

Les architectes imitaient ce nouveau conformisme. Percier et Fontaine multipliaient les arcs de triomphe (l'arc du Carrousel), les églises en forme de temples (la Madeleine ; temple de la Gloire), les colonnes commémoratives (la colonne Vendôme). Chalgrin dessinait l'arc de triomphe de l'Étoile, qui devait être inauguré quarante ans plus tard, pour le retour des cendres. Le mobilier lui-même et les arts décoratifs semblaient destinés à encenser le règne, à le marquer d'un style inspiré presque exclusivement de l'art romain. Les abeilles, les aigles et les couronnes d'or envahissaient les intérieurs bourgeois.

C'est en littérature que Napoléon devait susciter des opposants résolus. Lui-même détestait les « idéologues » de l'Institut, continuateurs pâles des « philosophes » du siècle précédent. Destutt de Tracy, Cabanis, Volney critiquaient et brocardaient l'Empire et l'Empereur, avec des romanciers comme Benjamin Constant et la redoutable Mme de Staël. Le génie littéraire de l'époque, Chateaubriand, devait attendre Waterloo pour pouvoir entrer à l'Académie française, où il avait été élu dès 1811. Napoléon n'aimait pas les écrivains.

Ils le lui rendaient bien. Jean Tulard, dans *Le Mythe de Napoléon*, a mis en évidence les principaux thèmes de cette opposition. Pour tous les écrivains, Napoléon était « l'ogre »; l' « usurpateur », le « despote oriental » chez les gens de gauche, le régicide et l'assassin cynique chez les gens de droite.

> « Le Napoléon de Chateaubriand, dit Tulard, est tout à la fois Scapin et Moloch. »

Si Napoléon ne ménageait pas les écrivains et les philosophes, il détestait encore plus les journalistes. Dès 1805 les organes de presse avaient été soumis au contrôle étroit de la police. Les mesures prises alors reprenaient, en les aggravant, les dispositions du Consulat. Une liste de journaux tolérés était publiée. Ces journaux étaient menacés de suppression, s'ils imprimaient « des articles contraires au respect dû au pacte social, à la souveraineté du peuple et à la gloire des armées ». En 1810 un directeur général du ministère de l'Intérieur exerçait très officiellement la censure de la presse, aux frais des directeurs de journaux. Les imprimeurs étaient assermentés. Quatre quotidiens existaient à cette date sur le marché français : la *Gazette de France*, *Le Moniteur*, *Le Journal de l'Empire* et *Le Journal de Paris*. Un seul journal était toléré dans chaque département, sous la tutelle du préfet. La liberté de la presse n'existait pas. L'Académie des sciences morales et politiques qui protestait contre ce régime d'oppression avait été tout simplement supprimée.

L'OPINION DES NOTABLES.

La société française admettait ces entorses au libéralisme, ~rce qu'elle vivait dans un état permanent de guerre. L'armée, se composait des recrues de la conscription. Chaque Français de vingt à vingt-cinq ans devait le service militaire. 40 % environ des conscrits étaient réformés ou dispensés du service pour charges de famille. L'Empereur, au début du règne, n'utilisait pas la totalité des recrues. Seuls partaient, par tirage au sort, les « mauvais numéros ». (30 % des hommes reconnus aptes en 1804, 100 % dix ans plus tard !) On pouvait se faire dispenser du service en payant de 1 900 à 3 600 francs, ce qui avantageait environ 10 % des conscrits, les plus fortunés. Malgré les exigences raisonnables du début du règne, on compte que les levées croissantes devaient conduire aux armées plus de trois millions d'hommes de 1800 à 1814. La très forte participation rurale aux guerres de Napoléon devait expliquer, longtemps après Waterloo, la permanence de la « légende impériale » dans les campagnes, qui comptaient tant de vieux soldats. La rapide promotion offerte par l'armée non seulement aux cadres bourgeois, mais aux sous-officiers sortis du rang expliquait largement la popularité du régime parmi les combattants, qui avaient tout à en attendre. La possibilité offerte aux jeunes bourgeois d'échapper à la conscription expliquait aussi pourquoi la prolongation de la guerre ne gênait pas outre mesure les familles de notables.

La nation non combattante devait être longtemps satisfaite des bienfaits pour l'économie d'un régime d'ordre. L'industrie et l'agriculture devaient trouver avantage dans l'ouverture d'un marché européen protégé. La fortune industrielle de la France allait doubler pendant l'Empire. La production des fabriques et manufactures s'était accrue de 70 %. La guerre nourrissait l'industrie. Les textiles, coton et laine surtout, utilisaient désormais en grand le métier Jacquard, les cylindres à imprimer les étoffes inventés par Oberkampf, les colorants chimiques de Kœchlin. La sidérurgie prospérait grâce aux fours à coke des Wendel en Lorraine, aux 800 000 tonnes de charbon extraites tous les ans à la fin du règne, aux forges actives de Bourgogne et du Sancerrois. Les industries mécaniques faisaient la fortune des Japy, des Peugeot, des Cockerill. Berthollet inventait l'eau de Javel et installait en plein Paris l'industrie chimique. L'Empire avait les moyens d'organiser les premières expositions industrielles. Et cependant Napoléon ne croyait ni aux chemins de fer, ni aux machines à vapeur.

L'agriculture française profitait aussi de l'ouverture européenne, et de l'arrêt des importations d'outre-mer. Les domaines du

Midi cultivaient le pastel et la garance, pour teindre les uniformes. Les savants imaginaient des produits de remplacement pour compenser l'absence des denrées coloniales. Le sucre de bette-rave remplaçait le sucre de canne, et faisait la fortune des grands propriétaires du Nord et du Bassin parisien. La chicorée remplaçait le café.

L'amélioration des routes et des transports, le creusement de nouveaux canaux facilitaient le grand commerce des blés et des animaux d'élevage. Les gros fermiers, qui pouvaient stocker, béné-ficiaient de la hausse continue des prix. Les seules victimes écono-miques du régime étaient les petits salariés agricoles et ouvriers des villes, qui subissaient les hausses sans pouvoir gagner plus. Les riches de la campagne, de la ville et des industries étaient les grands bénéficiaires de l'expansion due à la guerre. Ils soutien-draient jusqu'au bout l'Empire.

L'aventure européenne et le duel contre l'Angle-terre.

LA REPRISE DE LA GUERRE ANGLAISE.

La guerre ne devait vraiment nourrir l'Empire que pendant les premières années du règne. Napoléon n'avait pas alors renoncé à frapper l'Angleterre, l'ennemie principale, l'âme des coalitions. Il n'avait pas admis son échec en Égypte. Puisqu'il n'avait pas les moyens de la toucher dans ses possessions de l'outre-mer, il avait conçu le projet de la frapper au cœur.

La paix d'Amiens n'était qu'une trêve. Bonaparte avait récupéré la Louisiane sur les Espagnols. Les Anglais, qui s'étaient engagés à évacuer Malte, y restaient. En mars 1803, Bonaparte en avait exigé l'évacuation immédiate. Il avait en même temps monté une expédition à Saint-Domingue contre Toussaint Louverture. Les relations entre les deux pays s'envenimaient.

A Londres, la paix n'était plus populaire : les hauts tarifs doua-niers pratiqués par la France gênaient l'entrée sur le continent des produits manufacturés anglais. Les ambitions commerciales de la _nce en Europe étaient une menace pour l'avenir. Une bonne guerre valait mieux qu'une mauvaise paix. A l'ultimatum de Napoléon sur Malte, les Anglais répondirent par la rupture. Le 17 mai, les navires français étaient saisis dans les ports dépendant du royaume. Avant même de déclarer la guerre, la « perfide Albion » s'emparait des cargaisons de plus de 1 000 vaisseaux.

Réplique de Napoléon : l'occupation immédiate du Hanovre, possession personnelle des rois d'Angleterre ; la concentration de troupes à Boulogne-sur-mer, dans le but de préparer l'invasion des îles.

Malheureusement, la marine de guerre ne suivait pas : l'amiral Villeneuve ne réussissait pas à créer une diversion aux Antilles, ni à débloquer l'escadre de Brest. Il affrontait Nelson en octobre 1805 au large du cap de Trafalgar. Nelson était tué mais la bataille était gagnée pour l'Angleterre : la Manche resterait britannique.

Il fallait, une fois de plus, rechercher la décision sur le continent. Les Anglais réussissaient à renouer une « coalition » avec le tsar Alexandre Ier et François II, l'empereur d'Autriche. Napoléon n'avait pour alliés que les Espagnols et les Bavarois. Il avait transporté son armée de Boulogne sur le Rhin à marche forcée, dès qu'il avait appris les difficultés de Villeneuve. Le général autrichien Mack occupait la Bavière. Avant qu'il pût opérer sa jonction avec les Russes, Napoléon le joignait, lui infligeait une sévère correction à Elchingen, l'enfermait dans Ulm où il devait capituler.

Après cette victoire, les Français faisaient leur entrée dans Vienne, le 14 novembre. Ils partaient aussitôt à la poursuite de l'armée autrichienne qui avait rejoint les Russes à Olmütz. Près du village d'Austerlitz s'engageait la plus belle bataille de l'Empire. Le 2 décembre 1805, le centre de l'armée austro-russe commandée par Koutousov était enfoncé. Les Russes étaient mis en fuite, et les canons tiraient des boulets chauffés à blanc sur les glaces des marais où s'enfouissaient les fuyards. 45 drapeaux et 20 000 prisonniers étaient saisis. C'était le « soleil d'Austerlitz ».

L'EUROPE DES « NATIONS ».

La carte de l'Allemagne princière était profondément modifiée par la paix de Presbourg signée le 26 décembre 1805. L'Autriche perdait, avec la Vénétie, son débouché sur la Méditerranée. La Vénétie rejoignait un *royaume d'Italie*, ébauche d'unité pour la péninsule. La Bavière, pays ami de la France, recevait le Tyrol, le Vorarlberg et le Trentin. Un autre pays ami, le Wurtemberg, recevait la Souabe. La Bavière et le Wurtemberg étaient jadis des « électorats ». Ils devenaient des royaumes à part entière. Napoléon devenait le protecteur d'une *Confédération du Rhin* indépendante du Saint-Empire qui disparaissait. Elle était constituée de seize principautés du Sud et de l'Ouest, comprenant les royaumes de Bavière et de Wurtemberg. Une armée fédérale de 60 000 hommes était mise à la disposition de la France. La capitale de la Confédération était fixée à Francfort-sur-le-Main. François II, sous le nom de François Ier, restait seulement empereur d'Autriche.

Napoléon croyait avoir ainsi créé une nation. En Italie, et dans toute l'Europe occidentale, il avait constitué des royaumes. Il avait chassé les Bourbons du trône de Naples pour y installer son frère Joseph. Il avait pris pour lui-même la couronne des rois lombards, en Italie du Nord. Il était devenu *médiateur* de la Confédération helvétique. Il avait créé, au profit de Louis Bonaparte, le royaume de Hollande (ex-République batave). Les « Républiques-sœurs » du Directoire se transformaient ainsi en royaumes pour napoléonides, quand elles ne rejoignaient pas tout simplement le territoire de l'Empire français.

Restait, en Allemagne, la Prusse. Napoléon ne voulait pas lui faire la guerre. Il avait proposé au roi Frédéric-Guillaume III de devenir président d'une Confédération de l'Allemagne du Nord. Sous l'influence de Hardenberg et de la reine Louise, sa femme, le roi de Prusse avait refusé la proposition française, et accepté les subsides offerts par Londres : la *quatrième coalition* avait ainsi pris corps, dans un grand tumulte guerrier, à Berlin. Les officiers prussiens venaient aiguiser leurs sabres sur les marches de l'ambassade de France.

Les Russes se joignaient aussitôt à la Prusse et, le 8 octobre 1806, le roi de Prusse se jugeait assez fort pour sommer Napoléon d'évacuer la rive droite du Rhin.

Les Français étaient à pied d'œuvre : 160 000 hommes attendaient l'ordre de marche. Le 14 octobre, ils surprenaient les Prussiens à Iéna et Auerstaedt. C'était un désastre pour l'armée prussienne : plus de 30 000 prisonniers. Le mythe de l'invincible armée frédéricienne s'écroulait. Le matériel Gribeauval avait fait merveille : les cavaliers français n'avaient qu'à paraître pour que les places fortes tombent. Le 27 octobre, après deux semaines de campagne, Napoléon faisait son entrée triomphale dans Berlin. Il n'y avait plus de Prusse.

Les Russes n'avaient plus aucune hâte à combattre. Napoléon devait les surprendre : en novembre, il entrait en Pologne, aidé par les nationalistes polonais qui fêtaient les Français comme des libérateurs. 120 000 Russes étaient arrêtés sur la Vistule. Mais l'hiver empêchait la progression de l'armée française, qui se contentait de prendre Dantzig. L'hiver stimulait au contraire les Russes, qui attaquaient en février 1807 à Eylau. La bataille fut sanglante : Murat dut lancer ses escadrons dans une tempête de neige. Napoléon restait le maître du champ de bataille, avec 43 000 morts. Les Russes avaient réussi à s'échapper.

Ils devaient être vaincus, au printemps de 1807, à Friedland. En juin Murat et ses cavaliers entraient à Tilsit. Napoléon avait réussi, entre-temps, à négocier la neutralité de l'Autriche et l'alliance des Turcs. Le 25 juin, sur le radeau de Tilsit, il se mettait d'accord avec le tsar sur le dos de la Prusse : elle perdait définitivement tous les territoires à l'ouest de l'Elbe, toutes ses conquêtes de Pologne, acceptait la carte française de l'Europe et envisageait une alliance franco-russe contre l'Angleterre. Napoléon promettait son aide au tsar contre les Turcs. Les débris des territoires enlevés à la Prusse formeraient à l'Ouest le royaume de Westphalie donné à Jérôme Bonaparte. L'électorat de Saxe deviendrait, lui aussi, un royaume. Un *Grand-duché de Varsovie* donnerait enfin l'indépendance aux Polonais libérés du joug prussien. Les deux empereurs s'étaient partagés l'Europe.

LE BLOCUS GUERRIER.

Outre la Prusse, la grande victime de ce partage était l'Angleterre. Pour son industrie naissante et pour son commerce, elle avait besoin des débouchés européens. Tilsit était pour elle un désastre. L'irréductible opposition de l'Angleterre allait obliger Napoléon à étendre la guerre à l'ensemble du continent.

Quand Londres avait déclaré, le 16 mai 1806, les ports français en état de blocus, Napoléon avait déjà riposté par le décret de Berlin, du 21 novembre, qui mettait en état de blocus tous les ports britanniques. Le commerce avec l'Angleterre était interdit aux alliés continentaux de la France. La vente des marchandises en provenance de l'Angleterre était strictement défendue. Les ports européens devaient refuser d'accueillir les navires anglais.

La politique du « blocus continental » devait entraîner des ripostes immédiates de l'amirauté britannique, qui exerçait la maîtrise absolue de mers. Les Anglais avaient décidé de soumettre à leur « droit de visite » tous les navires alliés ou neutres. Ceux-ci devaient faire relâche dans un port anglais pour y acheter une licence commerciale.

Après Tilsit, Napoléon se sentait capable d'opposer à la maîtrise anglaise des mers la fermeture aussi complète que possible du continent. Le *décret de Milan* du 17 décembre 1807 était une riposte absolue : tout navire qui obéirait aux ordres de l'Amirauté, fût-il neutre ou allié, serait décrété « de bonne prise ». Ainsi le pavillon ne couvrait plus la marchandise. De mercantile, le blocus était devenu guerrier. Les neutres se trouvaient engagés malgré eux dans la lutte à mort de l'Angleterre et du continent.

Le blocus devait certes stimuler les productions industrielles et agricoles françaises, assurées d'un vaste débouché en Europe, mais il devait créer beaucoup de mécontentement ailleurs. La disparition des denrées coloniales asphyxiait le commerce des ports spécialisés de Hollande et d'Allemagne, Hambourg notamment. Les Russes ne pouvaient plus vendre aux Anglais les céréales et les bois. Les ports français eux-mêmes, voyant se fermer l'Atlantique, protestaient contre le blocus guerrier.

En Angleterre, il est vrai, les difficultés s'accumulaient. Les stocks invendus entraînaient le chômage, la destruction des « mécaniques » par les ouvriers en colère, l'inflation du papier-monnaie. Il n'y avait d'autre issue que dans la contrebande. Les Anglais installaient des entrepôts dans l'île d'Héligoland, non loin de Hambourg, dans la baie de Naples, sur la côte adriatique, à Rome, au Portugal. Napoléon lui-même était gêné par l'arrêt du commerce. Il vendait des licences pour autoriser certaines importations, nécessaires pour faire la guerre. Mais il ne pouvait renoncer à son projet de fermeture totale des ports européens. Il fut ainsi entraîné dans une politique d'intervention. En Italie il dut annexer Parme, Plaisance et les États du pape. En octobre 1807, il avait dû envoyer une expédition au Portugal. Il devait aussi faire occuper par ses troupes la Poméranie suédoise. Il fallait empêcher les Anglais d'y faire commerce.

En février 1808, Napoléon décidait d'envahir l'Espagne. La couronne royale était fragile : le roi Charles IV était dominé par son Premier ministre, Godoy. Ferdinand, prince des Asturies, demandait l'aide de l'Empereur pour s'emparer de la couronne. De fait, à l'arrivée des Français à Madrid, les Espagnols avaient contraint Charles IV à abdiquer au profit de Ferdinand.

Prié d'intervenir comme « arbitre », Napoléon avait aussitôt interné Ferdinand à Valençay, dans le château de Talleyrand, et confirmé l'abdication du roi Charles, qui laissait sa couronne à sa disposition. Charles IV était interné avec Godoy à Compiègne. En mai 1808, Joseph Bonaparte devenait roi d'Espagne, abandonnant à Murat la couronne de Naples. Napoléon mutait les rois comme des préfets.

Un mouvement imprévisible remua toute l'Europe, et finit par gagner l'Europe : Napoléon voulait créer des nations, il déchaîna contre les occupants français le sentiment national. Les Espagnols ressentirent comme une honte l'effacement de la famille régnante. En dehors de toute considération politique ou économique, contre toute prudence, ils se lancèrent dans la résistance. Ils n'étaient même pas sûrs, au départ, de l'appui anglais. Leur opposition était à la fois violente et spontanée.

La politique des « napoléonides » provoqua dans bien d'autres pays européens une flambée de nationalisme. En Italie, en Allemagne, en Hollande, Napoléon, qui avait en fait créé des royaumes, voyait se dresser contre lui des nations.

Le « dos de mayo » (2 mai 1808), le peuple madrilène s'était dressé contre les Français. Murat avait dû faire massacrer les émeutiers par ses cavaliers. Les Français n'étaient plus en Europe des libérateurs, mais des occupants.

A l'insurrection populaire spontanée devait correspondre le soutien intéressé des hautes classes. Les nobles redoutaient qu'avec les Français, la Révolution ne pénétrât en Espagne. L'Église voulait combattre à mort les ennemis du pape. Plus de 200 000 prêtres et moines s'employèrent à fanatiser le peuple espagnol, développant contre les Français une intense propagande.

L'armée noire de la révolte réussissait à étendre partout l'insurrection : des « juntes » (assemblées) se constituaient dans les provinces, pour déclarer, au nom de l'Espagne libre, la guerre aux Français.

« Pour conquérir une couronne, disait de l'Espagne le maréchal Lannes, il faut d'abord y tuer une nation. »

Les Français n'avaient pas devant eux une armée, mais, pour la première fois en Europe, une nation armée, bien entraînée à la guérilla.

Le désastre de Bailen, où une division française avait capitulé en rase campagne, obligea Napoléon à intervenir. Le général Dupont avait été surpris par les maquisards d'Andalousie. Il s'était laissé prendre sans combattre. Joseph avait aussitôt quitté Madrid pour chercher refuge dans les Pyrénées. Les Anglais avaient débarqué au Portugal, où le général Junot capitulait dans Cintra.

Avant d'intervenir, Napoléon rencontra de nouveau le tsar, à Erfurt. Celui-ci refusait de s'engager à fond dans la défense de l'ordre napoléonien en Europe. Il promit toutefois de contenir les Autrichiens, qui se préparaient de nouveau à la guerre. Napoléon avait les mains libres, pour peu de temps.

Il gagna Madrid à marches forcées, ouvrant le passage de Somo Sierra grâce aux Polonais de sa garde. Le 4 décembre il entrait dans la capitale espagnole. Les Anglais, attaqués par Ney, se rendaient à La Corogne. Lannes mettait un mois pour prendre Sarragosse, où la résistance de la population était acharnée. Il y avait là 40 000 morts. De part et d'autre, les atrocités se multipliaient.

Enfin vainqueur, Napoléon se hâtait d'abattre le régime féodal, confisquait les biens du clergé régulier, abolissait l'Inquisition. Mais il ne pouvait rester longtemps en Espagne : l'Autriche était au bord de la guerre. A Paris même, Fouché et Talleyrand complotaient. Napoléon fit entrer Joseph dans Madrid, et lui ordonna de faire face. Il se hâta ensuite vers Paris, destituant ses ministres infidèles.

LE GRAND EMPIRE FRANÇAIS.

Contre Napoléon, l'Angleterre ne put guère entraîner, dans la *cinquième coalition*, que l'Autriche. Le tsar restait en apparence fidèle à ses engagements. La Prusse, où la réorganisation de Stein et Schanhorst était en cours, n'était pas prête à intervenir.

En avril 1809 l'Autriche, bien pourvue en subsides par l'Angleterre, déclarait la guerre à l'Empire français et envahissait aussitôt la Bavière. Le Tyrol se soulevait, avec Andreas Hofer et ses compagnons, contre les occupants français. La fièvre espagnole gagnait toute l'Allemagne. Les Westphaliens complotaient, avec le colonel Dornberg, contre le « roi » Jérôme.

Le 22 avril, Napoléon et Davout l'emportaient sur l'armée de l'archiduc Charles à Eckmühl. Le lendemain, ils s'emparaient de Ratisbonne. Le 13 mai, Napoléon faisait de nouveau son entrée dans Vienne. Au-delà du Danube, l'archiduc Charles disposait encore d'une puissante armée. Pour le rejoindre, et l'anéantir, Napoléon fit construire un pont de bateaux appuyé sur l'île de Lobau. Ce pont fut enlevé à plusieurs reprises par le Danube en crue. A Wagram, la bataille fut longtemps indécise. Lannes y fut tué. Les Français, enfermés dans l'île, étaient soumis à un feu meurtrier. Mais ils avaient la supériorité de l'artillerie. Napoléon avait fait rassembler une grande batterie, qui ouvrit la route aux colonnes de fantassins. 30 000 autrichiens furent tués. L'archiduc demanda l'armistice.

La paix de Vienne, signée le 14 octobre 1809, dépeçait l'Empire autrichien. Les Polonais faisaient main basse sur la Galicie du Nord. La Galicie orientale payait le tsar pour son attitude de coopération. La Bavière prenait Salzbourg et la vallée de l'Inn. La France créait à son profit les provinces illyriennes, avec la Croatie, la Carinthie et la Carniole.

Maître de l'Europe, Napoléon constituait le *grand Empire français* : en Hollande il recevait l'abdication de Louis, qu'il jugeait incapable. N'avait-il pas toléré, contre espèces sonnantes, la contrebande anglaise et comploté contre son frère avec Fouché ? La Hollande annexée était divisée en neuf départements. Les préfets d'Empire étaient nommés à Brême, Hambourg, Lübeck, dans l'Oldenbourg, et les côtes de Westphalie. En multipliant les départements français, Napoléon voulait faire dépendre la surveillance des côtes et des ports de l'administration directe de ses préfets. Il voulait, plus que jamais, faire appliquer strictement le blocus.

Dans le même esprit, il annexait le Valais et donnait le Tessin à l'Italie, pour empêcher la contrebande par la Suisse. Les États pontificaux devenaient à leur tour des départements en mai 1809. De par l'Europe, il y avait ainsi cent trente départements comptant quarante-trois millions de « Français ». Le divorce de l'Empereur, son mariage avec Marie-Louise, fille de François d'Autriche, la naissance du roi de Rome, tout semblait désigner Napoléon comme le successeur de Charlemagne. Mais cette puissance n'était qu'une apparence tant que Napoléon n'était pas venu à bout de l'Angleterre.

Le démantèlement de l'Empire, 1812-1814.

L'IMMENSE PLAINE RUSSE.

En deux ans, le « grand Empire » devait cesser d'exister. Il serait finalement combattu, puis abattu par la conjonction de l'Angleterre, maîtresse des mers, et des mouvements des nationalités en Europe.

Le blocus continental était de plus en plus difficile à faire observer. Il aurait fallu pouvoir garder en permanence des milliers de kilomètres de côtes. Les Anglais profitaient astucieusement de toutes les brèches, pour y vendre leurs marchandises. Les peuples marchands de la Baltique étaient fort opposés aux mesures françaises, aggravées encore par les décrets de Trianon et de Fontainebleau, qui organisaient une véritable inquisition contre les contrebandiers. Ceux-ci risquaient d'être marqués au fer rouge, comme sous l'Ancien Régime...

Les nationalités constituées par Napoléon trouvaient de plus en plus pesant le joug de l'administration française. En octobre 1809, un étudiant allemand avait tenté d'assassiner l'Empereur. Le *Discours à la nation allemande* de Fichte était lu partout dans les cercles éclairés, mais surtout dans la Prusse des réformateurs, qui prenait ainsi, déjà, la tête du mouvement national allemand. L'Espagne restait en état de rébellion. Les Anglais avaient débarqué au Portugal de bonnes troupes, commandées par le général Wellesley, le futur Wellington. Masséna n'avait pu dominer Wellesley, qui avait gagné la bataille de Torres Vedras.

Les Russes eux-mêmes souffraient du blocus, et s'en indignaient. On condamnait en Russie le « réalisme » du tsar, allié saugrenu de Napoléon. La prétendue alliance française n'avait pas rapporté assez. On ne pouvait renoncer au fructueux commerce des blés et des bois pour un morceau de Pologne.

En Suède, Bernadotte, ancien révolutionnaire et général de Napoléon, venait d'être couronné roi. Il y avait risque que les Français n'aient des ambitions sur le grand commerce de la Baltique. Les Russes, à tous égards, étaient inquiets.

Le tsar n'avait pas d'intérêt au blocus. Il ne pouvait plus importer les produits coloniaux. Ses grands seigneurs étaient gênés dans leurs exportations vers l'Angleterre. En 1810 soudain, sans avertir Napoléon, le tsar prit la décision d'ouvrir le port de Riga aux navires des neutres. La mesure eut des effets immédiats. Les produits français furent frappés de lourdes taxes, des tonnes de marchandises anglaises envahirent la Russie.

Napoléon comprit que le vent avait tourné vers l'Est : à l'évidence, le tsar se préparait à une nouvelle guerre. Il devait lui-même faire face. Il obtint de la Prusse le droit de passage pour son armée. La Prusse promit son alliance, comme l'Autriche : après tout, la Grande Armée, l' « armée des nations », comptait 300 000 Français et 350 000 étrangers : ce n'était pas une force à négliger. Plus de vingt nationalités étaient représentées dans les bataillons qui s'enfonçaient vers l'Est : des Allemands en grand nombre, des Polonais, des Italiens, des Hollandais, des Suisses...

Le 24 juin 1812, les frontières de la Russie furent franchies : il était trop tard. L'hiver russe n'était pas loin. Napoléon ne disposait que de quelques semaines de temps clément. Avec de telles forces, il comptait sur une victoire rapide et définitive. La Grande Armée s'étirait vers Moscou, s'éloignant toujours davantage de ses approvisionnements. Les généraux russes reculaient, refusant le combat. Vilna tombait le 28 juin, Smolensk le 19 août.

A la Moscova, les Russes qui résistaient étaient battus mais parvenaient à faire retraite. 50 000 des leurs étaient tués, le 7 septembre : huit jours plus tard, Napoléon entrait dans Moscou. Le lendemain de son arrivée, un incendie allumé sur ordre du gouverneur détruisait la ville.

Napoléon s'attardait dans Moscou détruite. Quand il donnait enfin l'ordre de retraite, le 19 octobre, le tsar savait qu'il tenait sa victoire. Un grand élan d'enthousiasme rassemblait les Russes autour d'Alexandre Ier, mystiquement reconnu comme le sauveur de la sainte Russie. La Grande Armée faisait retraite sous la neige par — 35°. Sur son parcours, plus un village habité, plus de vivres, plus de munitions. L'armée russe harcelait l'arrière-garde et l'hiver décimait les bataillons ; 20 000 hommes à peine se présentaient en ordre pour franchir la Bérézina. Ils passaient, grâce aux efforts des pontonniers du général Éblé.

L'EUROPE PERDUE.

Le 5 décembre, au plus dur de la retraite, Napoléon apprenait que Paris conspirait contre lui : le général Malet avait tenté de s'emparer du pouvoir. Il abandonnait la Russie comme jadis il avait quitté l'Égypte, en laissant son armée derrière lui. Murat était chargé de conduire en Allemagne les débris des bataillons.

Pendant que Napoléon fonçait sur Paris à vive allure, la nouvelle du désastre de Russie avait envahi l'Europe. Partout les chancelleries s'activaient, soutenues dans leur zèle par l'or anglais. En Espagne, Wellesley avait occupé Madrid. L'Empire français chancelait.

Il était grand temps de participer à la curée. Frédéric-Guillaume de Prusse s'alliait au tsar et déclarait la guerre aux Français, cherchant la revanche attendue depuis Iéna, engageant dans la bataille un pays restauré, une armée décidée à vaincre. Dans toute l'Allemagne un puissant mouvement national dressait le peuple contre les Français.

Napoléon levait en grande hâte 250 000 conscrits. 300 000 jeunes de vingt ans étaient massés sur le Rhin. Ils ne connaissaient pas le métier des armes. L'armée manquait de chevaux et de canons. Dans cette improvisation s'engageait la campagne de 1813 : de l'autre côté du Rhin, Napoléon allait trouver toute l'Europe rassemblée.

Heureux à Lutzen et Bautzen contre les Prussiens, Napoléon enrôlait les Saxons. Il apprenait alors que l'Autriche et la Suède de Bernadotte lui déclaraient la guerre. Il avait entre-temps récupéré les débris de la Grande Armée. Il disposait de près de 400 000 hommes qu'il engagea à Leipzig dans la « bataille des nations », contre 470 000 Autrichiens, Prussiens et Suédois. Moreau et Bernadotte commandaient à l'ennemi contre Napoléon. Moreau fut tué à Dresde, le 27 août, par des balles françaises. La partie était bientôt perdue pour Napoléon, trahi par les Saxons. Il devait abandonner l'Allemagne, ouvrir la route du Rhin par la bataille de Hanau.

A Mayence, son armée était décimée par le typhus. Le temps des malheurs était venu. La Hollande s'était libérée en novembre, chassant les occupants. Elle avait rappelé le prince d'Orange. La Confédération helvétique s'était déclarée neutre. Murat avait dû regagner l'Italie envahie par les Autrichiens. Pour rester roi de Naples, il ouvrait son port aux Anglais, proposait son alliance à Vienne, trahissant Napoléon. En Espagne, Wellesley était vainqueur à Victoria. La retraite française se précipitait. Les Anglais avaient franchi la Bidassoa. Ferdinand VII était monté sur son trône. La France était réduite à l'hexagone, aux frontières de la Révolution.

LA CROISADE DE L'EUROPE DES TRONES.

La vieille Europe avait enfin sa revanche : elle pouvait en même temps venger Louis XVI et liquider Napoléon. Celui-ci déployait des trésors d'énergie et de génie militaire, avec les 80 000 conscrits de la « campagne de France ». Tous les souverains d'Europe avaient fait le serment, à Francfort, de ne pas renoncer tant que Napoléon serait sur le trône. C'est à lui qu'ils faisaient la guerre, non à la France.

En décembre 1813 Bernadotte fonçait sur la Belgique, Blücher le Prussien et l'Autrichien Schwarzenberg gagnaient la vallée de la Seine. Napoléon battait Blücher à Champaubert, Montmirail, Château-Thierry, Vauchamps. Il arrêtait l'Autrichien à Montereau. Le 1er mars 1814 les Russes, les Anglais, les Autrichiens et les Prussiens faisaient serment de ne pas conclure de paix séparée : c'était le *pacte de Chaumont*. Le 29 mars, les Alliés étaient aux portes de Paris. Marmont défendait la capitale avec 40 000 hommes. Le 30, Blücher prenait Montmartre, bombardait la ville. On décida de capituler. Les Alliés firent leur entrée dans Paris le 31.

A cette date Lyon était occupée, Wellesley était à Toulouse, Bordeaux se soulevait contre l'Empire. Napoléon apprenait à Juvisy la capitulation de Marmont.

Dès lors la trahison devint la loi générale : les maréchaux refusèrent partout le combat, persuadant l'Empereur de renoncer... Celui-ci dut capituler sans condition, le 6 avril.

Par le traité de Fontainebleau (11 avril) il gardait le titre d'Empereur, mais ne régnait plus qu'à l'île d'Elbe. Depuis le 6 avril le Sénat de l'Empire avait proclamé Louis XVIII roi des Français. La continuité était assurée : par le traité de Paris (30 mai) la France gardait ses frontières de 1792 avec une partie de la Savoie, le comtat Venaissin, Mulhouse et Montbéliard, Landau et Sarrelouis en Sarre, Philippeville et Marienbourg à la frontière belge. La France ne devait aucune indemnité de guerre et n'avait pas à subir d'occupation. Ainsi les Alliés avaient-ils tenu leur promesse : ils avaient fait la guerre à Napoléon « l'usurpateur », pas à la France.

LE SURSAUT TRICOLORE DES CENT-JOURS.

Il manquait à l'aventure napoléonienne, pour devenir légendaire, une glorieuse postface. Les « Cent-Jours » allaient la lui fournir. Les Bourbons étaient rentrés en France « dans les fourgons de l'étranger ». Les Alliés disaient qu'ils n'avaient fait la guerre qu'à l'Empereur. Il apparut soudain, avec la Restauration, que leur véritable ennemi n'était pas l'Empereur, mais la Révolution. La prodigieuse réaction qui suivit, dans les heures de son retour, l'arrivée aux affaires de Louis XVIII fit basculer la France entière, en un clin d'œil, du côté des trois couleurs. On oublia aussitôt les malheurs de l'Empire pour ne plus se souvenir que de sa gloire. On confondit, dans un même enthousiasme, la cocarde et la légion d'honneur, les couleurs de la Révolution et les drapeaux de la victoire. Toute la France révolutionnaire, qui était en même temps patriote, applaudit massivement, immédiatement, le retour de l'île d'Elbe.

Napoléon avait quitté son île le 26 février 1815 avec sept cents soldats. Moins d'un mois plus tard il était au palais des Tuileries. Le retour avait été triomphal. Seule la Vendée avait résisté, avec Bordeaux et Toulouse. Le congrès de Vienne, qui refaisait en dansant la carte de l'Europe, mit aussitôt « Buonaparte » en état d'excommunication. Le pacte de Chaumont fut reconstitué. On voulait cette fois l'abattre définitivement.

Le 12 mai, l'Europe entière déclarait la guerre à Napoléon. Le peuple français avait compris que la Révolution était en jeu dans la bataille, et qu'il n'y avait plus que l'Empereur pour la défendre. A Napoléon qui avait libéralisé l'Empire et nommé ministre le vieux Carnot, la France donna encore 300 000 soldats, dont l'enthousiasme était considérable. Wellington avait 100 000 combattants prêts, Blücher 125 000. Mais 600 000 soldats alliés attendaient d'entrer en campagne.

Napoléon devait faire vite : il fit marcher l'armée sur la Belgique, culbuta Blücher à Ligny, village situé près de Jemmapes, haut lieu révolutionnaire. Faisant poursuivre le Prussien par un général de cavalerie promu maréchal, Grouchy, il massa toutes ses troupes contre Wellington, retranché sur le plateau du mont Saint-Jean. La bataille du mont Saint-Jean, baptisée Waterloo par les Anglais, fut aveugle et héroïque. Napoléon fut constamment malheureux. Il ne put s'emparer des solides positions anglaises, et dut lutter sur son flanc droit contre Blücher qui avait échappé à la poursuite de Grouchy. Les prodiges d'héroïsme déployés par l'armée française ne pouvaient rien contre la détermination des Anglais et la foi nationale des soldats prussiens fanatisés par le vieux Blücher.

De nouveau vaincu, Napoléon se retrouvait à Paris le 21 juin, prêt à lever une nouvelle armée. Fouché le persuada d'abdiquer en faveur de son fils, le 22 juin. Le deuxième traité de Paris donnait à la France ses frontières de 1790. La Sarre devenait prussienne, Landau bavaroise, les places fortes du Nord hollandaises. La France devait subir une occupation de cinq ans et payer 700 millions d'indemnité. Napoléon bientôt partait pour Sainte-Hélène. Les Bourbons rentraient, avec les cosaques. L'épopée se terminait par une humiliation.

Table des matières du tome 1

Achevé d'imprimer
sur les presses de
SCORPION,
Verviers
pour le compte des
Nouvelles Editions Marabout
D. avril 1985/0099/95
ISBN 2-501-00114-1